D'espoir et de promesse

Françoise Bourdin

D'espoir et de promesse

ÉDITIONS FRANCE LOISIRS

Édition du Club France Loisirs,
avec l'autorisation des Éditions Belfond

Éditions France Loisirs,
123, boulevard de Grenelle, Paris
www.franceloisirs.com

© Belfond, un département de Place des éditeurs, 2010.
ISBN : 978-2-278-03990-0

Accompagnez-moi jusqu'à
Montréal et rentrons ensemble
en Normandie, le voyage
sera mouvementé !

Aux fidèles lecteurs de
France-Loisirs, avec toute
mon amitié.

« Un pays d'espoir et de promesse. »

Historical Narratives of Early Canada,
Charles DICKENS

1

Anaba recula de trois pas, les yeux écarquillés, puis se mit à battre frénétiquement des mains.

— Elle est sublime, somptueuse ! Ah, c'est exactement comme ça que je l'avais imaginée... Ta couturière a des doigts d'or, Stéphanie !

Accrochée à la porte de la salle de bains, la longue robe blanche semblait n'avoir pas souffert du voyage en avion.

— Les hôtesses ont été très compréhensives, expliqua Stéphanie. Quand je leur ai dit que c'était pour le mariage de ma petite sœur, elles ont trouvé ça si romantique qu'elles en ont pris soin comme de la prunelle de leurs yeux. À l'arrivée, elles se sont mises à deux pour la porter tout le long du sas et l'installer sur un chariot. Ensuite, le chauffeur de taxi m'a laissée monter à côté de lui pour qu'on puisse l'étaler bien à plat sur la banquette arrière. Ils ont tous coopéré !

Anaba se tourna vers elle et déclara, d'un ton pénétré :

— Tu es un amour.

Malgré leurs quatorze ans d'écart, et bien qu'elles ne soient que demi-sœurs, elles s'aimaient depuis toujours. Adolescente, Stéphanie avait joué à la poupée avec Anaba, heureuse d'avoir un vrai bébé à habiller et déshabiller, à promener dans sa poussette, à bercer. Sa nature gaie et généreuse s'était parfaitement accommodée de l'arrivée de cette petite fille avec qui elle ne s'était jamais sentie en rivalité dans le cœur de leur père.

— Lawrence va m'adorer là-dedans, prédit Anaba qui ne se lassait pas de contempler sa robe.

— Et lui ?

— Il portera une jaquette, naturellement.

— Ça lui ira très bien. Vous formerez le couple le plus glamour de Montréal ! Un photographe est prévu, j'espère ?

— *Tout* est prévu. Lawrence n'a pas laissé le moindre détail au hasard. Tu le connais, il est perfectionniste, il a torturé notre « wedding planner » qui est pourtant une magicienne de l'organisation. Mais il avait des idées très arrêtées, il a réglé la cérémonie et la réception avec autant de minutie que lorsqu'il planche sur un dossier avant de plaider. La seule chose à laquelle il n'a pas eu accès est cette robe.

Elle s'approcha pour caresser du dos de la main le drapé d'organza et le satin duchesse, d'un blanc immaculé. Elle en avait fait le dessin quelques mois plus tôt, reprenant dix fois son esquisse, et maintenant, sous ses yeux, le résultat dépassait toutes ses espérances. La petite couturière de Stéphanie, au fin fond de sa province normande, en France, avait su transformer le rêve en réalité, pour un prix dérisoire.

— Sans toi, Stéph, je ne sais pas comment j'aurais fait.

Sa sœur éclata de rire avant de répliquer :

— Tu te serais débrouillée. Tu es tellement entichée de ton Lawrence que, avec ou sans moi…

— Tu ne l'aimes pas ? s'alarma Anaba.

— Si, mais je le connais mal.

Lawrence était souvent venu à Paris durant toute l'année précédente, et il avait rencontré Stéphanie trois ou quatre fois. Pas assez pour qu'elle puisse se forger un jugement valable. Beau blond athlétique et affable, bien élevé mais plutôt content de lui, presque débarrassé de son accent canadien et très désireux de séduire tous ceux qu'il croisait : Lawrence avait de quoi plaire. Il s'était d'ailleurs lancé dans un véritable numéro de charme devant leur père qui avait été conquis, heureux de retrouver à travers son futur gendre des choses qui lui rappelaient la mère d'Anaba. Mais Stéphanie était moins facile à convaincre.

— Ne te fie pas à son air un peu… arrogant. En réalité, il est timide.

Stéphanie éclata de rire. Lawrence, timide ? Sûrement pas.

— C'est ce qu'il te raconte, chérie ? N'en crois pas un mot. Il est très sûr de lui, ça se voit. Remarque, il a peut-être raison, il a bien réussi.

— D'autant plus qu'il s'est fait tout seul ! rappela Anaba avec conviction. Ses parents n'ont aucune fortune personnelle.

— Ils lui ont tout de même payé ses études.

Devant le froncement de sourcils contrarié de sa petite sœur, Stéphanie se radoucit. Anaba était persuadée d'épouser un homme parfait, ce qui lui donnait des ailes depuis quelques mois. Et Lawrence semblait répondre à toutes ses attentes, il la choyait et

13

la gâtait sans l'étouffer, il lui avait rapidement proposé le mariage afin qu'elle puisse s'établir à Montréal avec lui, et il projetait même d'acheter une maison de vacances en France pour qu'Anaba puisse voir régulièrement sa famille.

À vrai dire, sa famille ne se composait plus que de son père, Roland, et de sa sœur Stéphanie, les deux êtres auxquels elle était le plus attachée, ce que Lawrence avait parfaitement compris. Il ne voulait pas la couper de ses racines et, paradoxalement, il lui offrait aussi la possibilité d'intégrer ce Canada dont sa mère lui avait tant parlé. N'était-ce pas ce qui l'avait séduite en premier chez Lawrence ? « Il est Québécois, tu te rends compte ! » s'était-elle extasiée, dès le lendemain de leur rencontre. « Il sait tout sur les sang-mêlé, et quand je lui ai montré une photo de maman, il en est resté sans voix ! »

Anaba ressemblait beaucoup à sa mère, cette belle métisse qui possédait à la fois du sang indien et des ancêtres canadiens français. Anaba tenait d'elle ses grands yeux si sombres et ses cheveux noirs, son teint pain d'épice et, à l'époque où elle se faisait des nattes, son allure de squaw sortie tout droit d'un western. Le contraire d'une Stéphanie au regard bleu, et qui avait été blonde avant que ses cheveux ne deviennent prématurément gris. Elle les portait ainsi, peu soucieuse de l'opinion des hommes après deux mariages ratés.

— Je vais fumer une cigarette à la fenêtre, annonça-t-elle.

Elle ne fit que l'entrouvrir mais un filet d'air froid s'insinua aussitôt dans la pièce. La fin de l'hiver était glaciale sur Montréal enneigé.

— Tout à l'heure, décréta Anaba, on ira se baigner dans la piscine qui est sur le toit. Découverte, mais bien chauffée. Tu verras, la sensation est unique !

Lawrence n'avait pas lésiné sur l'hôtel où loger sa fiancée en cette veille de mariage. Le *Hilton Bonaventure* de Montréal offrait de nombreuses prestations de luxe, dont cette improbable piscine ouverte toute l'année.

— Et puis, je nous ai concocté un chouette programme, on va dignement enterrer ma vie de jeune fille aujourd'hui. Lawrence fera la même chose de son côté avec Augustin.

— Qui est-ce ?

— Son meilleur ami, qui sera son témoin demain. Je t'ai déjà parlé de lui, tu verras, c'est un type adorable qui devrait te plaire.

— Tu veux me caser ? ironisa Stéphanie.

— Non, je sais que tu es très bien toute seule, et d'ailleurs…

Anaba s'interrompit, un peu embarrassée.

— Il n'est pas de ma génération, c'est ça ?

— À mi-chemin entre toi et moi, il a trente-cinq ans.

— Et que fait-il dans l'existence ?

— Il écrit des romans policiers.

— Oh… Je n'aurais pas cru que Lawrence puisse avoir des amis de ce genre, je le voyais plutôt entouré de sinistres magistrats et d'avocats d'affaires.

Négligeant de répondre à la raillerie, Anaba revint vers sa robe.

— Dire que je ne pourrai la mettre qu'une seule fois !

— Après, tu la rangeras dans une grande boîte en carton avec du papier de soie. Je dois encore avoir la mienne au fond d'un placard. Celle de mon premier mariage, en tout cas.

— Pour le second, tu portais un tailleur ivoire, je m'en souviens très bien. Tu l'as toujours ?

— Non, je l'ai donné sans regrets.

Pour compenser le ton désabusé de sa phrase, Stéphanie rejoignit sa sœur et lui passa un bras autour des épaules.

— Demain est un grand jour. *Ton* jour. Montre-moi encore ta bague… waouh ! Rien à dire, il ne s'est pas moqué de toi.

— Il me l'a offerte le soir de mon arrivée, la semaine dernière. Nous sommes allés directement de l'aéroport jusqu'au *Beaver Club*, qui entre nous soit dit sert les meilleurs martinis de la ville, et là, il a fait un truc incroyable.

— Quoi ?

— Devant tout le monde, il a mis un genou à terre, et il m'a tendu l'écrin sans un mot, les larmes aux yeux.

— Lawrence ?

— Oui, Lawrence, pas le barman, s'énerva Anaba.

— Eh bien, chérie, c'est… merveilleux. Je n'ai jamais eu cette chance et je m'en réjouis pour toi. Mais je ne pensais pas Lawrence si émotif. Tu es sûre que tout va bien pour lui en ce moment ?

— Arrête, Stéph, tu vas devenir méchante.

Elles furent interrompues par des coups frappés à la porte, et Anaba se précipita.

— Bonjour les filles ! s'écria Augustin dès qu'elle ouvrit. On vient vous faire un petit coucou et s'assurer que rien ne vous manque avant de partir pour la tournée des grands-ducs.

— Vous n'allez pas vous mettre à boire tout de suite ? s'inquiéta Anaba en l'embrassant.

Lawrence entra à sa suite, disparaissant derrière un énorme bouquet de roses. De sa main libre il prit Anaba par la taille, l'attira à lui.

— Juste un baiser et on se sauve.

Il l'embrassa au coin des lèvres, apparemment un peu nerveux, puis son regard tomba sur la robe.

— Elle est magnifique, dit-il d'un ton plat.

— Oh, mon Dieu, il ne fallait pas que tu la voies !

Consternée, Anaba se précipita vers la robe et se mit devant pour tenter de la cacher.

— On prétend que ça porte malheur, expliqua Stéphanie, mais ce ne sont que des superstitions imbéciles.

Lawrence avait baissé la tête et regardait ses pieds sans faire le moindre commentaire. Il y eut un instant de gêne, qu'Augustin rompit en tapant dans le dos de son ami.

— Allez, vieux, demi-tour, ces dames ont sûrement mille choses à faire.

Un peu moins grand que Lawrence, Augustin avait des yeux verts pétillants de malice, un beau nez fin, mais sur le côté droit de son visage, une longue cicatrice barrait le creux de sa joue jusqu'à sa pommette. Elle ne le défigurait pourtant pas, tout en rendant son sourire asymétrique. Il serra chaleureusement la main de Stéphanie, avec un clin d'œil appuyé.

— Je suis ravi de vous rencontrer enfin. Vous ferez aussi un discours, demain ? Alors, il faudra qu'on s'entende pour savoir qui commence. En tout cas,

17

puisque nous sommes témoins tous les deux, je vous servirai de cavalier pour la soirée si vous le voulez bien. D'ici là, amusez-vous, moi je me charge de Lawrence, et si je le vois trop ivre je le forcerai à ne plus boire que de l'eau furieuse.

— Furieuse ?

— Pétillante, quoi ! Je sens que vous allez avoir des surprises avec nos expressions locales…

Sa gaieté, très spontanée, tranchait étrangement avec l'air toujours soucieux de Lawrence qui murmura :

— Passe une bonne journée, chérie. Je t'appellerai plus tard.

Il lui envoya un baiser du bout des doigts, déposa sur une console le bouquet de roses qu'il n'avait pas lâché, puis se hâta de sortir. Pour ne plus voir la robe qu'il n'aurait pas dû découvrir avant l'heure ? Non, il devait avoir un problème plus important que ça. Anaba elle-même faisait la grimace, sans doute perturbée par son attitude.

— Une délicate attention, ces fleurs, se contenta de remarquer Stéphanie. Je vais sonner pour demander un vase, tu veux ?

Anaba hocha la tête en marmonnant :

—J'espère que Lawrence n'a pas de souci avec l'organisation. En principe, tout est planifié, mais s'il y a un grain de sable dans les rouages, ça va le rendre fou. Il s'est donné beaucoup de mal pour notre mariage. Comme je ne pouvais pas vraiment m'en occuper depuis Paris et qu'il tenait à ce que ça se passe ici, il en a fait une affaire personnelle. Il m'appelait trois fois par jour pour avoir mon avis sur la couleur des nappes, les chants à l'église, le choix du champagne…

18

— Tout ira très bien, affirma Stéphanie d'une voix apaisante.

L'entêtement de Lawrence pour se marier à Montréal avait pour conséquence l'absence de leur père. Roland avait toujours eu une peur bleue de l'avion et, à son âge, il refusait d'entreprendre un tel voyage. La mort dans l'âme, il avait souhaité à sa fille tout le bonheur du monde, et il s'était engagé à emmener les jeunes mariés dans un restaurant étoilé durant leur lune de miel parisienne.

— Alors, ce programme dont tu m'as parlé, en quoi consiste-t-il ?

Retrouvant le sourire, Anaba énuméra :

— D'abord, on va piquer une tête dans la piscine.

— En fait, j'ai cru que tu plaisantais, au téléphone, quand tu m'as demandé d'apporter un maillot de bain.

— Peu importe, il y a une boutique en bas, on va t'en acheter un. Après, on pourra grignoter au *Belvédère*, un gentil bistrot qui se trouve dans le hall. Ensuite, je t'emmène visiter la ville souterraine, et j'ai pris rendez-vous pour nous deux dans un institut qui fait des massages divins. Ce soir, je te propose de dîner ici, au *Castillon*, c'est le restaurant chic de l'hôtel, avec feu de cheminée. Et si tu veux bien, on ne se couchera pas trop tard parce que demain matin, le coiffeur et la maquilleuse vont frapper à notre porte dès neuf heures.

— Eh bien… C'est une version grand luxe !

— Lawrence voulait qu'on ne se refuse rien.

— Je vois ça. Mais dis-moi, il a une planche à billets ou quoi ?

— Je suppose qu'il a pris un crédit. Sa banque lui fait confiance, il gagne très bien sa vie dans un des meilleurs cabinets d'avocats d'affaires, il a un bel avenir professionnel.

Stéphanie faillit demander à sa sœur ce qu'elle envisageait, de son côté, comme avenir. Être uniquement l'épouse de Lawrence, tenir sa maison, lui donner des enfants et l'attendre le soir avec un bon petit plat dans le four ? Néanmoins, elle s'en abstint, décidée à ce que rien ne ternisse leur journée. Ses questions auraient pu passer pour de l'aigreur, de la jalousie, ou simplement la déception de la séparation à venir. Parce que, au prix du billet d'avion, elles n'allaient plus beaucoup se voir. Peut-être l'été, si vraiment Lawrence achetait une maison de vacances en France, et à Noël puisque Anaba avait juré qu'elle les passerait tous avec leur père quoi qu'il arrive.

— Allons acheter ce maillot de bain, proposa Stéphanie. Et tu me donneras le mode d'emploi pour ne pas attraper une pneumonie !

Après un dernier coup d'œil sur la chambre, vraiment luxueuse avec ses deux lits immenses, ses meubles d'acajou et ses fenêtres donnant sur les jardins couverts de givre, Stéphanie empoigna son sac et suivit Anaba.

*
* *

— Si, je vois très bien que quelque chose ne va pas.

Penché en avant, sa bière à la main, Augustin dévisagea Lawrence.

— Tu as la trouille, hein ? Mais tu ne sautes pas dans le vide, mon vieux, tu te maries, comme des tas de gens avant toi.

— Je sais, répondit Lawrence.

Il serrait les dents, ce qui faisait battre une petite veine sur sa tempe.

— Et puis, reprit Augustin avec son sourire de biais, je te rappelle que quand le célébrant te posera la question, au palais de justice, il sera encore temps de répondre « non ».

— Très drôle, vraiment.

Vexé par le ton agressif, Augustin haussa les épaules.

— Écoute, je ne vais pas te traîner toute la journée avec cette tête d'enterrement. Nous sommes censés nous amuser. Tu n'es pas sur le piton ?

Lawrence esquissa à son tour un sourire en entendant l'expression qui signifiait « ne pas être en forme ».

— J'ai…, tenta-t-il de répondre, eh bien, j'ai des sentiments profonds pour Anaba.

— Encore heureux !

— Mais j'ai aussi des doutes sur la vie que nous allons mener. Elle a envie d'avoir des enfants tout de suite, et moi je trouve qu'il n'y a pas urgence. Nous sommes jeunes, profitons de l'existence avant de nous mettre des charges sur le dos. Je voudrais aussi qu'elle s'habitue au pays, aux gens, à notre culture. Qu'elle prenne le temps de s'intégrer et de se faire des amis avant de pouponner.

— Vous en avez discuté ?

— Très récemment. Jusqu'ici, je n'avais pas réalisé que, pour elle, le mariage signifiait forcément les bébés dans la foulée.

— Quand on arrive à la trentaine, il me semble que pour une femme le moment est venu, non ?

— Peut-être. En tout cas, je n'aurais pas dû précipiter les choses de cette façon.

— Je t'avais suggéré d'attendre le printemps ou l'été, rappela Augustin.

— Je voulais qu'on soit ensemble le plus vite possible. Je le veux toujours, je crois…

— Tu *crois* ? Tu ferais mieux d'avoir des certitudes ! Bon, reprends une bière, ça va aller.

D'un geste machinal, Augustin passa les doigts sur sa cicatrice. Entre le froid glacial au-dehors et l'atmosphère surchauffée du bar, sa joue le tiraillait un peu. Il se demanda s'il devait interroger plus sérieusement Lawrence. Certes, son rôle d'ami et de témoin exigeait qu'il l'aide à passer le cap du célibat au mariage, mais sans pour autant se lancer dans une séance de psychanalyse. L'angoisse était inévitable, la veille du grand plongeon.

— Si on s'offrait encore quelques huîtres ? proposa Lawrence.

Installés au comptoir de bois verni de *Chez Delmo*, ils se régalaient de fruits de mer, en habitués des lieux.

— Tu as les alliances ? s'enquit Augustin après avoir passé la commande. C'est moi qui dois les apporter à l'église demain, tu serais fichu de les oublier.

Ils reprirent une tournée de bière et trinquèrent ensemble.

— À ton bonheur ! Et je ne me fais aucun souci, Anaba a tout ce qu'il faut pour rendre un homme heureux, même toi.

— Ce qui signifie ?

— Tu es très exigeant. Tu veux tout et son contraire, de préférence tout de suite. Je pense que ça t'a aidé professionnellement, mais sur un plan sentimental…

Après une brève hésitation, Augustin ajouta :

— Tu as rompu avec Michelle, je suppose ?

— Bien sûr ! Pour qui me prends-tu ? Nous restons bons amis elle et moi, rien d'autre.

— Je ne crois pas à ce genre de truc. Tu continues à la voir ? Ce n'est pas très honnête vis-à-vis d'Anaba.

Lawrence haussa les épaules et prit une huître sur le plateau qu'on venait de déposer devant eux. Perplexe, Augustin l'observa une seconde. Leur amitié remontait à l'époque de l'université, lorsqu'ils étudiaient le droit ensemble. Brillant et en avance, Lawrence se jouait des examens tandis qu'Augustin bataillait pour obtenir des notes moyennes. Ils avaient sympathisé parce qu'ils faisaient partie de la même équipe de hockey, celle qui gagnait tous les matchs. Et puis Augustin avait lâché le droit pour s'inscrire dans un atelier d'écriture, mais il était resté l'ami de Lawrence. Son meilleur ami, sans doute, car les autres étaient souvent découragés par son côté arrogant et par sa réussite dans tous les domaines, y compris auprès des femmes. Tandis qu'Augustin s'engageait dans une liaison sérieuse, Lawrence collectionnait les conquêtes. Ils ne jouaient plus au hockey mais continuaient à nager et à patiner ensemble durant les week-ends, l'occasion pour eux de se raconter leurs vies avant d'aller vider quelques bières. Les années passant, Lawrence était devenu avocat. Pendant ce temps-là, Augustin était allé à Los Angeles pour écrire des scénarios de séries télévisées avant de publier son premier roman policier au Canada. Les deux amis se voyaient toujours de loin en loin, avec le même plaisir, mais leurs métiers respectifs commençaient à les accaparer. Pour les besoins d'un film auquel il collaborait, Augustin avait passé quelques mois en France d'où il était revenu totalement subjugué. Un an plus tard, et malgré les protestations scandalisées de Lawrence, il avait pris la décision de s'y installer, ne gardant qu'un petit studio à Montréal en guise de pied-à-terre. Entre-temps, sa carrière de romancier avait bien évolué, il était désormais un auteur connu, convoité par les agents. De son côté Lawrence, toujours aussi brillant, avait gravi les échelons au sein d'un gros cabinet d'avocats d'affaires dont il était devenu l'associé. Régulièrement, les deux hommes réussissaient pourtant à se retrouver. Dès qu'Augustin arrivait pour un séjour à Montréal, Lawrence se libérait et ils partaient skier deux jours dans les Laurentides. Si Augustin tardait trop à venir, Lawrence prenait une semaine de vacances et allait la passer en France avec lui. Grâce à ces séjours, il avait rencontré Anaba et en était tombé amoureux.

Anaba. Son prénom amérindien signifiait : « qui revient du combat ». Lawrence se plaisait à souligner ce paradoxe d'avoir trouvé une presque Canadienne en France, et il répétait qu'il allait la ramener à la maison. Anaba riait, séduite dès le début, et elle ne disait pas non. Augustin les observait, dubitatif, se demandant si Lawrence tiendrait parole, s'il était capable de s'attacher pour de bon à une seule femme et d'oublier toutes les autres. La demande en mariage l'avait surpris, et plus encore son organisation tambour battant. Bien sûr, Lawrence savait ce qu'il voulait, mettant toujours tout en œuvre pour obtenir l'objet de ses désirs. Puisqu'il fallait épouser Anaba pour l'avoir à Montréal avec lui, il s'y était décidé sur un coup de tête.

Pourquoi pas ? Coup de tête ou coup de foudre, ils allaient bien ensemble, elle si brune et lui si blond, elle un peu fragile et lui solide comme un roc. Augustin avait applaudi des deux mains, heureux de voir Lawrence se ranger. Aussi, apprendre que Michelle était toujours dans les parages ne le réjouissait pas.

— Sa sœur ne lui ressemble pas du tout, dit-il pour changer de sujet.

— Elles ne sont que demi-sœurs. La mère de Stéphanie est morte jeune, et leur père s'est remarié quelques années plus tard avec une Amérindienne, Léotie, dont il était tombé éperdument amoureux. Il n'a pas eu de chance, le pauvre, cette Léotie s'est fait écraser par un camion, en plein Paris, alors qu'elle roulait à vélo. Anaba avait quinze ans, elle a été traumatisée par le décès de sa mère, mais par bonheur elle avait Stéphanie pour l'épauler.

— Comment est-il, leur père ?

— Pas très chaleureux. Être deux fois veuf n'a pas dû l'arranger, je suppose. Il était prof de philo et, hormis ses filles, je crois qu'il n'aime que ses livres.

— Ça me le rend sympathique, affirma Augustin.

Lui aussi s'était laissé envahir par les livres, incapable d'en jeter un seul. Dans son appartement parisien, il posait régulièrement des étagères, aussitôt remplies de volumes en tout genre, romans, thrillers, essais, biographies ou albums. Lorsqu'il avait quitté Montréal, il avait fait expédier par bateau la quasi-totalité de sa bibliothèque, mais déjà son studio s'encombrait de tout ce qu'il achetait lorsqu'il séjournait au Canada. Lawrence, lui, ne connaissait pas ce problème, ses traités de droit se trouvaient dans son bureau, au cabinet, et chez lui il ne lisait que des

journaux, abonné aux cinq grands quotidiens francophones ainsi qu'à *The Gazette* et *The Globe and Mail*.

— On va patiner ? proposa Lawrence. J'ai envie de
me défouler. Parc Lafontaine ?

— Plutôt le lac aux Castors. On louera des patins
sur place, mais ne t'avise pas de te casser une jambe
pour échapper à ton mariage, je t'y traînerai même
avec un plâtre !

Lawrence lui jeta un étrange regard avant de
s'emparer de l'addition.

*
* *

À des milliers de kilomètres de là, Roland Rivière
était en train de préparer son dîner. Toute la journée,
il avait pensé à Anaba, à ce qu'elle devait vivre en ce
moment précis, et il l'imaginait radieuse, surexcitée,
riant aux éclats avec sa grande sœur durant les derniers préparatifs du mariage.

S'il regrettait de ne pas y être, il savait bien qu'il
n'aurait pas pu supporter le vol. Sa phobie de l'avion
l'avait toujours empêché de connaître ce Canada dont
Léotie parlait avec lyrisme. Quelques mois avant sa
mort, ils avaient envisagé d'entreprendre le voyage en
bateau. À bord d'un paquebot, Roland voulait bien
traverser l'Atlantique pour aller voir de près les montagnes Rocheuses et les Grands Lacs, mais pas question de monter dans un avion pour ça. Finalement, ils
n'en avaient pas eu le temps.

Ah, Léotie, l'éblouissement de sa vie, ses années les
plus heureuses… Et puis ce froid intérieur qui l'avait
saisi et plus jamais quitté lorsqu'il était allé recon-

naître son cadavre défiguré à la morgue. Le chauffeur du camion ne l'avait pas vue, dans son angle mort, et l'avait traînée sur des dizaines de mètres. Roland n'en voulait même pas à cet homme dont les nuits devaient être peuplées de cauchemars.

Il descendit l'étroit escalier de pierre conduisant à la cave voûtée où il avait installé sa cuisine. Un soupirail placé tout en haut d'un mur l'aérait, mais rien ne l'éclairait et il fallait se contenter de la lumière électrique. Léotie avait bien décoré l'endroit, que Roland gardait exactement en l'état. Un sol fait de grandes dalles d'ardoise, des murs de pierres apparentes aux joints très blancs, une cuisinière en fonte, des meubles de bois rouge et toute une batterie de cuivres rutilants. La seule pièce de la maison où ne se trouvait aucun livre, juste un classeur plein de recettes écrites à la main par Léotie.

Parfois, ses filles lui reprochaient affectueusement de vivre dans le souvenir de sa belle Indienne. Mais comment aurait-il pu l'oublier ? Ce deuxième deuil avait sonné le glas de toute vie sentimentale, il s'était jugé trop vieux et n'avait plus ressenti aucune envie. Finir seul ? Et alors ? Il n'était pas si mal au milieu de ses livres, dans sa drôle de maison biscornue. Située au fond d'une petite impasse donnant sur la rue de La Jonquière, dans le 17e arrondissement, la construction était toute en hauteur. Au rez-de-chaussée se trouvait un petit séjour prolongé d'une verrière, avec une cheminée d'angle qui fonctionnait les soirs d'hiver. Une pièce attenante, longue mais étroite, qui servait de bureau-bibliothèque à Roland, était tapissée de livres du sol au plafond. Au premier il y avait une chambre relativement spacieuse avec sa salle de bains, et au second les deux chambres exiguës des filles séparées par une douche. Aucune place perdue, le moindre mètre carré exploité, comme cette cuisine souterraine et aveugle. Vingt-cinq ans plus tôt, Roland avait eu un coup de cœur pour la maison, payée avec un lourd crédit. Si on y manquait d'espace et de lumière, avoir une maison dans Paris était néanmoins un grand luxe. Et puis Roland se consolait en se disant que le soleil aurait abîmé les reliures des volumes anciens. Lorsqu'il avait envie de respirer et de mieux voir le ciel, il partait se promener au square des Épinettes, s'arrêtait pour lire sur un banc près du kiosque à musique ou déambulait entre les tilleuls argentés, les ginkgos et les savonniers de Chine, puis finissait son périple devant le hêtre pourpre plus que centenaire auquel il recommandait l'âme de Léotie.

Il prit un économe et se mit à éplucher des pommes de terre, debout devant l'évier. À un moment donné, il leva les yeux vers la pendule murale et calcula que puisqu'il était vingt heures à Paris il devait être quatorze heures à Montréal. Stéphanie avait envoyé un texto pour dire qu'elle était bien arrivée, la robe aussi, et que l'hôtel où logeait sa sœur était *génial*. Ce genre d'expression hérissait Roland. Le *Hilton Bonaventure* était sans doute très confortable, peut-être même original, mais sûrement pas doué de génie. Comment faire comprendre à ces générations que le français, la plus belle langue au monde, possédait un mot précis pour chaque chose, assorti d'une infinité de nuances possibles ?

Après avoir coupé ses pommes de terre en rondelles, il les jeta dans la poêle avec un morceau de beurre salé. Tant pis pour le régime ! Demain, sa petite Anaba deviendrait l'épouse de Lawrence Kendall, mais conserverait son nom de jeune fille ainsi que le voulait la loi canadienne depuis quelques années. Elle serait désormais une femme mariée, bientôt une mère de famille, c'était un peu difficile à concevoir.

Comme le beurre grésillait, il baissa le feu. Dans cette cuisine, il en avait préparé des repas pour Anaba ! Suivant à la lettre les recettes du classeur de Léotie, il avait choyé son adolescente pour qu'elle ne se nourrisse pas de sandwiches ou de hamburgers. Révision du bac, première année aux Beaux-Arts, leur cohabitation s'était poursuivie sans heurt, sans affrontement. Parfois, il la regardait à la dérobée et son cœur se serrait devant sa ressemblance avec sa mère. Un beau jour, elle s'était fait couper les cheveux très court, perdant d'un coup l'allure de Léotie pour trouver la sienne. Il avait eu le courage de la complimenter, et c'est vrai qu'elle était jolie avec ses petites mèches brunes et ses grands yeux noirs. Jolie de toute façon.

« Dans sa robe de mariée, elle sera magnifique. Lawrence a beaucoup de chance, j'espère qu'il s'en rend compte. »

Appréciait-il Lawrence ? Il tournait et retournait cette question dans sa tête sans pouvoir fournir de réponse. Anaba le présentait comme un homme merveilleux, unique, paré de toutes les qualités. Et, certes, il avait un physique avantageux, un bon métier, une solide éducation. Mais quelque chose en lui chiffonnait Roland. Peut-être une satisfaction de lui-même qu'il ne parvenait pas à dissimuler et qui trahissait un ego démesuré. À moins que cette belle confiance trop affichée ne soit au contraire la carapace de quelqu'un en proie aux doutes ?

« Aucun homme ne t'aurait semblé mériter Anaba, sois lucide. »

Ses deux gendres précédents – les maris successifs de Stéphanie – ne l'avaient pas convaincu non plus, mais cette fois à juste titre. Le premier était un égoïste autoritaire, le second un médiocre mesquin. Soit elle manquait de chance, soit elle avait mauvais goût.

« Ne pas toujours incriminer les autres. Comme on fait son lit on se couche, dit le proverbe… »

Stéphanie n'avait pas eu d'enfant. D'après elle, il s'agissait d'un choix délibéré, tout comme l'existence solitaire qu'elle menait depuis son dernier divorce et qui semblait lui convenir. Douée pour le commerce grâce à sa nature joviale et à son bagout, elle s'était frottée avec succès à des métiers différents avant de se fixer dans la vente de meubles. Huit ans plus tôt, lasse de dépenser son argent en loyers, elle avait quitté Paris et acquis une charmante maison en bord de Seine, dans la petite ville normande des Andelys qui prospérait à l'ombre des ruines du Château-Gaillard. Au début de son activité, l'enseigne apposée sur sa maison signalait une brocante, jusqu'à ce qu'elle la change pour l'appellation plus ronflante d'antiquaire. Elle avait aujourd'hui une clientèle fidèle et partageait son temps entre la vente et la recherche de pièces rares ou insolites. Tout le rez-de-chaussée de sa maison était devenu son magasin, elle y régnait avec bonheur.

Pendant que sa sœur courait après les coiffeuses Louis XV et les secrétaires à dos d'âne, Anaba avait accompli son premier cycle de trois ans aux Beaux-

Arts. Renonçant au second cycle, elle était entrée dans un atelier de restauration de tableaux où elle avait suivi une bonne formation. À présent, elle travaillait pour certains musées, passionnée par son métier.

Les choix des deux sœurs les avaient encore rapprochées, elles pouvaient discourir sur l'art durant des heures. Une fois par semaine, Stéphanie prenait sa voiture pour se rendre à Paris et retrouver Anaba chez leur père, autour d'un dîner toujours très gai. Parfois, Anaba abandonnait son studio du quartier des Ternes pour aller passer le week-end chez Stéphanie. Aux beaux jours, elles déjeunaient dans le petit jardin en bord de Seine, et l'hiver elles se préparaient un grand feu de cheminée. Roland restait chez lui, peu disposé à quitter ses chers livres qu'il relisait, classait, répertoriait sans cesse. Et comme les deux petites chambres de ses filles, là-haut, ne servaient plus, il avait commencé à les annexer pour y ranger quelques volumes.

Il déposa un steak haché au milieu des pommes de terre dorées à souhait. Anaba pleurerait-elle, demain, à l'église, quand Lawrence passerait l'alliance à son doigt ? Léotie avait eu deux larmes à cet instant-là, deux perles qui demeuraient à jamais dans le cœur de Roland.

« Je me suis occupé de ta fille de mon mieux, ma chérie. Et en prenant Anaba sous son aile, Stéphanie t'a rendu l'amour que tu lui avais donné. Tout est bien. Je pourrais partir maintenant, elles n'ont plus besoin de moi. »

Après avoir déposé son assiette garnie sur la petite table de teck rouge, il s'installa, prêt à savourer son dîner.

Anaba s'observait sans y croire. Même en sachant que la coiffure, le maquillage et la robe pouvaient radicalement transformer une femme, elle n'aurait jamais pu s'imaginer aussi belle en mariée. Face à la glace en pied, elle se sentait comme Cendrillon changée en princesse par une bonne fée.

— La réception nous informe que la limousine est là ! annonça Stéphanie en raccrochant le téléphone.

Gagnée par l'excitation des derniers préparatifs, elle vibrionnait dans la chambre depuis une heure en essayant de penser à tout. Elle s'approcha de sa sœur et lui sourit dans la glace.

— Tu es… radieuse, il n'y a pas d'autre mot. Et je suis très fière de t'accompagner.

Vêtue d'un sobre tailleur de velours bleu-gris, elle viendrait se changer ici dans l'après-midi en vue du cocktail et de la soirée, mais il fallait d'abord affronter le froid du dehors, le palais de justice, l'église, puis le déjeuner prévu avec la famille de Lawrence et les témoins. Pour Anaba, qui allait conserver sa sublime robe tout au long des festivités, une salle de repos serait mise à disposition sur place, avec coiffeur et maquilleuse pour les retouches.

— J'ai déjà envie de pleurer, murmura Anaba.

— Pas maintenant, ou tu vas ruiner ton maquillage.

— Tout ça est si émouvant, Stéph ! Et Lawrence a tellement bien fait les choses…

Impossible de le nier, cet homme possédait le sens de la fête et celui de l'organisation. Pour ne pas être en reste, Stéphanie compta sur ses doigts :

— Tu as quelque chose de bleu, c'est le kleenex que j'ai mis dans ton manchon. Quelque chose de neuf avec ta robe, quelque chose de prêté puisque tu portes mes clous d'oreilles, et quelque chose d'ancien que voici.

Elle lui tendit un tout petit missel au cuir très fatigué.

— Papa l'avait eu en cadeau pour sa communion quand il était tout gamin. Il te l'offre afin que tu aies une pensée pour lui aujourd'hui.

Anaba prit délicatement le missel des mains de sa sœur.

— Je crois vraiment que je vais pleurer, souffla-t-elle.

— Non, surtout pas ! Allez, descendons, c'est l'heure.

Stéphanie enfila son manteau avant d'ajuster sur les épaules de sa sœur la cape chaudement doublée assortie à la robe, puis elle la précéda le long des couloirs jusqu'aux ascenseurs. Dans le hall, tous les clients tournèrent la tête sur leur passage, et certains n'hésitèrent pas à lancer gaiement des vœux de bonheur à Anaba qui souriait aux anges.

Une fois installée dans la voiture de location, Stéphanie prit la main gantée de sa sœur et la serra très fort.

— C'est tout près, n'est-ce pas ?

— Oui, le palais de justice se trouve juste au bout de la rue Saint-Antoine, à deux pas d'ici. Nous attendrons que Lawrence et Augustin viennent nous ouvrir les portières, je suppose qu'ils y sont déjà.

Malgré le chauffage, Anaba fut parcourue d'un frisson.

— Quand je pense que ma vie va basculer dans quelques minutes, ça me flanque le trac.

— Détends-toi, tout ira très bien.

— Tu ne me laisseras pas tomber, Stéph, tu viendras me voir ? insista-t-elle d'un ton angoissé.

— Bien sûr, ma puce.

— J'ai l'impression de m'être engagée à vivre au bout du monde. Et l'hiver est si long à Montréal...

Il y avait encore de la neige sur les toits et des stalactites pendaient comme des aiguilles devant les gouttières, cependant un pâle soleil faisait briller les trottoirs où les passants se hâtaient, emmitouflés dans leurs gros manteaux et leurs bonnets de fourrure.

— Nous sommes arrivés, annonça le chauffeur avec un accent canadien prononcé. En attendant qu'on vienne vous chercher, je laisse le moteur tourner pour la climatisation.

Il jeta un coup d'œil dans son rétroviseur et se fendit d'un large sourire.

— Vous êtes belle comme un cœur, mademoiselle ! Je vous présente toutes mes félicitations.

Anaba lui rendit son sourire tout en cherchant du regard Lawrence qui aurait dû se trouver là.

*
* *

— Tu plaisantes ? articula Augustin.

Malheureusement, il ne devait pas s'agir d'une blague douteuse puisque Lawrence portait un jean en velours et un col roulé au lieu de la jaquette prévue.

— Tu n'iras pas ? répéta-t-il, encore incrédule mais déjà horrifié.

— Non, je ne peux pas, je ne veux pas. Je ne veux plus ! C'est une erreur, mon vieux, une vraie folie, et je n'ai pas le droit d'entraîner Anaba dans un mariage qui ne tiendra pas.

— Mais qu'est-ce qui te prend ? Tu deviens fou ou quoi ? Nous en avons parlé toute la journée d'hier !

Lawrence secoua la tête sans répondre puis recula pour laisser entrer Augustin. Il avait les yeux cernés, le visage fermé, l'air buté.

— Je n'irai pas, voilà, redit-il enfin.

Le connaissant, Augustin comprit qu'il n'en tirerait rien, et il perdit tout espoir de le faire changer de tenue en vitesse pour le traîner au palais de justice. La situation le dépassait tellement qu'il resta silencieux une longue minute avant de se décider à demander, d'un ton glacial :

— Tu réalises bien ce qui se passe, là ? Pendant qu'on parle, Anaba t'attend le cœur battant, fin prête pour le plus beau jour de son existence, et tu vas lui faire vivre un vrai cauchemar. Qui a déjà dû commencer...

Ostensiblement, il consulta sa montre et enchaîna :

— Quand as-tu pris ta décision ? Bon sang, tu pouvais aller la voir ce matin à l'aube, avant qu'elle n'enfile sa robe de mariée ! Tu es un monstre ou quoi ?

Lawrence le précéda dans le living de son duplex où régnait un affreux désordre.

— J'ai passé une nuit blanche, avoua-t-il. Jusqu'au dernier moment, j'ai cru que j'arriverais à vaincre mes doutes, à dominer ma peur, mais je n'ai pas pu. Sur le point de m'habiller, tout à l'heure, j'ai eu une attaque de panique, alors j'ai renoncé. C'est au-dessus de mes forces.

Le regard d'Augustin s'attarda sur les verres et les tasses qui encombraient la table basse, sur un sac de voyage à moitié rempli d'affaires en vrac. De nouveau, il jeta un coup d'œil à sa montre.

— Quoi qu'il en soit, Lawrence, il faut que tu ailles lui parler.

— Non ! Oh non, pas ça, j'en suis totalement incapable, je ne peux même pas y penser… Lui *parler* ? La regarder en face ? Seigneur, je préférerais me jeter dans le Saint-Laurent. Je t'en supplie, fais-le pour moi.

— Hors de question. Prends tes responsabilités, mon vieux. Je n'ai pas envie de me faire arracher les yeux à ta place, et je ne tiens pas à voir de près le chagrin de cette pauvre fille !

— Écoute, j'ai un avion dans une heure, mon taxi doit déjà être en bas.

Atterré, Augustin dévisagea Lawrence.

— Où vas-tu ?

— À Ottawa pour quelques jours. Me cacher, me saouler, oublier et tirer un trait.

— Débarrasse-toi d'abord de la corvée ! explosa Augustin. Ce que tu fais est indigne, alors essaye au moins de conclure proprement. Tout se sait, Lawrence, tu vas déjà devenir le cinglé qui a dépensé un gros paquet de dollars pour son fastueux mariage et qui n'y est pas allé, mais en plus tu seras l'immonde salaud qui n'a même pas prévenu la fiancée. La lâcheté ne faisait pourtant pas partie de tes défauts jusqu'ici !

Lawrence se pencha sur le sac de voyage dont il tira rageusement le zipper.

— Je t'appellerai ce soir, dit-il entre ses dents.

Il saisit une parka qu'il enfila avec des gestes saccadés, puis il voulut contourner Augustin qui lui barrait le chemin de la sortie.

— Tu vas vraiment monter dans ton taxi sans un regard en arrière ? Est-ce que tes parents sont avertis, au moins ?

— J'ai envoyé un SMS à mon père, ne t'occupe pas d'eux.

— Je ne m'occupe de personne !

— Si, Anaba. Je sais que tu le feras parce qu'il n'y a que toi qui puisses le faire.

— Je vais te sauter dans la face ! hurla Augustin qui, en perdant son sang-froid, retrouvait ses expressions canadiennes. Tu es un maudit crosseur, un foutu péteux de broue bavasseux, un…

La porte d'entrée claqua et, machinalement, Augustin consulta encore sa montre.

— Oh, Dieu tout-puissant, je vais devoir y aller, elle est sûrement en train de devenir folle là-bas.

Dans la poche de sa veste, il récupéra son portable qu'il avait senti vibrer pendant sa dispute avec Lawrence. Deux messages en absence émanaient d'Anaba. Évidemment. Il le mit hors service pour ne pas être tenté de régler le problème par téléphone.

*
* *

Dès le premier quart d'heure de retard, Stéphanie avait éprouvé un mauvais pressentiment. À présent, elle ne savait plus quoi dire à sa sœur pour tenter de l'apaiser. Persuadée que Lawrence avait eu un accident, Anaba ne cessait de l'appeler mais tombait toujours sur sa messagerie. Augustin ne répondait pas non plus, ce qui confirmait la thèse d'un drame.

Tassé sur son siège, le chauffeur faisait semblant d'être absorbé par son journal et se gardait bien de lever les yeux vers son rétroviseur. Le moteur tournait toujours au ralenti, assurant une bonne température dans la limousine, mais Anaba avait les mains glacées.

— Il leur est forcément arrivé quelque chose de très grave, redit-elle pour la énième fois.

Elle avait aussi tenté de joindre les parents de Lawrence, sans succès.

— Trente-cinq minutes de retard ! Mon Dieu, qu'est-ce qu'on va faire ? Tu crois que je devrais essayer les urgences des hôpitaux ? La police ?

— Non, attends encore un peu, murmura Stéphanie.

L'angoisse lui serrait la gorge, pourtant elle ne croyait pas à un accident de voiture. Lawrence n'habitait pas très loin, sur ce court trajet il n'avait tout de même pas pu se tuer, et Augustin avec lui. Mais quelle autre raison invoquer ? Qu'est-ce qui pouvait empêcher un homme de se rendre à son mariage ? Une panne d'oreiller ?

Anaba s'exclama brusquement :

— Je vais voir !

Elle avait déjà la main sur la poignée de la portière mais Stéphanie l'arrêta.

— Tu ne comptes pas faire les cent pas sur le trottoir dans cette tenue ? Ça ne le fera pas venir plus vite, reste au chaud.

Le visage tourné vers elle, Anaba eut une telle expression d'angoisse que le cœur de Stéphanie se serra.

— Bien, je descends jeter un coup d'œil, décida-t-elle, mais toi tu ne bouges pas. Pense à ta robe…

Elle boutonna son manteau et sortit de la voiture. Le froid piquant lui fit relever son col en frissonnant tandis qu'elle scrutait les alentours. Aucun grand blond en jaquette à l'horizon, rien que des inconnus qui se hâtaient, têtes baissées contre le vent. La situation devenait intenable, une catastrophe imminente allait s'abattre sur Anaba. Que faire pour la protéger ? Si Lawrence se trouvait vraiment aux urgences d'un hôpital, il faudrait reporter le mariage, tout recommencer. Ou alors…

En apercevant Augustin qui venait droit vers elle, avec une tête sinistre et une démarche traînante, elle éprouva un choc. Il était encore à une trentaine de mètres mais elle l'avait parfaitement reconnu et il était seul. Affolée à l'idée qu'Anaba puisse le voir, elle fouilla son sac, prit son paquet de cigarettes, puis elle tapa sur la vitre de la limousine et fit signe à sa sœur qu'elle allait en fumer une. Aussitôt, elle s'éloigna d'un pas vif pour aller à la rencontre d'Augustin.

— Mais enfin, lui lança-t-elle de loin, qu'est-ce qui se passe ? Il est arrivé un malheur ?

S'arrêtant devant elle, il écarta les bras d'un geste impuissant.

— Je n'y suis pour rien, lâcha-t-il très vite, mais Lawrence ne viendra pas.

— Quoi ?

— Il a… calé. Renoncé.

— À son mariage ?

C'était si inconcevable qu'elle ne trouvait rien d'autre à demander. Elle resta quelques instants la bouche ouverte, puis secoua la tête comme pour repousser l'évidence, et enfin explosa de colère.

— Foutus bonshommes de merde ! hurla-t-elle. Et vous m'annoncez ça la bouche en cul-de-poule ? Allez dire vous-même à Anaba que son prince charmant, son mec parfait a « renoncé » ! Moi, je ne m'en charge pas...

Sa voix venait de se casser et elle se mit à marteler le manteau d'Augustin à coups de poing furieux. De ses mains gantées, il lui prit doucement les poignets, sans serrer.

— Je vais y aller, d'accord, ne vous énervez pas après moi. Écoutez, je trouve le comportement de Lawrence ignoble, impardonnable, j'ai honte pour lui et je suis très malheureux d'être là.

Le cœur de Stéphanie battait si vite qu'elle fut obligée de respirer profondément, à plusieurs reprises, pour pouvoir se dominer.

— Mon Dieu, dit-elle enfin d'une voix hachée, Anaba...

Elle aurait donné n'importe quoi pour ne pas avoir à s'approcher de la limousine, là-bas.

— Venez avec moi, la pressa Augustin. Elle aura besoin de vous.

Il la prit par le coude et elle se laissa entraîner. À quelques pas, elle découvrit le visage livide de sa sœur, collé à la vitre. Leurs regards se croisèrent tandis qu'Augustin ouvrait la portière avant et demandait au chauffeur de descendre.

— Allez boire un café à ma santé, voulez-vous ? suggéra-t-il d'un ton sans réplique en lui tendant un billet.

Frappé par la probable scène apocalyptique qui allait suivre, le chauffeur s'extirpa de son siège et fila. Résolument, Augustin s'installa à sa place tandis que Stéphanie rejoignait sa sœur sur la banquette arrière.

— Lawrence va bien ? bredouilla Anaba qui semblait sur le point de s'évanouir.

Tourné vers elle, Augustin hocha la tête.

— Le problème n'est pas là, Anaba. Lawrence ne viendra pas ce matin, il renonce à se marier.

La grimace qu'il esquissa, pour masquer son émotion, rendit plus visible sa cicatrice et donna une expression étrange à son visage.

— En venant t'apporter une si mauvaise nouvelle, j'avais des crampons sous les chaussures et des épines dans le cœur. Je suis consterné, Anaba, en plus je n'ai même pas une raison valable à te fournir. Lawrence ne m'a rien expliqué, je crois qu'il a eu la trouille, qu'il...

— La trouille de quoi ? souffla la jeune femme.

Elle paraissait incapable de réagir pour l'instant, mais le regard qu'elle dardait sur Augustin était en train de se durcir.

— Le statut d'homme marié, l'avenir, les bébés. En fait, je ne sais pas.

Anaba baissa la tête et le silence tomba entre eux. Stéphanie ne quittait pas sa sœur des yeux, observant son ravissant profil, la rose de tulle blanc et les strass habilement fixés dans ses cheveux, ses longs cils si bien maquillés. Un type normal pouvait-il renoncer à cette merveille de femme ? Elle songea soudain à la manière dont Lawrence avait regardé cette robe qu'il n'aurait pas dû voir. Il avait paru gêné et indifférent.

41

— Peux-tu dire au chauffeur de nous ramener à l'hôtel ?

La voix d'Anaba vibrait d'une rage folle à présent. La colère ne laisserait la place au chagrin qu'un peu plus tard, il fallait en profiter pour rentrer.

— Je vais vous accompagner, proposa Augustin.

Imaginait-il la traversée du hall, l'humiliation sous les coups d'œil intrigués ou moqueurs des clients et du personnel ?

— Non, va-t'en, répondit brutalement Anaba.

— Je ne veux pas vous laisser, je…

— Va-t'en, bordel !

Sans doute avait-elle besoin qu'il quitte la voiture avant de se mettre à pleurer. La fureur, autant que la douleur, allait bientôt lui arracher des sanglots convulsifs, mais sa force de caractère lui permettait de tenir quelques instants encore. Les dents serrées, elle releva la tête et toisa Augustin avec haine. Que pouvait-il dire de plus ? Il n'était que le messager, le bouc émissaire. Dans le mouvement qu'il fit pour sortir, Stéphanie vit qu'il portait une jaquette sous son long manteau. Son discours et les alliances devaient se trouver au fond de ses poches. Écœurée, elle reporta son attention sur Anaba qui, de façon spasmodique, ôtait et remettait à son annulaire sa bague de fiançailles. Avait-elle eu envie de la jeter à la tête d'Augustin ?

— On retourne au *Hilton*, dit Stéphanie au chauffeur qui venait de reprendre sa place.

Assise tout au bord de la banquette, comme si elle était sur des charbons ardents, Anaba regardait obstinément sa bague.

— Tu vas nous trouver deux billets d'avion pour Paris, Stéph. Aujourd'hui, hein ?

— Oui, chérie. Je m'en occupe en arrivant.

Stéphanie se sentait vidée de ses forces, mais bien sûr c'était à elle de se charger de tout. Et de ne rien oublier dans ce départ en catastrophe car Anaba n'était pas près de remettre les pieds à Montréal.

« Oh, Anaba, petit soldat courageux qui revient du combat, tu portes bien ton nom ce matin… »

Comment sa sœur se remettrait-elle de l'invraisemblable claque que la vie venait de lui donner ? Elle la vit baisser la vitre et pensa qu'elle avait besoin d'air, mais elle tenait sa bague de fiançailles entre le pouce et l'index.

— Stop ! protesta Stéphanie en récupérant le bijou qu'elle fit prestement disparaître dans son sac. Tu n'auras qu'à la vendre si tu n'en veux plus.

Anaba allait avoir besoin d'argent, à Paris. En vue de son mariage, elle avait donné sa démission aux deux musées pour lesquels elle travaillait régulièrement, vendu ses meubles et rendu son studio. Toute son existence devrait être réorganisée en urgence, mais sans doute n'aurait-elle aucune envie de le faire.

Répétant le geste qu'elle avait eu à l'aller, Stéphanie lui prit la main et la serra de toutes ses forces.

2

Trois whiskies avaient eu raison d'Anaba qui som-
nolait enfin sous sa couverture. Stéphanie aurait bien
aimé s'endormir elle aussi pour échapper à l'envie
tenace de fumer une cigarette, mais trop de pensées
désagréables tournaient dans sa tête. Le bruit sourd
des réacteurs ne la berçait pas, les films proposés sur
l'écran individuel devant elle ne l'intéressaient pas, et
elle restait les yeux grands ouverts dans la pénombre
de la cabine.

Une hôtesse qui remontait le couloir central lui
adressa un sourire et elle en profita pour lui demander
à voix basse une coupe de champagne. Il faudrait
peut-être la payer, tant pis, au point où elle en était de
dépenses ça ne ferait aucune différence. Et le champagne n'était pas uniquement une boisson de fête, il
accompagnait toutes les circonstances de la vie, bonheurs ou malheurs exceptionnels.

Que pouvait bien faire l'ignoble Lawrence Kendall
en ce moment précis ? Songeait-il à ce qu'il avait sac-
cagé ? Il n'avait aucun moyen de savoir comment réa-
gissait Anaba puisqu'elle n'avait quasiment rien
manifesté devant Augustin, et que d'autre part elle

avait abandonné son téléphone dans la poubelle de l'hôtel. Un geste salvateur pour elle, si jamais cet abruti s'avisait de lui envoyer un quelconque message de regret. Car ce serait tout de même stupéfiant qu'il ne finisse pas par s'expliquer ou s'excuser.

L'hôtesse revint lui tendre sa coupe avec un petit sourire entendu.

— Si vous en désirez une autre, faites-moi signe, murmura-t-elle.

Prenait-elle Stéphanie pour une alcoolique, une phobique de l'avion ? Peu importait, l'opinion que les inconnus avaient d'elle ne la touchait pas. Une seconde, elle envisagea de remettre son casque pour écouter un peu de musique mais, décidément, elle n'avait pas la tête à ça. Elle se demanda une fois de plus de quelle façon leur père prenait la nouvelle. Elle l'avait joint avant d'entrer en salle d'embarquement et lui avait résumé la situation, n'obtenant qu'un lourd silence. Tout ce qu'il avait dit, au bout d'un moment, était qu'il viendrait les accueillir à Roissy. Il devait souffrir pour Anaba qu'il adorait, néanmoins Lawrence ne l'avait pas tout à fait conquis et peut-être estimait-il ce mariage manqué comme un mal pour un bien.

Était-ce le cas ? Si Lawrence était venu, si l'union avait été consacrée, Anaba aurait sûrement été une femme heureuse et comblée, au moins pour un temps. Avec Lawrence, elle avait cru réaliser tous ses rêves, y compris celui de vivre au Canada. Léotie décrivait son pays avec tant de flamme et de nostalgie qu'Anaba s'en était fait l'image d'un paradis. Néanmoins, ce matin, dans cette luxueuse voiture de location, elle avait dit : « Et l'hiver est si long à Montréal… » La ville souterraine, bien qu'immense, avait ses limites, celles d'un éclairage artificiel, d'une température constante, et surtout d'une consommation effrénée.

Anaba bougea et grogna dans son sommeil, faisant glisser la couverture. Avec des gestes quasiment maternels, Stéphanie la remit en place. Le visage de sa sœur était crispé, chiffonné. Quelques heures plus tôt, elle était si belle en mariée ! Combien de temps allait-il lui falloir avant de s'épanouir de nouveau, avant de refaire confiance à la vie, à un homme ? Elle s'était offerte corps et âme à Lawrence, elle ne recommencerait pas de sitôt. D'autant moins qu'elle savait toujours tirer les leçons des mauvaises expériences. Enfant, elle était déjà très réfléchie et ne commettait jamais deux fois la même erreur. Leur père disait en riant : « Voilà une petite fille qu'on ne prendra pas aisément en défaut ! » Pourtant, elle était tombée tête baissée dans le piège de l'amour qui s'aveugle. Aux Beaux-Arts, où elle obtenait de bons résultats, elle avait compris très tôt qu'elle ne possédait pas un réel talent de création et qu'elle devait s'orienter vers autre chose. Avec ses petits amis, elle s'était méfiée des belles paroles, leur préférant toujours les actes. Alors pourquoi Lawrence l'avait-il si facilement et si totalement séduite ? Pourquoi n'avait-elle pas pris le temps de réfléchir, au lieu de céder à cette trop rapide demande en mariage ?

L'envie de fumer devenait lancinante et Stéphanie quitta sa place pour se dégourdir un peu les jambes. Presque tous les passagers dormaient, seules de rares lumières éparses signalaient des écrans allumés dans les dossiers des sièges. La quiétude d'un vol de nuit sans la moindre turbulence. Avant de s'endormir, Anaba n'avait pas beaucoup pleuré, essuyant furtivement quelques larmes de rage. Ensuite, le whisky l'avait assommée.

« Je vais lui proposer de venir vivre à la maison, le temps qu'elle se remette. Papa ne serait pas d'une bonne compagnie pour elle, il ne faut pas la dorloter mais l'aider à sortir la tête de l'eau. »

— Une autre coupe ? chuchota l'hôtesse qui venait à sa rencontre dans le couloir.

— Avec plaisir, merci.

Autant faire comme sa sœur et sombrer dans la torpeur pour ne pas voir passer les heures. Elle regagna sa place, essaya de s'installer confortablement, mais l'espace manquait vraiment en classe économique. Par chance, elle avait trouvé un site Internet où acheter des billets d'avion à la dernière minute et à prix cassé.

« Anaba n'a sans doute pas d'économies, elle ne s'attendait pas à ce coup dur. Elle parlait de trouver du travail au Canada, une fois mariée… »

Stéphanie vivait sans problème de son magasin d'antiquités, néanmoins elle ne disposait d'aucune liquidité, réinvestissant au fur et à mesure l'essentiel de ses bénéfices dans de nouveaux achats. Le solde lui permettait de rembourser le crédit de sa maison. Quant à leur père, il n'avait que sa retraite d'enseignant et ne roulait pas sur l'or.

« Tout va s'arranger, pas de panique. On prendra les choses une par une, comme elles viennent. »

Déjà, à la mort de Léotie, Stéphanie avait consolé et protégé Anaba de son mieux. Elle était prête à recommencer, mais elle se sentait désarmée. Ce qui s'était produit ce matin à Montréal dépassait l'entendement, il y avait de quoi détruire durablement une femme.

« Elle ne sera plus jamais aussi loyale, aussi innocente, aussi enthousiaste. Mais elle va se reconstruire,
elle en a la force. »

Stéphanie ne pensait pas à elle-même, à toutes les
difficultés de la vie qu'elle avait surmontées. Elle aussi
avait perdu sa mère, et ensuite sa belle-mère qu'elle
aimait beaucoup. Ses deux mariages ne lui avaient
apporté que d'amères désillusions, et elle se serait peut-
être aigrie sans ce magasin où elle avait investi toute son
énergie. Elle aimait sa maison, les meubles rares qu'elle
y vendait, les discussions passionnées avec les acheteurs. À force de volonté, elle s'était forgé une existence
agréable qui allait probablement se trouver bouleversée
dans les semaines ou les mois à venir.

Elle sentit que ses yeux se fermaient et, entre ses
cils, elle jeta un dernier regard protecteur à Anaba.

*
* *

En sortant du centre Bell où il venait d'assister à un
match de hockey, Augustin se rendit au *Hilton Bonaventure* tout proche pour s'assurer qu'Anaba et sa
sœur étaient parties sans problème. À la réception, on
lui confirma que les deux femmes avaient quitté
l'hôtel avec leurs bagages la veille, en début d'après-
midi. Elles avaient donc pu trouver immédiatement
des billets pour Paris, tant mieux, rester là aurait été
un calvaire pour elles. Augustin en profita pour vérifier que la note avait bien été débitée sur le compte de
Lawrence, comme convenu. Alors qu'il allait partir,
rassuré, l'employé se souvint de quelque chose et le
retint.

— Une femme de ménage a trouvé ceci dans la chambre. Un oubli, sans doute. Je vous le remets ?

Il déposa sur le comptoir un téléphone portable rouge métallisé qu'Augustin reconnut sans peine. Anaba l'avait délibérément laissé derrière elle, c'était bien normal. Il l'empocha en remerciant d'un signe de tête. Sans doute des tas de messages très personnels se trouvaient-ils dans la mémoire de cet appareil, mieux valait ne pas le laisser traîner. Peut-être aurait-il l'occasion de le rendre à Anaba un jour, en France ? En tout cas, pas question de le montrer à Lawrence, cet idiot n'avait qu'à continuer à envoyer ses excuses en pure perte.

Quittant le *Hilton*, il récupéra sa voiture de location dans un parking et prit le chemin de la « montagne », c'est-à-dire du Mont-Royal dont la colline dominait le centre de Montréal. À chacun de ses séjours, il allait y faire un tour, retrouvant d'innombrables souvenirs de jeunesse au détour des sentiers. Mais il faisait trop froid pour quitter la voiture et il se contenterait d'admirer le paysage à travers les vitres. Il pouvait prendre le chemin Remembrance, à l'ouest, ou la voie Camilien-Houde à l'est. Il choisit cette dernière parce qu'il voulait s'arrêter quelques instants au Belvédère. De là, il verrait la nuit tomber sur la ville et sur le parc olympique.

Tout en conduisant distraitement, il compta les jours qui lui restaient à passer au Canada. Plus que trois avant de reprendre son avion pour Paris. Il était arrivé une semaine avant le mariage afin d'avoir du temps à consacrer à Lawrence et aussi à ses affaires. Son agent, qui ne désespérait pas de le faire revenir pour de bon, ne comprenait pas son choix de vivre en

France et tentait de le fléchir. Augustin avait beau lui expliquer que le meilleur de son inspiration était là-bas, l'agent secouait la tête, navré, prédisant des baisses de ventes. Par bonheur, ce n'était pas le cas. Mais Augustin avait dû accepter, pour la prochaine fois qu'il reviendrait au pays, une tournée de signatures et de conférences. Or il détestait attendre derrière une table qu'on vienne lui acheter son dernier roman policier, ne sachant jamais quoi écrire dans sa dédicace, et il trouvait très vaniteux de pérorer sur le métier d'auteur. À chacun sa méthode, son imagination et son talent, il n'existait pas de mode d'emploi, inutile de le faire croire.

Garé sur le parking du Belvédère, il regarda longuement les lumières de la ville. Aucun gratte-ciel n'avait le droit de dépasser la hauteur du Mont-Royal, une excellente mesure pour éviter l'étouffement urbain. Augustin adorait Montréal, il s'y sentait chez lui et y revenait toujours avec plaisir. Un endroit cosmopolite et surprenant où on pouvait trouver des cafés comme à Paris servant des brunches comme à New York, des touristes en calèche et des tours de verre, des réponses en français à des questions en anglais. Encerclée par les eaux du Saint-Laurent, blottie autour de sa « montagne » et trouée comme un gruyère par ses galeries souterraines, la cité était un paradis pour les noctambules et pouvait être considérée comme la capitale culturelle du Québec. Il y existait une incomparable douceur de vivre, et pourtant Augustin avait éprouvé le besoin de s'en aller. À un moment donné, il avait compris que son destin était ailleurs, qu'ici il n'apprendrait plus rien. Son séjour à Los Angeles ne l'ayant pas convaincu, il s'était décidé à entreprendre un tour d'Europe. Il avait bien aimé l'Angleterre et l'Italie, mais il avait totalement craqué dès son premier jour en France. Ébloui, il s'était attardé en Provence, en Touraine puis en Normandie, et au bout de son périple, Paris l'avait envoûté. Grâce à ses droits d'auteur, il avait pu se louer un appartement sous les toits dans l'île Saint-Louis. Ce n'étaient que d'anciennes chambres de service qui avaient été réunies entre elles, mais la vue sur la Seine était sublime. À peine installé, il y avait écrit son meilleur livre en quelques semaines. Là-bas, il n'avait pas d'agent, traitant directement avec un éditeur qui l'emmenait dîner dans de merveilleux restaurants où il goûtait des vins inoubliables. Là-bas, il n'avait pas non plus de souvenirs, les bons et les moins bons.

Il esquissa une grimace involontaire, ce qui provoqua un tiraillement au niveau de sa cicatrice. À présent, il avait faim, et il passa en revue quelques endroits où il pouvait aller dîner. Le *Café du Nouveau Monde,* toujours très animé, le tentait. Ou alors *Chez l'Épicier*, dans le vieux Montréal, où l'on servait un délicieux menu dégustation le soir.

Avec un petit soupir, il démarra. Sur le siège passager, le téléphone portable d'Anaba luisait, éclairé par la lumière du tableau de bord. Ce qu'avait fait Lawrence était tout de même insensé, incompréhensible. Contrairement à sa promesse, il n'avait pas appelé Augustin qui n'en savait pas plus. La seule certitude était que, à Ottawa, il y avait Michelle. Lawrence se faisait-il consoler de sa lâcheté par son ancienne maîtresse ou bien traitait-il des dossiers dans la capitale ? De toute façon, il avait mis leur amitié en péril car il aurait pu – non, il aurait dû – se confier la veille de son mariage raté, et ainsi limiter les dégâts. N'étant pas homme à agir sur une impulsion, pourquoi avait-il voulu en persuader Augustin ? Une attaque de panique, chez Lawrence, c'était risible. Personne n'était plus réfléchi et plus pragmatique que lui.

Arrivé au pied du Mont-Royal, Augustin prit la direction de la rue Sainte-Catherine, ayant finalement choisi le *Café du Nouveau Monde*. Il ne parvenait pas à se sortir Lawrence et Anaba de la tête. Cette fille ne méritait pas la manière dont elle avait été traitée, quant à Lawrence, son aura s'était ternie dans l'affaire. Augustin le considérait-il toujours comme son meilleur ami ? Les mots très laudatifs qu'il avait écrits dans son discours de témoin, les prononcerait-il encore aujourd'hui ? Et, puisque c'était l'occasion d'y réfléchir, l'affection qui les liait ayant déjà pris de sérieux chocs dans le passé, n'était-ce pas le coup de trop, le coup de grâce ?

Mal à l'aise, Augustin baissa un peu sa vitre et laissa l'air glacé envahir l'habitacle.

*
* *

Roland s'était débrouillé pour ne pas donner au déjeuner un air de fête. Avec de la viande hachée, des oignons et des tomates fraîches, il avait simplement préparé des spaghettis à la bolognaise selon la recette de Léotie, et prévu une tarte au citron meringuée en dessert. De quoi requinquer ses filles après leur long voyage.

Revenus tous trois de Roissy en taxi, ils avaient peu parlé, attendant d'être à la maison pour aborder le problème. Mais à peine arrivée, Anaba était montée prendre une douche, et Stéphanie avait résumé toute seule la situation à leur père.

— Et ne me demande pas d'explications, conclut-elle, je n'en ai pas. Lawrence est un fou, un malade ou un salaud. Je t'assure que j'ai passé un moment épouvantable devant ce foutu palais de justice et, pour Anaba, le ciel lui est tombé sur la tête, pas moins.

— Comme tu dis ! lança Anaba qui descendait l'escalier.

Vêtue du vieux peignoir-éponge datant de l'époque de son bac, elle avait encore les cheveux mouillés et les yeux gonflés.

— On va en parler une bonne fois, papa, et après, rideau, ce type sortira de ma vie, j'oublierai jusqu'à son nom !

— Moi aussi, bougonna Roland. Allez, raconte-moi ce que tu as sur le cœur.

— Sur le cœur ? Du vitriol. Il est tout brûlé, tout racorni. Sans Stéphanie, je crois que j'aurais été me jeter sous un…

Elle s'interrompit net, horrifiée, et se reprit aussitôt.

— Pardon, c'est idiot.

Cette allusion involontaire à la façon dont sa mère était morte sembla la calmer.

— La veille encore, reprit-elle, tout allait bien. Lawrence était juste un peu nerveux. Il m'a apporté des roses à l'hôtel et puis… Tu connais la suite. Mais il n'y avait pas eu de signe avant-coureur, rien. Il m'avait même offert une magnifique bague de fiançailles que Stéph m'a empêchée de balancer dans le caniveau, sous le coup de la colère. Il était amoureux, très assidu au lit, enfin, je ne te fais pas un dessin.

Roland hocha la tête, peu désireux d'entendre ce genre de confidence. Avec ses filles, il avait toujours été très pudique, mais enfin, la précision d'Anaba n'était pas inutile. Si Lawrence l'aimait et la désirait toujours, pourquoi diable s'était-il dérobé au tout dernier moment ?

— Qu'est-ce qui l'emporte, ma chérie, le chagrin, la déception, la colère ou l'humiliation ?

— Je pourrais faire un quatre-quarts avec ! Je me sens totalement déstabilisée. Amoindrie, abandonnée, dédaignée, dévalorisée. Mais bien sûr, ce n'est pas la fin du monde.

Elle se laissa tomber sur une chaise, devant la table de teck rouge. Sous les lumières électriques de la cuisine, son visage paraissait blafard alors qu'elle était très mate de peau. Son père l'observa quelques instants, puis il versa le contenu de la poêle sur les spaghettis égouttés. Stéphanie acheva de mettre le couvert et ils commencèrent à manger en silence. Au bout de quelques bouchées, Anaba releva la tête.

— C'est délicieux, papa.

— Tant mieux. Il faut que tu manges.

— Pourquoi ? Je ne suis ni malade ni convalescente.

Roland lui adressa un de ses sourires paternels qui la faisaient fondre.

— Bon, d'accord, admit-elle, je ne suis pas au mieux de ma forme, mais ça reviendra. Si tu le veux bien, je vais reprendre ma chambre ici. Enfin, ce qu'il en reste, vu l'invasion de bouquins !

— J'ai une meilleure idée, intervint Stéphanie. Viens chez moi à la campagne quelques semaines. Le temps de te retourner, de faire d'autres projets. Tu pourras tenir le magasin pendant que je pars à la recherche d'objets rares, ce sera ta contribution. Qu'en dis-tu ?

Anaba regarda alternativement son père et sa sœur. La solution proposée par Stéphanie était la meilleure, et de loin. Aux Andelys, elle aurait de quoi s'occuper. Stéphanie avait une clientèle de passionnés qui aimaient discuter avant d'acheter, ce serait l'occasion de voir de nouveaux visages, de penser à autre chose. Et la campagne environnante était si belle que, même en plein hiver, il y avait de superbes balades à faire.

— Si ça ne t'ennuie pas d'avoir de la compagnie, ton offre me tente.

— Tu sais bien que non. Tu connais la maison, tu y seras comme chez toi.

Avoir vendu ses meubles et une partie de ses vêtements afin de partir à la légère pour sa nouvelle vie au Canada laissait Anaba assez démunie. Elle avait également fait expédier par bateau plusieurs valises ainsi que deux cartons d'objets personnels chez Lawrence, à Montréal, et les récupérer allait demander du temps. En avait-elle seulement envie ? Pourquoi ne pas repartir de zéro et faire table rase du passé ? En montant se doucher, elle avait vu que, outre son vieux peignoir, elle avait laissé ici deux jeans, un gros pull et des tee-shirts. Elle commencerait avec ça, comme à l'époque insouciante de ses études aux Beaux-Arts.

— Tu peux aussi rester avec moi, proposa Roland. Mais tu papoteras mieux avec ta sœur !

Il s'amusait de leur capacité à bavarder durant des heures, alors qu'il était lui-même plutôt silencieux à force de vivre au milieu de ses livres. Lorsqu'il enseignait, en revenant de ses cours il se plongeait dans un bouquin comme s'il avait trop parlé à ses élèves.

— J'ai laissé ma voiture dans un parking à une porte de Paris, déclara Stéphanie. C'était moins cher pour une longue durée. On peut aller la récupérer demain matin, on s'arrêtera faire quelques courses en route et nous serons au Petit-Andely pour déjeuner. Tu auras tout le temps de t'installer à ta guise, puisque j'avais prévu de ne rouvrir le magasin que samedi.

— Très bien, approuva Anaba. Mais alors, pour ce soir, laissez-moi vous inviter au restaurant.

— Sûrement pas ! s'indigna Roland. Un bistrot sympathique a ouvert depuis peu au bout de la rue, mais nous n'irons que si c'est moi qui régale. Toi, ma fille, garde ton argent, tu vas en avoir besoin. Et d'ailleurs...

Il se leva pour attraper son portefeuille dans la poche arrière de son pantalon.

— J'avais prévu de te faire un beau cadeau pour ton mariage, dit-il d'une voix un peu rauque. Malgré ce qui s'est passé à Montréal, je ne vois pas pourquoi je t'en priverais. Je l'avais inscrit dans mon budget, alors voilà, je trouve que ça tombe bien, et je préfère penser que tu t'en serviras pour redémarrer plutôt que de l'investir dans un service en porcelaine.

Au lieu de tendre à Anaba le chèque plié en deux, il le glissa près de son assiette avec un clin d'œil. Sans attendre sa réaction, il alla chercher la tarte.

— Papa, dit-elle dans son dos, je ne peux pas accepter.

— Bien sûr que si, bougonna-t-il. Tu as toujours un compte en France ?

— Je ne l'avais pas clôturé puisque nous étions censés venir souvent.

— Parfait. Parlons d'autre chose maintenant.

— Sans que je te dise merci d'abord ?

— Je n'ai que mes deux filles à gâter, répondit-il simplement.

Il servit une bonne part à Anaba, la même à Stéphanie qui se contentait de l'observer avec un petit sourire amusé.

— Tu devrais relire Alain, déclara-t-il d'un ton grave. Au fond, sa philosophie consiste à apprendre la joie.

Anaba le dévisagea, hocha la tête, puis soudain elle donna un coup de poing sur la table.

— Quel con, ce mec, quand j'y pense ! Et je ne saurai jamais pourquoi il s'est défilé, pourquoi il m'a plantée là sans un mot. Si vous saviez comme je voudrais l'avoir déjà oublié !

Elle éclata en sanglots, ceux qu'elle contenait depuis le palais de justice de Montréal, pleurant comme une petite fille qui se noie dans un chagrin trop grand pour elle.

— Eh bien voilà, nous y sommes, murmura Stéphanie.

*
* *

Lawrence avait patiné durant plus de deux heures sur le canal Rideau gelé sans parvenir à s'épuiser. À présent, il était temps de retrouver Michelle devant le musée des Beaux-Arts où elle avait préféré passer son après-midi. Il la repéra de loin grâce à son bonnet de fourrure blanche et ses bottes rouges. Elle s'habillait toujours de manière extravagante, mais elle pouvait se le permettre avec son mètre soixante-quinze, ses épaules carrées de nageuse, sa crinière de lionne et son regard bleu glacier.

« Le contraire d'Anaba », songea-t-il avec un pincement au cœur. Depuis quatre jours, il essayait de ne pas y penser tout le temps, néanmoins son mariage raté l'obsédait. Il se réveillait la nuit en se demandant, atterré, comment il avait pu faire une chose pareille. Et, au-delà de la culpabilité, il ressentait toute la douleur de cette rupture car il était encore amoureux d'Anaba. Néanmoins, il était certain d'avoir eu raison. Durant des heures, la veille de la cérémonie, il avait subi un déferlement d'images plus angoissantes les unes que les autres. Anaba enceinte, alourdie et les yeux cernés, n'ayant plus rien à voir avec sa délicieuse petite squaw. Anaba épuisée par un accouchement, Anaba uniquement préoccupée d'un bébé – de plusieurs bébés se succédant au rythme d'un tous les deux ans ! Anaba le pressant de vendre son duplex du Vieux Montréal pour acquérir une de ces maisons de banlieue avec jardin bien tondu et barrière blanche. Des voisins lavant leur break familial le dimanche. Peut-être un chien sur la pelouse. Un canapé à fleurs plein de taches de lait régurgité et de chocolat écrasé. Des jouets partout, des cris, des pleurs, des disputes. À lui les encombrements du soir pour rentrer dans ce « paradis » où une femme exsangue l'attendrait avec des récriminations plein la bouche et un foulard sur la tête parce qu'elle n'aurait pas eu le temps d'aller chez le coiffeur. À lui les plans d'épargne pour assurer les études des chers petits.

Il s'était raisonné, avait essayé de rire de ces clichés, mais rien ne l'avait calmé. Même sans caricature, le tableau des dix années à venir restait désespérant.

Lawrence n'était pas prêt à changer de vie, il adorait la sienne, et s'il avait envisagé d'y inclure Anaba c'était dans une vision de couple, pas de famille nombreuse. Anaba, cette jeune femme ravissante, intelligente, indépendante, transformée un jour en matrone ?

Ah, si seulement elle ne lui avait pas parlé d'enfants, de tous ces enfants dont elle rêvait ! Lui voulait vivre avec elle, sortir avec elle dans des endroits branchés où il pourrait la présenter à tous ses amis, l'emmener découvrir le pays pour la voir ouvrir de grands yeux émerveillés, la couvrir de cadeaux, dîner avec elle aux chandelles et, chaque nuit, lui faire l'amour. Sans la distance décourageante entre Paris et Montréal, aurait-il songé au mariage ? Il n'était pas prêt, pas mûr, même pas *décidé*, au fond. Et pour se convaincre, il n'avait rien trouvé de mieux à faire que de se lancer tête baissée dans l'organisation de tous les préparatifs. Une façon de se mettre au pied du mur, car il avait cru qu'ainsi il ne pourrait pas reculer. Pourtant, il l'avait fait…

À cinq heures du matin, cette nuit-là, il avait appelé Michelle pour la supplier de lui donner un conseil. Bon, elle n'était peut-être pas la mieux placée, néanmoins ils avaient discuté pendant un très long moment. En raccrochant, sa décision était prise, ne lui restait qu'à trouver un billet d'avion pour Ottawa, et aussi à affronter Augustin.

« Il faut absolument que je lui téléphone, j'ai promis ! »

Un peu plus, un peu moins, il songea avec amertume qu'il ne tenait pas ses engagements ces temps-ci. Mais la perspective d'une leçon de morale le décourageait. Surtout venant d'Augustin. Leur amitié n'était plus ce qu'elle avait été bien des années auparavant. D'une part, leurs chemins divergeaient chaque année davantage, d'autre part Lawrence avait toujours une dette envers lui, or il détestait être débiteur.

— Tu dois vraiment porter tes patins autour du cou comme un gamin ? lui lança Michelle en riant.

Elle l'embrassa sur la joue, le prit par la main et l'entraîna.

— On file à l'*Irish Village*, j'ai envie d'une bière et il y aura de la musique celtique ! J'espère que ça te distraira parce que tu as encore ta tête des mauvais jours. Souris un peu, la terre ne s'est pas arrêtée de tourner.

Avec elle, Lawrence était certain de se détendre, elle avait toujours de bonnes idées pour s'amuser.

— Personne ne sait où tu es, personne ne te poursuit. Dis-toi qu'il s'agit de vacances et profites-en.

— Sauf qu'il faudra que je rentre à Montréal, que j'accorde enfin une explication à mes parents, que je paie toutes les factures du foutu mariage fantôme et que j'assume mes dossiers en retard.

— Tu avais bien une lune de miel de prévue ?

— Pas tout de suite. Nous devions aller en France au début de l'été seulement. En ce moment, ce n'est pas la bonne période pour prendre des jours de congé.

Les associés principaux du cabinet, où il n'avait qu'un nombre de parts dérisoire, le lui avaient bien fait comprendre lorsqu'il avait averti qu'il ne serait pas là de la semaine. Mais comment aurait-il pu rester ? L'idée de croiser Anaba, ou même Augustin, l'avait poussé à fuir.

— Tu aurais entendu le ton sur lequel le big boss m'a demandé, au téléphone : « *Alors comme ça, vous ne vous êtes pas marié samedi ?* » Il était sur la liste des invités ! Tu te rends compte ?

— Pourquoi n'as-tu pas chargé Augustin de décommander tout le monde ?

— Après l'avoir convaincu de s'occuper d'Anaba, je n'avais plus rien à espérer de lui. J'ai appelé la fille chargée de l'organisation et je lui ai dit de se débrouiller.

— Elle a dû te bénir.

— Oh, écoute, elle est payée pour ça ! Organiser, désorganiser, c'est son job. Je crois qu'elle a attendu tout le monde là où était prévue la réception.

Imaginer la réaction des uns et des autres le faisait frémir, il fallait vraiment qu'il tourne la page et qu'il arrête de penser à toute cette histoire.

— Je trouve qu'Augustin n'a pas rempli son rôle de meilleur ami, estima Michelle avec une petite moue.

Ils ne s'étaient jamais appréciés, jamais entendus, ils étaient trop différents. Augustin jugeait Michelle futile et arriviste, elle le trouvait dénué d'ambition, insistant sur le fait qu'il aurait pu faire une carrière formidable au Canada et aux États-Unis au lieu de s'exiler en France.

— Je sais que tu ne l'aimes pas beaucoup mais, pour être honnête, il avait passé toute la journée de la veille avec moi pour enterrer ma vie de garçon, alors je suppose qu'il s'est senti trahi.

Michelle balaya l'argument d'un geste insouciant.

— Oublie-le, oublie tout ! Tu sais ce que je vais faire ? Casser ma tirelire…

— À savoir ?

— Demain, je t'emmène au parc de l'Algonquin et je t'invite à déjeuner au *Arowhon Pines*. On mangera dans une salle toute en rondins d'où la vue est à couper le souffle. Mais, je te préviens, il faut apporter son vin, et ça, tu t'en chargeras !

— L'Algonquin ? répéta-t-il.

— On prend l'autoroute 60, et hop, on y est ! Tu verras, tu seras content d'apercevoir un orignal ou, pourquoi pas, un ours ?

— Il y en a vraiment ?

— Oui, et des loups aussi.

Il éprouva un élan de reconnaissance envers elle pour le mal qu'elle se donnait. Depuis son arrivée à Ottawa, elle l'avait totalement pris en charge, ce dont il n'avait pas l'habitude. En général, c'était lui qui décidait, qui planifiait, et avec Anaba il avait adoré jouer les mentors, mais pour une fois, il avait besoin de se laisser aller. Dans quelques jours, il reprendrait le dessus, redeviendrait lui-même, en attendant il ne trouvait pas désagréable d'être choyé. Quant aux motivations de Michelle, il préférait ne pas trop s'interroger à ce sujet. Malgré son attitude très raisonnable lors de leur rupture et ce rôle d'ex devenue « meilleure amie » qu'elle s'attribuait, il se demandait si elle ne conservait pas un peu trop de tendresse à son égard. Or elle n'était *pas* quelqu'un de tendre.

— Vivement la fin de l'hiver, dit-elle en se serrant contre lui, j'en ai assez d'avoir froid !

Lui aussi rêvait de journées ensoleillées, mais il ne vivrait pas le printemps qui arrivait aux côtés d'Anaba, il ne l'emmènerait pas aux quatre coins du pays comme il se l'était promis. Il ne lui montrerait pas les paysages vallonnés des Appalaches ni le pays des Inuits dans les terres arctiques. Il ne lui lirait pas les poèmes de Robert Service sur la ruée vers l'or. Il ne la déshabillerait pas avec gourmandise, pressé de caresser sa peau ambrée douce comme de la soie. Il avait renoncé à tout ça parce que, dans ce tableau idyllique, il n'y avait aucune place pour les « gluants », mot québécois affectueux et imagé pour désigner les enfants.

*
* *

Un timide soleil de ce tout début de mars faisait briller les flots sages de la Seine. Des fenêtres de sa chambre, Anaba pouvait voir d'un côté le fleuve, et de l'autre l'église Saint-Sauveur sur la place. Un environnement calme, bien ordonné, propice à la sérénité.

Comme dans chaque pièce de la petite maison de Stéphanie, les meubles étaient superbes : une commode et un secrétaire Empire flanqué d'un fauteuil, un lit Directoire surmonté d'un gros édredon gonflé de plumes. Le papier peint pastel, la moquette crème et les rideaux de velours retenus par de larges embrasses contribuaient à rendre l'atmosphère douillette. Ici, où Lawrence n'avait jamais mis les pieds et où elle avait passé d'excellents week-ends avec sa sœur, Anaba allait peut-être pouvoir se reconstruire.

— Approprie-toi cet endroit, lui recommanda Stéphanie. Si tu as envie de te remonter du magasin une belle lampe, une paire de chandeliers ou n'importe quoi d'autre pour décorer à ton idée, n'hésite pas, tu es chez toi.

Pour l'instant, il faisait plutôt froid à l'intérieur, le chauffage ayant été coupé durant plusieurs jours.

— On va s'enfermer dans la cuisine en préparant le déjeuner. Je branche le four immédiatement !

Elles descendirent ensemble au rez-de-chaussée dont elles n'avaient pas encore ouvert les volets.

— Laissons-les comme ça, je ne tiens pas à ce qu'on vienne nous envahir aujourd'hui, décida Stéphanie.

À l'origine, il existait un salon, une salle à manger et un bureau, mais les trois pièces avaient été consacrées au magasin d'antiquités. Cette partie, destinée aux visiteurs et aux clients, était séparée de la cuisine par un vestibule d'où partait l'escalier de bois ciré menant à l'étage des chambres. Stéphanie s'arrangeait très bien de cette disposition, ayant grandi dans l'étroite maison biscornue de leur père. Néanmoins, elle avait peu à peu arrangé la cuisine en véritable pièce à vivre, la prolongeant par une petite véranda 1900 qui donnait sur le jardin, à l'arrière, et remettant en service la grosse cheminée de brique.

— Tu as vu ma nouvelle hotte ? J'en avais assez que des odeurs de ragoût viennent chatouiller les narines de mes clients !

— Quels ragoûts ? Tu as pris des cours ? railla Anaba.

Ni l'une ni l'autre n'était très douée devant des fourneaux, et les seuls plats qu'elles savaient préparer venaient des recettes de Léotie.

— Avant d'enlever ton manteau, suis-moi, je veux te montrer quelque chose qui pourrait t'intéresser, annonça Stéphanie.

Elle traversa la véranda et sortit dans le petit jardin où poussaient des herbes folles. Sur le mur du fond, un appentis de bonne taille semblait destiné à contenir des râteaux, tondeuse et autres outils, mais en fait Stéphanie y entreposait des meubles.

— Quand je tombe sur une pièce rare, d'époque, voire signée, j'achète toujours quel que soit l'état. Il y en a qui sont très abîmées et que je ne pourrai revendre qu'après restauration. Je sais que ta partie, ce sont les tableaux, justement j'en ai trois ici, récupérés dans des greniers.

À travers le bric-à-brac, Anaba découvrit les toiles protégées par une bâche.

— Évidemment, poursuivit sa sœur, ce sera moins glorieux que travailler pour un musée, mais ça t'occupera et on se partagera les bénéfices. En ce qui concerne les meubles, certains ont besoin d'un ébéniste, mais pour d'autres il n'y a pas grand-chose à faire, et avec un peu de patience, de minutie et d'huile de térébenthine, tu devrais y arriver ! Je propose que tu commences par les tableaux, que tu n'auras qu'à apporter dans la véranda si tu veux bosser au chaud. Quand il fera moins froid, si ça t'amuse de bricoler ici, on arrangera un peu pour que tu sois à l'aise. Qu'en dis-tu ?

Absorbée par la peinture d'un petit maître du XVIIIe, Anaba hocha la tête. Puis elle se tourna vers Stéphanie et la dévisagea. Sa proposition ne visait qu'à la mettre à l'aise, à lui donner un but, à lui procurer quelques revenus. Néanmoins, dans cet arrangement, elles s'y retrouveraient toutes les deux, et Anaba n'aurait pas l'impression d'être un poids. De toute façon, il fallait qu'elle reprenne goût au travail, qu'elle occupe ses mains et sa tête.

— J'en dis que tu es très… généreuse.

— Non, ne crois pas ça. Je ne tiens pas à ce que tu erres ici avec du vague à l'âme et une tête de cocker ! Et puis je dois t'avouer que j'ai parfois les yeux plus gros que le ventre, j'achète, je stocke, mais je n'ai pas le temps de m'en occuper. Dans cet appentis les meubles se fendent, les peintures se craquellent, et moi je laisse ça en vrac parce que je ne peux pas être partout à la fois. Tu vas m'apporter une aide précieuse, je suis sincère en te le disant.

— Stéph…

— Mais si ! Au lieu de prospérer mon petit commerce va cahin-caha, faute de bras. Si tu me prêtes les tiens, on fera des affaires et on gagnera de l'argent. Toi et moi, nous parlons le même langage sur l'art et sur la peinture. Sauf que moi, j'ai appris sur le tas, je suis autodidacte, alors que tu as ta formation des Beaux-Arts. Ça compte dans le métier ! Écoute, j'ai beaucoup réfléchi depuis cette… catastrophe de Montréal. Comme dirait papa, à toute chose malheur est bon. Je n'y avais jamais pensé avant, puisque tu étais à Paris, rémunérée par tes musées, mais aujourd'hui on a l'occasion de travailler ensemble. Essayons !

Anaba n'avait pas la naïveté de croire que les choses étaient aussi idéales que le prétendait sa sœur, néanmoins le projet la tentait. Elle détailla plus attentivement l'appentis qui pouvait être aménagé en atelier à peu de frais. Une ampoule, au plafond, indiquait qu'il y avait l'électricité, et elle avait vu un robinet à l'extérieur, près de la porte. Si elle était encore chez Stéphanie dans un mois ou deux, elle pourrait en effet travailler ici. En attendant, se lancer dans la restauration des tableaux ne lui poserait aucun problème.

— À mon avis, dit-elle en désignant l'une des toiles, celle-ci n'en vaut pas la peine. Mais les deux autres sont intéressantes, tu as eu du nez. En particulier pour ce flamand qui devrait nous réserver une bonne surprise, une fois débarrassé de toutes ses couches de crasse et de mauvais revernissage.

Stéphanie eut aussitôt un large sourire et elle tapa dans ses mains comme pour applaudir.

— Allons manger, conclut-elle, je crève de faim.

*
* *

Augustin regardait tourner les valises sur le tapis roulant, cherchant à repérer son sac de voyage. Il était enfin en France, dans une heure il serait à Paris. À condition que son bagage ne soit pas perdu car ce genre d'incident était de plus en plus fréquent. Par chance, il aperçut les bandes rouges, reconnaissables de loin, qu'il avait collées sur la toile du sac. Il s'en saisit et se dirigea vers la douane.

Après avoir accompli les formalités, lorsqu'il se retrouva à l'extérieur de l'aéroport Charles-de-Gaulle de Roissy, il fut agréablement surpris par la douceur du temps. Une impression de printemps précoce flottait dans l'air léger et donnait envie de faire des folies. La neige de Montréal semblait soudain bien loin, tout comme cet horrible moment où il avait dû affronter Anaba et sa sœur. Qu'avaient-elles pu faire, une fois rentrées chez elles ? Maudire Lawrence, brûler la robe ? Qu'est-ce qu'une femme humiliée à ce point devait entreprendre pour garder la tête haute ?

Anaba n'était pas vraiment le genre d'Augustin, mais il l'avait prise en sympathie dès leur première rencontre. Une fille droite, pleine d'appétit de la vie, prête à rire et à s'émerveiller. Tout à fait celle qu'il fallait à Lawrence, contrairement à Michelle. Lawrence n'avait pas besoin d'une femme imbue d'elle-même et dévorée d'ambition, pas besoin qu'on flatte ses propres défauts. Avec Michelle, il avait beaucoup fait la fête à une époque, mais il avait élu Anaba pour faire sa vie, et Augustin avait approuvé ce choix. À présent, tout cela était gâché, quelle pitié !

Avant de quitter le Canada, il avait mis les alliances dans une enveloppe qu'il était allé jeter dans la boîte aux lettres de Lawrence. Il avait failli y ajouter le téléphone portable d'Anaba, histoire de lui faire comprendre à son retour d'Ottawa que tous ses messages étaient tombés dans le vide. Mais en y réfléchissant, il était arrivé à la conclusion qu'Anaba avait le droit de lire et d'écouter les mots de Lawrence. Peut-être toutes ces excuses lui mettraient-elles un peu de baume au cœur ? À moins que ce ne soit de l'acide sur une plaie ! Comment savoir ? En tout cas, il ne devait pas décider à sa place, la moindre des honnêtetés voulait qu'il lui remette son téléphone. Encore une corvée mais, bon, après ce serait fini, il pourrait enfin s'en laver les mains. Quant à Lawrence, il n'était pas pressé de le revoir, d'ailleurs son prochain séjour au Canada n'aurait pas lieu avant des mois, ça tombait bien. Il ne parvenait pas à lui pardonner ses lâchetés successives et comprenait mal son silence. Lawrence n'avait même pas cherché à savoir de quelle façon Anaba avait réagi. Si elle s'était jetée par la fenêtre du *Hilton Bonaventure*, il n'en aurait rien su ! Lui, ce brillant avocat qu'aucun dossier difficile n'effrayait, ce beau parleur toujours prêt à justifier n'importe quelle cause, n'avait pas su plaider la sienne. Il avait choisi la fuite, peu glorieuse, et n'osait même pas appeler son meilleur ami.

Meilleur ami ? Pas un instant Augustin n'avait compati. Il ne croyait pas à la crise de panique de Lawrence, il ne se sentait pas dans son camp.

« Je mettrai ça un jour dans un livre. Le marié qui ne vient pas. Mais le mien, ce sera parce qu'il aura pris une balle dans la peau, balle qui aura troué sa belle jaquette, sortie du flingue d'un mec qui... »

Il interrompit le cours de ses pensées pour donner son adresse au chauffeur de taxi. Il avait hâte de voir défiler les rues de Paris, les quais de la Seine, les monuments. Ici, il allait arrêter la bière et ne plus commander que du vin au verre pour le plaisir d'en goûter un différent chaque jour. Et il passerait ses après-midi à écrire, ne sortant qu'à la nuit tombée, lorsque les réverbères s'allumaient.

Se frappant le front, il signala au chauffeur qu'il leur faudrait s'arrêter devant une banque pour qu'il puisse prendre de l'argent au distributeur.

— Je n'ai que des dollars canadiens, expliqua-t-il, et je suppose que vous n'en voulez pas ?

— Eh bien, je ne dis pas que c'est de la monnaie de singe, mais j'aime autant nos euros !

Avec un sourire, Augustin se carra sur la banquette. Dès qu'il se serait débarrassé du téléphone d'Anaba, il attaquerait son nouveau livre avec l'esprit en paix. Il restait juste à la trouver, or elle n'habitait plus son studio du quartier des Ternes puisqu'elle avait rendu son bail. Mais si Rivière était un nom très répandu, elles ne devaient pas être nombreuses à se prénommer Anaba ! « Qui revient du combat » était vraiment prédestiné pour la malheureuse. Il se promit de lui apporter des fleurs puis, après réflexion, estima que c'était une très mauvaise idée.

*
* *

Sous le gros édredon, Anaba se sentait au chaud et à l'abri. Depuis trois jours, elle essayait de ne pas trop penser à Lawrence, mais dans le silence de la nuit il revenait hanter son esprit. Elle revoyait tous leurs bons moments, et il y en avait eu beaucoup jusqu'à cet instant si romantique au *Beaver Club* où il lui avait offert sa bague. Elle ne s'attendait pas à un aussi beau cadeau puisqu'il avait déjà pris en charge tous les frais du mariage. Lorsqu'ils avaient choisi ensemble leurs alliances, deux mois plus tôt, il s'était contenté de noter son tour de doigt pour « plus tard ». Elle avait affirmé être la première à ne pas désirer de bague de fiançailles, une lourde dépense qui pouvait effectivement attendre qu'ils fêtent leurs cinq ans ou leurs dix ans de mariage.

Comment tout cela était-il possible ? Pourquoi était-ce arrivé ? Par quelle malédiction une aussi belle histoire avait-elle pu finir de la sorte ? Anaba aimait Lawrence, elle avait confiance en lui, elle était sûre de son bonheur.

— Quelle cruche, ma pauvre ! marmonna-t-elle en remontant l'édredon sur son nez.

En réalité, tout était allé beaucoup trop vite entre eux. Leur rencontre, l'emballement de Lawrence, les allers-retours au Canada avec les billets d'avion qu'il lui envoyait. Il lui avait fait visiter Montréal de fond en comble, puis Québec avec sa vue incroyable sur le Saint-Laurent depuis le haut du cap Diamant. Ils avaient survolé le lac Saint-Jean à bord d'un coucou et mangé de la tarte aux bleuets à l'atterrissage. Ils étaient allés en randonnée dans les bois de Lanaudière, avaient pique-niqué sur l'île d'Orléans. Et, bien sûr, ils avaient sillonné la Prairie, des montagnes Rocheuses aux Grands Lacs, car c'était au cœur de ces plaines ondulantes que les ancêtres de Léotie avaient vécu de la chasse au bison. Chaque séjour était une fête, une découverte, un ravissement. Lawrence adorait jouer au guide, au professeur, il aimait son pays et il aimait Anaba. Du moins l'avait-elle cru, sans se poser de questions, enivrée par la folle aventure qu'il lui faisait vivre. Dans le duplex de Lawrence, à Montréal, ils avaient partagé des serments d'amour et des nuits torrides, de plus en plus malheureux à chacune de leurs séparations. Au bout d'un an, lorsqu'il avait parlé mariage, elle s'était sentie comblée, en phase avec lui. Elle avait alors fait la connaissance de ses parents, et il était venu à Paris pour rencontrer Roland. Ensuite, les choses s'étaient encore accélérées, et enfin arrêtées net devant le palais de justice.

— Je suis rentrée dans le mur à grande vitesse, de plein fouet, et je n'avais pas bouclé ma ceinture…

Avec le recul, elle s'en voulait de son comportement de midinette prête à croire au conte de fées. Sans la moindre hésitation, elle avait quitté son emploi, son studio, son pays, prête à sauter dans l'inconnu du moment que Lawrence tenait sa main. Mais il l'avait lâchée d'un coup, sans prévenir. Adieu la belle vie au Canada et les enfants Kendall blonds comme leur père. Retour à la case départ, et même moins que ça car elle ne possédait vraiment plus rien.

Elle s'étira comme un chat puis se lova en position de fœtus dans la chaleur de son lit douillet. Quelles que soient sa tristesse et son amertume, elle avait la vie devant elle, elle pouvait remonter le courant, prendre sa revanche. Pas la peine de pleurer parce que Lawrence avait jeté un seau d'eau sur les feux de la fête. Fermer la parenthèse et tout recommencer. Ne pas perdre sa confiance en soi, ni dans les autres. Faire face et s'en tirer.

Chassant de sa tête les yeux bleus de Lawrence – ces si beaux yeux si pleins d'amour –, elle songea au tableau qu'elle avait commencé à restaurer. Elle prenait plaisir à travailler dans la véranda dont la lumière était idéale. D'ici peu, elle prendrait plaisir à se lever le matin. En tout cas, elle l'espérait vraiment.

Alors qu'elle croyait être sur le point de s'endormir, elle se mit à pleurer.

3

Roland revenait de sa promenade au square des Épinettes et, tout en remontant la rue de La Jonquière, il en avait profité pour faire quelques emplettes. Des œufs, des fruits, du pain, mais surtout un livre qu'il guignait depuis longtemps chez son bouquiniste favori. Un achat qui le ravissait mais le faisait se sentir coupable car il s'était promis de limiter ce genre de dépense, au moins durant quelques mois, le temps d'épargner un peu. Si jamais Anaba avait besoin de plus d'argent que prévu, il devait pouvoir l'aider. En principe, avec ce qu'il lui avait donné en guise de cadeau de « mariage », et avec le gîte ainsi que le couvert chez sa sœur, elle était à l'abri pour l'instant. Mais ensuite ? Si elle souhaitait rentrer à Paris pour retrouver un travail stable, il lui faudrait un logement bien à elle, on ne pouvait pas lui demander de vivre chez son papa comme une étudiante.

Il s'engagea dans l'impasse qui menait chez lui et repéra immédiatement un homme qui semblait planté devant sa maison, la tête levée vers ses fenêtres. Ralentissant le pas, il observa l'inconnu. Il le voyait de profil et il remarqua la cicatrice qui barrait sa joue jusqu'à la pommette. Méfiant, il s'arrêta au moment où l'autre se tournait vers lui. Ils échangèrent un regard circonspect, puis l'homme vint résolument vers lui.

— Monsieur Rivière ? s'enquit-il avec un accent canadien qui alerta Roland.

Qui était ce type ? Un proche de Lawrence venu prendre des nouvelles ? Eh bien, il allait se charger de l'accueillir !

— Oui, je suis Roland Rivière, admit-il d'un ton raide. Et vous ?

— Augustin Laramie. J'ai eu un peu de mal à vous trouver, mais par chance le prénom d'Anaba m'a aidé. Elle habite ici, n'est-ce pas ?

— Non, pas du tout.

Un peu désemparé, Augustin hésita.

— Son nom était avec le vôtre dans l'annuaire sur Internet…

— Il faudrait qu'ils actualisent leurs données ! Ma fille vivait avec moi à l'époque de ses études. Que lui voulez-vous exactement ?

— Lui remettre ceci, qui lui appartient. Elle l'a oublié à Montréal, à son hôtel…

Roland considéra une seconde le téléphone portable qu'Augustin lui présentait.

— Monsieur Laramie, je suppose que vous n'avez pas fait le voyage pour ça ?

— Non, bien sûr, je revenais en France de toute façon, j'habite Paris.

— Ça ne s'entend pas.

Augustin eut un sourire qui, bien qu'un peu déformé par son étrange cicatrice, parut sympathique à Roland. Néanmoins, il déclara :

— Je ne prendrai pas cet objet, monsieur Laramie.

— Mais c'est à elle !

— Peut-être. En ce cas, il doit être bourré de ces petits messages mal rédigés propres à notre époque et qui sont aussi personnels qu'un journal intime.

— Je n'ai pas cherché à le savoir, affirma Augustin. D'ailleurs, la batterie est vide.

À nouveau, il tendit le téléphone à Roland qui secoua la tête.

— Désolé, je ne me charge pas de la commission. Il y a des choses qu'on doit faire soi-même.

— Alors, il va me falloir son adresse.

Bien qu'amusé par la pertinence de la réponse, Roland refusa de se laisser amadouer.

— Êtes-vous un ami de Lawrence Kendall ?

— Oui, admit l'autre avec une évidente réticence.

— Il n'y a pas de quoi en être fier.

— Qui vous dit que je le suis ? Personne ne comprend ce qui est arrivé, moi le premier.

En affirmant cela, il évitait toutes les questions que Roland brûlait de poser.

— Écoutez, monsieur Laramie, vous allez m'attendre ici, le temps que j'appelle ma fille pour connaître ses intentions. J'ai bien peur qu'elle ne veuille plus jamais avoir affaire à aucun Canadien de ce monde, mais peut-être tient-elle à son téléphone !

Roland lui tourna le dos, sortit ses clefs et entra chez lui.

*
* *

Avec une grimace, Lawrence contempla les dossiers accumulés sur son bureau. Non seulement il allait

77

avoir une montagne de travail, mais la plupart des gens du cabinet le regardaient d'un drôle d'air. Les deux associés principaux, ainsi que le big boss, l'avaient pris de haut, furieux d'avoir perdu cette journée bloquée depuis longtemps sur leur agenda pour le prétendu mariage. Les secrétaires et standardistes semblaient scandalisées, sans doute par solidarité féminine. Ses confrères prenaient soit des mines de conspirateurs pour lui taper dans le dos, compatissants, soit fronçaient les sourcils dans un souci de moralité. Bref, une ambiance pourrie.

Au lieu de s'asseoir, il alla se planter devant la baie vitrée. Situé en plein centre-ville, à deux pas de la place Ville-Marie, le gratte-ciel qui abritait les bureaux jouissait d'une belle vue, mais Lawrence avait les yeux dans le vague, assailli de pensées contradictoires. La réprobation des autres finirait par s'estomper, il le savait. La plupart des filles allaient vite comprendre qu'il était redevenu célibataire, donc cœur à prendre, et au bout du compte les hommes, complices, riraient de sa mésaventure. En travaillant d'arrache-pied, et à condition de se passer de vacances, il rattraperait son retard et obtiendrait de nouveaux clients. Avec de la rigueur – et l'aide de son banquier ! –, il planifierait au mieux le remboursement des folies nuptiales. Tout n'allait pas si mal. Il se l'était déjà dit ce matin en se regardant dans la glace de sa salle de bains, vêtu de son costume parfaitement bien coupé, sa chemise impeccable et sa cravate de bon ton. Son pouvoir de séduction, intact, continuerait à lui ouvrir bien des portes, il n'avait pas de raison de désespérer. Mais, hélas, il avait perdu Anaba, et il ne pensait qu'à elle. Quant à renouer avec Michelle, même s'il ne l'avait pas vraiment souhaité, il l'avait pourtant fait. En allant chercher du secours auprès d'elle, il n'ignorait pas qu'il finirait dans son lit, ce qui était arrivé, bien évidemment, comme Augustin l'avait prévu. Pas d'amitié réelle entre un homme et une femme, non. La complicité et la tendresse conduisaient au désir à coup sûr. Le problème était qu'il n'avait pas pris à ces retrouvailles le plaisir attendu. Michelle était trop différente d'Anaba pour lui permettre d'établir une quelconque comparaison mais, contrairement à tout ce dont il s'était persuadé, le sentiment d'amour lui avait manqué.

Il alla enfin s'asseoir à son bureau et ouvrit son ordinateur. Avant de se mettre au travail, il devait se résoudre à envoyer un courriel à Augustin. Impossible de continuer à s'enfermer dans le silence, il fallait qu'il donne des nouvelles. Ses doigts se mirent à courir sur le clavier.

« *Salut, vieux, tu dois être à Paris en train de te la couler douce, et me voilà de retour à Montréal, rivé à l'établi. Pardon de t'avoir obligé à te taper le sale boulot, essaie de ne pas m'en vouloir, je n'avais que toi, mon meilleur ami, à qui le demander. J'espère qu'Anaba n'a pas cherché à t'étrangler ! Crois-moi, je regrette ce qui est arrivé, mais je ne pouvais pas faire autrement. Je lui ai envoyé des kilomètres d'excuses, et bien sûr elle n'a pas répondu ni donné signe de vie, c'est normal. Je pense lui expédier une longue lettre chez son père, reste juste à trouver le temps de l'écrire. Réponds-moi, ce sera un rayon de soleil, ici tout le monde me boude. Amitiés.* »

Il tapa sur la touche « envoi » sans même se relire. Augustin était un garçon sensible, il apprécierait le message. Et Lawrence n'avait pas envie de se fâcher avec lui. En ce moment, il avait vraiment besoin qu'on l'aime et qu'on l'admire, y compris Augustin.

*
* *

Anaba déplaça la lampe qui créait des reflets sur la toile. Le bruit de la pluie battant les carreaux de la véranda ne la gênait pas, mais le jour gris et sinistre la privait d'une bonne lumière. En début de semaine, elle avait enlevé le châssis et travaillé sur le dos de la toile, la nettoyant puis la protégeant avec un cartonnage. Ensuite, elle avait appliqué un traitement antiparasitaire avant d'alléger l'ancien vernis. À présent, elle mastiquait et rebouchait les lacunes de matière picturale. Quand ce serait terminé, elle poserait un vernis final satiné.

Autour d'elle, un désordre de pinceaux, couteaux, chiffons et fioles recréait un environnement familier. Stéphanie ne se plaignait pas de cet envahissement de son espace, au contraire elle se frottait les mains en voyant la transformation du tableau. Même s'il ne s'agissait pas d'une grande œuvre, elle était certaine de trouver des amateurs prêts à l'acheter.

— J'ai rendez-vous chez un vieux monsieur qui veut se séparer d'une partie de ses meubles, annonça-t-elle. Pourras-tu prêter l'oreille au carillon d'entrée ? Si un client se présente, je te fais confiance pour l'accueillir.

Anaba s'essuya les mains sur le vieux sweat-shirt dont elle se servait comme tablier.

— Ne reviens pas avec un semi-remorque chargé jusqu'au toit, je commence à peine à faire de la place dans l'appentis !

— Je ne prendrai que ce qui rentre dans mon break, répliqua Stéphanie avec un sourire. Il faudrait vraiment qu'il y ait des choses exceptionnelles pour que je loue une camionnette. Et puis, tu sais, il m'arrive de ne *rien* acheter.

— Si ton vieux monsieur en question a besoin d'argent, prends-lui des trucs mais ne l'escroque pas.

— C'est comme ça que tu vois le commerce, toi ?

Stéphanie avait l'air de s'amuser, néanmoins elle tint compte de la réserve d'Anaba et expliqua :

— Je n'escroque jamais personne. Pas forcément par grandeur d'âme mais parce que ça finirait par se savoir. C'est une toute petite ville, les gens parlent entre eux et je tiens à ma réputation.

Anaba ôta le sweat-shirt taché et disciplina ses cheveux courts avec ses doigts.

— Je préfère aller monter la garde dans le magasin, j'ai peur de ne pas entendre. J'en profiterai pour donner un coup de plumeau.

Prendre soin des objets et des meubles exposés lui plaisait. En quelques jours, elle avait trouvé sa place et ne se sentait plus du tout dans le rôle d'invitée chez sa sœur. Jusqu'ici, comme elle ne venait que de loin en loin, le temps d'un week-end, elle n'avait pas vraiment prêté attention à ce que Stéphanie proposait à la vente. Mais ayant décidé de s'impliquer, elle s'était penchée sur chaque pièce avec intérêt. Pour une auto-didacte, Stéph faisait preuve d'un goût très sûr.

— Vers quelle heure penses-tu rentrer ?

Sa question n'était pas innocente, elle pensait à la visite d'Augustin, prévue en fin d'après-midi. Lorsqu'il avait appelé, après avoir obtenu le numéro par leur père, il s'était montré extrêmement courtois, expliquant qu'il avait l'occasion de venir les saluer et leur remettre le portable car il serait dans la région aujourd'hui. Le premier élan d'Anaba avait été de refuser tout net. Trois jours plus tôt, comme elle voulait changer de numéro, elle avait profité de l'offre alléchante des opérateurs pour s'acheter un nouveau téléphone facturé un euro. Mais récupérer son ancien lui permettrait de retrouver toute la liste de son répertoire, un avantage non négligeable. Et puis, autant se l'avouer, la curiosité avait été la plus forte. Augustin connaissait forcément les motivations de la fuite de Lawrence, ils avaient dû en discuter depuis, et ne pas savoir pourquoi elle avait été ainsi rejetée la rendait folle.

—Je serai là quand il arrivera, affirma Stéphanie.

Elle boutonna son manteau, une redingote noire à boutons dorés qui lui donnait une allure militaire. Anaba faillit lui demander pourquoi elle ne teignait pas ses cheveux. Avec ses yeux d'un bleu intense et son teint de pêche, elle aurait pu être carrément belle dans la maturité assumée de sa quarantaine, mais elle ne semblait pas prêter suffisamment d'attention à son apparence.

—Je file ! annonça-t-elle en brandissant un parapluie.

Anaba baissa le thermostat du radiateur électrique qui chauffait la véranda, puis elle passa dans la cuisine où elle se fit un café. Elle emporta sa tasse jusqu'au magasin et regarda autour d'elle. L'ambiance était assez chaleureuse mais pouvait être encore améliorée. Pour compenser la tristesse de cette journée pluvieuse, elle alluma des lampes supplémentaires. Les rares passants, dans la rue, ralentissaient devant les fenêtres et jetaient un coup d'œil à l'intérieur. Peut-être aurait-il fallu ajouter un écriteau : « Entrée libre, vous êtes ici chez vous » pour leur donner envie de pousser la porte ? Hormis les fidèles de la boutique, les gens croyaient sans doute que tout était hors de prix.

D'un geste décidé, Anaba posa un chandelier de cuivre sur l'appui d'une des fenêtres, puis elle inscrivit son prix, très raisonnable, sur une étiquette blanche qu'elle disposa juste devant, bien visible du dehors. Elle fit de même avec un plat ancien sur l'appui de l'autre fenêtre. Puis elle drapa plus harmonieusement les rideaux dans leurs embrasses, déplaça un tapis qu'elle mit près d'un bonheur-du-jour. Satisfaite, elle but son café puis décida de commencer par dépoussiérer les meubles avant de s'attaquer à des pièces d'argenterie qui avaient besoin d'être astiquées.

« Stéph devrait investir dans une minichaîne stéréo qui diffuserait de la musique classique en sourdine. Pas des trucs sinistres, plutôt des valses de Strauss, en alternance avec du Chopin, et puis les *Gymnopédies* d'Erik Satie... »

Absorbée par sa tâche, elle ne vit pas le temps passer. Le bruit de la pluie sur les vitres et sur le trottoir, devant le magasin, la berçait. Seuls deux clients vinrent l'interrompre, dont un monsieur qui fit l'acquisition d'une ravissante boîte à musique. Anaba pensa à lui demander une pièce d'identité dont elle inscrivit soigneusement le numéro au dos du chèque.

— Ma première vente ! s'enthousiasma-t-elle à voix haute, à peine fut-il sorti.

Elle venait de constater que jouer à la marchande pouvait être distrayant, mais en réalité bien moins passionnant que restaurer un tableau. Le carillon lui fit tourner la tête et elle sourit en reconnaissant la dame d'un certain âge qui venait d'entrer.

— Oh, Anaba, je ne pensais pas vous trouver ici ! Alors, comment ça s'est passé ? Vous deviez être belle comme un ange ! Mais comment se fait-il que vous soyez déjà… ?

S'arrêtant net au milieu de sa phrase, elle chercha ses mots d'un air anxieux.

— Bonjour, Christine, dit Anaba d'une voix douce. En fait, il y a eu un problème. Je… Je ne me suis pas mariée, finalement. Mais la robe était parfaite, vous aviez vraiment bien travaillé.

La couturière ouvrit la bouche, la referma sans avoir pu ajouter un mot.

— Vous savez, je l'ai portée. Enfin, pas longtemps, et elle était magnifique. Bien sûr, il n'y a pas de photos à vous montrer.

— Je suis navrée, bredouilla Christine.

Affreusement gênée, elle fit deux pas en arrière, prête à se sauver, mais le carillon retentit de nouveau, la faisant sursauter.

— Bonjour ! lança Augustin avec son accent canadien.

À peine entré, il enleva sa casquette toute mouillée et l'enfouit dans l'une des poches de sa veste en cuir.

— Je vous laisse ! s'écria Christine en s'enfuyant.

Elle bouscula presque Augustin pour sortir plus vite, évitant de le regarder.

— Est-ce que je lui ai fait peur ? s'inquiéta-t-il. Ou bien, je dérange ?

— Non, pas de problème, Augustin, je t'attendais.

Ils se dévisagèrent en silence quelques instants. La pluie avait redoublé et battait les carreaux avec force.

— Veux-tu boire quelque chose ? proposa enfin Anaba.

— Quelque chose de chaud, avec plaisir ! Ma visite du Château-Gaillard a été une véritable expédition. Je n'imaginais pas à quel point ça grimpe pour y accéder, ni que c'était juste un gros tas de pierres, mais la vue vaut le détour. Avant ça, je voulais faire un tour à Giverny, hélas les jardins ne sont pas encore ouverts.

Il déboutonna sa veste et jeta un regard circulaire.

— Dis donc, vous vendez de belles choses, ici, je magasinerais volontiers.

— Non, tu ne peux pas faire de shopping, ce sont des antiquités et elles valent une fortune. Suis-moi.

— Ta sœur n'est pas là ?

— Elle ne va pas tarder.

Elle le précéda jusqu'à la cuisine, plus à l'aise qu'elle ne l'avait redouté. Augustin était un chic type, inutile de le transformer en bouc émissaire et de se montrer agressive avec lui.

— Du thé, ça ira ?

— Merveilleux. Je pose ma froque, tu veux bien ?

L'expression la fit sourire. Depuis qu'elle le connaissait, elle se demandait s'il n'utilisait pas exprès le parler québécois pour l'amuser. Du coin de l'œil, elle le vit se débarrasser de sa veste qu'il installa sur le dossier d'une chaise. Et soudain, sans qu'elle ait pu s'y préparer, une vague de tristesse la submergea, lui serra la gorge dans un étau. En regardant Augustin, c'est Lawrence qu'elle imaginait à côté de lui. Leurs plaisanteries, leurs tournées de bière pression appelée *draffe*, leurs courses folles sur la glace des lacs. Souvent ils étaient sortis à trois, heureux d'être ensemble. « Mon meilleur ami depuis l'université ! » avait dit Lawrence en lui présentant Augustin qui, d'emblée, s'était montré chaleureux avec elle. Pourquoi cette merveilleuse période avait-elle si mal fini ? Augustin lui faisait retrouver d'un coup toute la frustration et l'amertume éprouvées à Montréal ce funeste matin.

— Est-ce que ça va ? s'enquit-il en fronçant les sourcils.

— Tu me rappelles des souvenirs...

— Je comprends. Désolé.

Il fouilla l'une de ses poches et posa sur la table le petit téléphone d'Anaba.

— C'est pittoresque, chez ta sœur, dit-il avec un geste vers la véranda attenante. On doit être bien ici.

— Oui, très ! répondit-elle trop vite.

Voulait-elle lui faire croire qu'elle avait déjà oublié Lawrence, tous ses projets et toutes ses illusions ?

— Je me suis remise au travail, expliqua-t-elle. J'avais besoin de m'occuper et, comme tu dis, cette maison est un vrai refuge.

La pluie continuait de glisser le long des carreaux, mais avec moins de force. Anaba ajouta une bûche sur les braises de la cheminée et donna un coup de soufflet.

— Je n'ai pas revu Lawrence après ton départ, déclara-t-il sans qu'elle ait besoin de l'interroger. Je ne peux pas te dire grand-chose à son sujet, sauf que, maintenant, il est de retour à Montréal. Il m'a adressé un courriel où il m'annonce qu'il va t'écrire une lettre. Je n'en sais pas plus.

Le carillon du magasin les interrompit, mais ce n'était pas un client, c'était Stéphanie qui arriva en trombe dans la cuisine.

— J'ai vraiment eu droit au déluge sur la route ! s'exclama-t-elle en jetant son parapluie dans un coin. Heureusement, j'ai fait de bonnes affaires, le break est bourré jusqu'au toit. Bonjour, Augustin…

Ils se serrèrent la main d'un air un peu méfiant tandis qu'Anaba posait la théière et trois tasses sur la table.

— Au fond, vous auriez pu l'envoyer par la poste, dit Stéphanie en désignant le téléphone d'Anaba.

— Je me serais privé du plaisir de la visite, répliqua-t-il avec un de ses étranges sourires.

D'un mouvement spontané, il se leva pour servir le thé, comme s'il était normal que les hommes s'en chargent. Anaba et Stéphanie échangèrent un coup d'œil amusé qu'il surprit et qui le fit rire.

— À l'heure du thé, ma mère me disait toujours qu'elle en avait assez fait comme ça dans la journée. Elle est d'origine anglaise et le *teatime* est pour elle un moment sacré.

— Tu as toujours tes parents ? demanda Anaba.

Elle ne l'avait jamais beaucoup interrogé sur sa vie car Lawrence monopolisait la conversation lorsqu'ils étaient ensemble.

— Ils se sont installés à Vancouver quand mon père a pris sa retraite. Ils voulaient davantage de chaleur et de soleil !

— Et que faisait-il, avant ?

— Il travaillait dans la pâte à papier.

87

— C'est ce qui vous a donné envie d'écrire dessus ? ironisa Stéphanie.

— L'envie, je l'ai toujours eue, mais je n'espérais pas en vivre.

Il y eut un petit silence, qu'Anaba rompit en faisant remarquer :

— J'achèterais bien un de tes livres, puisque tu ne m'en as pas donné.

— Oh, si tu aimes le genre policier, je t'en enverrai un !

Il reposa sa tasse, tourna la tête vers la véranda pour écouter la pluie.

— On dirait que ça mouille moins. Avant de partir, je peux donner un coup de main pour décharger le break bourré jusqu'au toit.

Surprise par son offre, Stéphanie n'hésita pas longtemps.

— Ça ne se refuse pas.

Durant la demi-heure qui suivit, ils transportèrent avec précaution tout un bric-à-brac de meubles et d'objets jusqu'à l'appentis ou au magasin. Rien ne semblait pouvoir altérer la bonne humeur d'Augustin, même pas de se coincer les doigts dans une charnière ou de heurter durement de l'épaule un chambranle. Quand ce fut terminé, il prit congé des deux femmes sur le trottoir.

— Si tu as besoin de quelque chose, voilà ma carte, dit-il à Anaba en l'embrassant. Je peux servir d'intermédiaire au cas où tu voudrais récupérer des trucs chez Lawrence sans avoir affaire à lui.

Il serra la main de Stéphanie, la gratifia d'un grand sourire et s'engouffra dans sa voiture.

— Plutôt sympa, ce type, déclara-t-elle en regardant s'éloigner les feux arrière. Tu n'es pas trop secouée par sa visite ?

— Eh bien, disons qu'il me rappelle des choses auxquelles je n'ai pas envie de penser. Mais il est très gentil, il l'a toujours été avec moi.

— Son idée n'est pas mauvaise, il pourrait demander à Lawrence de t'expédier tes valises et tes cartons, tout ce que tu avais envoyé là-bas.

— Je ne sais pas… Les vêtements que j'avais achetés à Paris pour les porter à Montréal vont me faire horreur. Mais ça représente de l'argent, ce serait rageant que Lawrence s'en débarrasse dans une poubelle ! Et puis, il y a mon diplôme des Beaux-Arts, le petit bronze que papa m'a offert pour mes dix-huit ans, ma vieille peluche…

— Le lapin ? Tu l'as encore ? Eh bien, il n'est pas question que le lapin reste au Canada ! On appellera Augustin dans quelques jours. Si tu ne veux pas le faire, je m'en chargerai.

Elles rentrèrent dans le magasin et commencèrent à faire le tri des acquisitions de Stéphanie.

*
* *

Lawrence contempla les trois valises et les deux cartons empilés dans son dressing. Une vague curiosité le poussait à les ouvrir, pourtant il y renonça. Fouiller dans les affaires d'Anaba, et peut-être sentir son parfum sur un pull ou une écharpe, le rendrait forcément nostalgique. Il se souvenait très bien du jour où le transporteur avait livré tout ça chez lui. Ses craintes avaient démarré à ce moment-là. Il s'était senti envahi, comprenant qu'il allait devoir partager son espace, ses projets, son existence tout entière avec une femme. Insouciante, Anaba lui avait dit en riant qu'il faudrait faire de la place pour elle dans ses placards et ses tiroirs. C'était légitime, logique, après tout il lui avait demandé de devenir son épouse pour le meilleur et pour le pire, s'était endetté pour lui acheter une bague, il devait donc apprendre à *partager* avec elle. Mais son premier réflexe se révélait très égoïste : il avait eu l'impression qu'elle voulait s'approprier ses jouets.

Il éteignit la lumière du dressing et retourna dans le séjour. Bon, il avait raté quelque chose en refusant de se marier, il le savait, toutefois il s'était préservé. Depuis toujours, en fils unique gâté, il obtenait ce qu'il voulait sans presque rien donner en échange. Ses parents l'admiraient, le vénéraient, le plaçaient au-dessus de tout. Ils s'étaient portés caution pour lui les yeux fermés lorsqu'il avait acheté son appartement, ce merveilleux duplex où il était *chez lui*. Certes, il avait adoré y recevoir Anaba lors de ses séjours au Canada, mais en tant qu'invitée à qui il montrait son royaume. En toute bonne foi, il avait cru qu'il saurait l'y accueillir un jour comme sa femme, hélas l'arrivée du transporteur avait entamé sa conviction.

Penser à ses parents le rendait un peu nerveux. Il se servit un fond de whisky qu'il but debout, d'un trait. En réussissant ses études et en décrochant un poste dans un gros cabinet, n'avait-il pas réalisé tous les espoirs que sa mère et son père mettaient en lui ? À vrai dire, il n'avait rencontré aucune difficulté, il était doué et disposait d'une prodigieuse mémoire, si utile durant toutes ses années de droit. Il travaillait deux fois moins que les autres et obtenait de meilleurs résultats. Un sujet de plaisanterie avec Augustin qui se donnait tant de mal mais n'y arrivait pas.

Lorsqu'il s'était inscrit à l'université, il avait choisi Montréal pour sa douceur de vivre... et sa vie nocturne. Son père aurait préféré qu'il reste à Toronto, où ils habitaient, affirmant qu'il s'y passait plus de choses que n'importe où ailleurs et que toutes les affaires se traitaient là, mais Lawrence voulait Montréal à tout prix. Ses parents avaient consenti des sacrifices pour lui assurer une existence d'étudiant très agréable, dont il avait largement profité. Étaient-ce ces habitudes d'indépendance et de liberté qu'il refusait de sacrifier ?

Il avait perdu Anaba par immaturité, il le reconnaissait, mais il était seul à se fustiger. Ses parents avaient compris, comme toujours. La première stupeur passée, sa mère avait même fini par décréter qu'au fond, mieux valait ne pas épouser une « étrangère ». Sauf qu'Anaba avait peut-être des racines plus anciennes qu'eux dans le pays ! Et puis, Anaba possédait une fraîcheur, une joie de vivre, une capacité d'enthousiasme qui avaient bluffé Lawrence. En comparaison, le cynisme de Michelle n'était que distrayant, pas mobilisant.

— Mon Dieu, qu'ai-je fait ? soupira-t-il en se resservant une goutte de whisky.

Chaque nuit, le corps d'Anaba le hantait. Ses longues jambes fines, sa peau douce et mate, son odeur, ses grands yeux si sombres, ses petits seins ronds. Et puis ses éclats de rire après l'amour, ses fringales qui les faisaient pique-niquer de n'importe quoi, assis tout

91

nus sur la moquette. Anaba qui était sûrement la femme de sa vie mais dont il n'avait pas voulu comme mère de ses enfants. Pas d'enfants du tout, pas maintenant.

Il était tellement plongé dans ses souvenirs que la sonnerie du téléphone faillit lui faire lâcher son verre vide.

— Lawrence ? Je ne te réveille pas, j'espère ?

La voix d'Augustin, un peu froide, un peu sarcastique.

— J'allais m'endormir, mentit-il délibérément. J'ai du boulot par-dessus la tête, je suis crevé. Mais je constate que tu es toujours aussi matinal. Il est quoi, sept heures du matin à Paris ?

— Exact. Je sors de ma douche et je me suis dit que tu n'étais peut-être pas encore couché.

— De toute façon, j'ai quelques insomnies en ce moment.

— Je comprends ça !

Lawrence leva les yeux au ciel et attendit la suite. Comme Augustin restait silencieux, il finit par enchaîner :

— Pourquoi m'appelles-tu, vieux ?

— Pour avoir de tes nouvelles puisque tu n'en donnes pas.

— On a échangé des courriels, on…

— Oh, écoute, on peut se parler, non ? Je n'ai toujours pas réussi à catcher ton attitude ce fameux matin, et puis la veille, mais après tout c'est ton problème, pas le mien.

Augustin avait dû se sentir trahi, évidemment. En tant que meilleur ami, il pouvait tout entendre, et pourtant Lawrence ne lui avait rien dit jusqu'à la dernière minute, enterrant sa vie de garçon avec ce qui pouvait sembler une parfaite hypocrisie.

— Quand reviens-tu ici ? demanda-t-il gentiment. On fera la fête tous les deux, tu veux ?

— Ce ne sera pas pour tout de suite, j'adore le printemps et l'été à Paris. Et puis, j'ai commencé un roman, je n'ai pas envie de bouger. Mais je voulais te dire que... ce serait bien de ta part de renvoyer toutes ses affaires à Anaba. Expédie-les chez son père, elle en a sûrement besoin.

Lawrence en resta sans voix. Certes, il n'avait pas pensé à le faire de lui-même, mais ce rappel à l'ordre lui était insupportable.

— Tu l'as vue ? demanda-t-il d'un ton cassant.

— Oui.

— Où ça ?

— Peu importe.

— Augustin !

Bouillant soudain de rage, Lawrence fit un effort pour recouvrer son sang-froid.

— J'ai le droit de savoir. Anaba, c'est *mon* histoire, et figure-toi qu'elle n'est peut-être pas terminée.

L'éclat de rire d'Augustin lui donna envie de jeter le téléphone contre le mur.

— Si tu crois ça, c'est que tu es ivre, Lawrence. Allez, va dormir, et trouve donc un transporteur demain matin.

Sans prendre congé par une formule amicale, Augustin coupa la communication. N'avait-il appelé que pour cette requête concernant Anaba ? Et par quel hasard l'avait-il rencontrée ? Exaspéré, Lawrence imagina le genre de propos amers que la jeune femme devait tenir sur son compte. Apparemment, Augustin la soutenait, l'approuvait. Cherchait-il à la consoler ?

Se mettant à faire les cent pas d'un mur à l'autre, il essaya d'ordonner ses idées. Qu'est-ce qui l'agaçait autant ? Il avait renoncé à Anaba de façon définitive et délibérée, ce qu'elle faisait en France ne le concernait plus.

Sauf que, tout au fond de sa tête, cette femme lui appartenait encore un peu. Il n'était pas détaché d'elle. Il n'avait pas voulu l'épouser, d'accord, néanmoins il l'aimait toujours. Et si cet abruti d'Augustin s'imaginait...

Mais non, il n'imaginait sûrement rien du tout. La loyauté d'Augustin n'était plus à prouver.

— Ou alors, s'il veut mes restes ! ricana-t-il.

L'instant d'après, il se jugea non seulement immature mais carrément puéril. Mieux valait se coucher et dormir, il était très tard. Renonçant à boire un verre de plus, il gagna sa chambre. De gros flocons glissaient avec lenteur le long de la baie vitrée. Il s'était remis à neiger ? D'un geste brusque il tira les rideaux, puis il se jeta sur son lit tout habillé. Les yeux fermés, il fit défiler comme des cartes postales les ponts de Paris. Les quais avec les coffres des bouquinistes, Anaba coiffée d'un bonnet de laine écossais. Le bar élégant de leur premier rendez-vous en tête à tête.

— Quel con..., murmura-t-il tandis que le sommeil le gagnait enfin.

*
* *

Depuis quelques jours, le printemps était franchement maussade, il ne cessait de pleuvoir. Dans la véranda, la buée s'accumulait sur les carreaux, et les clients se faisaient rares, sans doute découragés par ces averses continuelles. Stéphanie et Anaba en profitaient pour nettoyer, cirer, astiquer. Le magasin avait plus fière allure que quelques semaines auparavant, mieux éclairé et mieux arrangé. À deux, elles confrontaient leurs idées, déplaçaient des meubles lourds, choisissaient à tour de rôle de mettre telle ou telle pièce en valeur. Stéphanie était ravie de la présence – et de l'aide – de sa sœur. Jusqu'ici, elle avait dû courir après le temps, n'arrivant jamais à tout faire parce qu'elle était seule.

— C'est une bénédiction que tu sois là, répéta-t-elle en tisonnant les braises.

Pour alléger ses factures d'électricité, elle allumait chaque jour de grandes flambées dans la cheminée qu'elle se félicitait d'avoir restaurée. Sa maison, ancienne, était assez mal isolée, mais elle n'avait pas les moyens d'engager des travaux pour l'instant. D'autant moins que le premier chantier, prioritaire, serait celui de l'appentis.

— On va te faire un véritable atelier là-bas, tu seras à l'aise pour travailler.

Anaba ouvrit la bouche pour protester mais elle l'interrompit d'un geste.

— Ne t'inquiète pas, je sais très bien que tu ne resteras pas toujours. D'ailleurs, je te le souhaite ! Mais ce local humide devait être aménagé de toute façon. J'ai bêtement abîmé des meubles là-dedans, en plus c'est devenu un vrai foutoir... On se fait une boisson chaude avant de monter ?

— Oui, comme ça on profitera de la fin du feu.

Stéphanie mit la bouilloire en route, puis elle jeta un coup d'œil par-dessus son épaule pour observer sa sœur. Anaba avait l'air de se plaire ici et, selon toute probabilité, elle finirait par remonter la pente. Cependant sa blessure était assez profonde pour qu'elle manifeste parfois une certaine agressivité envers les hommes. Avec les clientes elle était toujours aimable, mais avec les hommes, en particulier les hommes jeunes, elle se montrait facilement cassante. Or Stéphanie avait l'expérience de cet état d'esprit qui, à cause d'une déception, pousse à mettre tout le monde dans le même sac et à tout rejeter en bloc. Après son second divorce, elle avait traversé une période de ce genre, qui ne l'avait menée nulle part. Elle s'était finalement aperçue qu'elle devenait amère, ce qui l'avait obligée à se remettre en question puis à changer d'attitude, car l'aigreur n'était bonne ni pour son commerce, ni pour son épanouissement personnel. Aujourd'hui, malgré son refus de cacher ses cheveux blancs, elle était redevenue coquette parce qu'elle se sentait bien dans sa peau, dans son âge, dans sa vie.

— Je n'envahis pas trop ta farouche solitude ? demanda Anaba en levant les yeux vers Stéphanie.

— Tu sais bien que non. Être seule résulte d'un concours de circonstance, pas d'un choix. Je suis tombée sur deux toquards, je n'ai pas eu la main heureuse et ça m'a guérie du mariage. Mais je ne désespère pas de trouver quelqu'un de bien, un de ces jours, pour faire un bout de chemin. Contrairement à ce qu'on pourrait croire, j'aime bien la compagnie aussi. Et puis toi, tu es ma sœur, ma toute petite sœur...

Anaba lui adressa un de ces sourires d'enfant dont elle avait le secret.

— Et toi ma très grande sœur grâce à qui maman ne m'a pas trop manqué. Grande sœur qui m'a ramenée de Montréal en petits morceaux épars ! Je me disais justement hier soir en m'endormant que si maman ne nous avait pas tant parlé du Canada, je ne serais peut-être pas tombée amoureuse de Lawrence ?

— Il a un joli physique et pas mal de bagout ; s'il avait été Irlandais ou Italien, tu aurais craqué aussi.

— Crois-tu ? Il m'a semblé concrétiser tous mes rêves. En plus, il était vraiment très… gentil.

Elle avait buté sur le dernier mot, à peine murmuré, mais qui fit bondir Stéphanie.

— Quand on est gentil, on ne se conduit pas comme ça ! Et par pitié, arrête d'épiloguer. Chaque fois que tu penses à lui, répète-toi des bordées d'injures, il ne mérite rien d'autre. Plus réjouissant encore, dis-toi que tu as échappé au pire. Tu te vois passer ta vie entière avec un lâche ? Il t'aurait tout le temps trahie, tout le temps déçue.

— Admettons.

— Non, pas du bout des lèvres ! Prends-en vraiment conscience. Ici, dans les campagnes, les anciens disent qu'il faut avoir mangé un sac de blé avec quelqu'un pour le connaître, or tu ne connaissais pas vraiment Lawrence. Vous n'avez jamais vécu ensemble et il t'a montré le visage qu'il voulait, celui d'un mec sans défaut.

— Mais il n'en avait pas ! protesta Anaba.

— Tu en es encore là ? Alors, il te reste du chemin à faire.

Était-il possible qu'Anaba, tout au fond d'elle-même, garde l'espoir d'une improbable réconciliation avec Lawrence ? S'il parvenait à trouver une excuse à peu près valable, une justification presque crédible, lui pardonnerait-elle avec soulagement ? Stéphanie but lentement son infusion, cherchant à deviner ce qui se passait dans la tête de sa sœur.

— Allez, Stéph, tu n'as rien à craindre, Lawrence est sorti de ma vie pour toujours. Mais tu ne peux pas me demander de l'oublier tout de suite.

— Ne l'oublie pas, déteste-le.

Anaba se leva, s'étira, esquissa un bâillement. Elle avait un peu maigri ces dernières semaines, mais elle restait aussi jolie. À vingt-huit ans, tout lui était permis, possible. Stéphanie songea qu'elle aurait bien aimé revenir à cet âge-là. Mais aurait-elle évité ses erreurs passées ? Non, dans le même contexte, elle aurait pris les mêmes décisions, en toute bonne foi. Sans doute fallait-il avoir des incidents de parcours pour trouver la meilleure façon d'avancer.

Elle couvrit ce qui restait de braises rougeoyantes avec des cendres avant de suivre sa sœur vers l'escalier.

*
* *

Max glissa sur la plaque de zinc du toit et se rattrapa de justesse à une cheminée. La douleur irradiait dans son bras gauche jusqu'à l'épaule. Il était blessé et il pissait le sang, mais il pouvait tenir encore. Après s'être hissé hors de la chambre de bonne, il avait soigneusement refermé la tabatière derrière lui puis s'était éloigné, un pied après l'autre sur la gouttière en espérant qu'elle tiendrait. Les trois hommes qui le poursuivaient ne se laisseraient pas abuser longtemps.

Augustin s'interrompit, cherchant comment son commissaire allait se tirer de cette mauvaise posture. Mais pas tout de suite, il fallait encore faire durer le suspense. Peut-être rajouter de la pluie pour compliquer la fuite ? Dans la ruelle où il avait fait ses repérages, quelques jours plus tôt, les immeubles étaient assez proches pour qu'on puisse passer de l'un à l'autre par les toits. Était-ce plausible ? Il s'attachait toujours à cerner la réalité pour donner plus de relief à ses romans, n'hésitant pas à arpenter longuement les lieux qu'il allait décrire en quelques mots évocateurs. Et Paris offrait un cadre fabuleux pour les histoires sombres qu'il inventait. Des intrigues solides, des personnages fouillés et authentiques, une ambiance parfois sulfureuse mais qui n'allait jamais jusqu'au fantastique. Rester dans la vraie vie de façon à ce que chacun puisse se reconnaître et se poser la question : et si c'était moi ?

Fatigué par les heures passées devant l'écran de son ordinateur, il enregistra son texte puis abandonna son fauteuil à roulettes. Quelque chose le perturbait sans qu'il arrive à savoir quoi. Depuis qu'il avait commencé à écrire, en fin de journée, une idée affleurait sa conscience, le titillait un instant et s'effaçait aussitôt.

Il parcourut tout son appartement, s'arrêtant devant chaque fenêtre. La vue sur les quais de Seine et les lumières de Paris le fascinait toujours autant, même si les huisseries laissaient passer des courants d'air. Penser qu'autrefois des gens de condition très modeste avaient vécu dans ces petites pièces le laissait songeur. Aujourd'hui, habiter là était un luxe, il faisait partie des privilégiés, et peu importaient les parquets grinçants ou le manque de hauteur sous plafond. La seule chose qui le chagrinait était d'être en location, donc à fonds perdu, alors qu'il aurait voulu acheter. Mais son propriétaire n'était pas vendeur, et Augustin refusait d'aller ailleurs, persuadé que son inspiration était liée à ces murs. Il écrivait si facilement, dès qu'il arrivait ici !

Il arrêta net sa déambulation, les yeux rivés sur les péniches amarrées au quai d'en face. Ce qui le troublait depuis des heures venait enfin de prendre forme. Un regard bleu intense, une redingote noire à boutons dorés : l'image de Stéphanie Rivière entrant dans sa drôle de cuisine-véranda avec un parapluie trempé. Pourquoi pensait-il à elle, que faisait-elle donc, tapie au fond de sa tête ? Y était-elle, sans qu'il le sache, depuis le jour où elle avait martelé son pardessus à coups de poing, ivre de rage à cause de Lawrence ?

Il alla se chercher une bière, la décapsula et but à longs traits. Ses histoires avec les femmes étaient toujours un peu difficiles. Sa cicatrice provoquait chez elles deux sortes de réaction, soit le besoin de s'attendrir, compatir, materner, soit une légère inquiétude mal dissimulée. Il aurait préféré qu'elles n'y prêtent pas attention, ou bien qu'elles posent tout simplement la question. Lui aussi avait dû s'habituer à cette ligne qui barrait sa joue et tirait son sourire d'un côté. L'accident était arrivé le jour de ses vingt ans, bon anniversaire ! Il se souviendrait toujours de cette chute stupide qui l'avait fait rire une fraction de seconde, juste avant qu'il ne voie la lame du patin arriver à toute vitesse. La violence inouïe du choc, le sang giclant sur la glace autour de lui, Lawrence qui criait de ne pas le toucher. Groggy, il avait eu l'impression qu'on venait de lui défoncer tout un côté du visage, puis il s'était évanoui. Recousu trop vite à l'hôpital, il s'était réveillé totalement défiguré. Son père avait alors remué ciel et terre pour qu'un des meilleurs chirurgiens plasticiens le réopère. Au bout de quelques mois, la cicatrice était devenue acceptable. Durant tout ce temps-là, Lawrence s'était confondu en excuses, jusqu'à ce qu'Augustin lui dise qu'il ne voulait plus en entendre parler, que tout était oublié. À l'université, quand il avait repris les cours, ses autres copains ne s'étaient pas privés de lui faire remarquer que, pour un joueur de hockey chevronné comme lui, aller faire des courses folles sur des lacs gelés sans le moindre casque était une hérésie. Certains avaient insinué que Lawrence, patineur hors pair, aurait peut-être pu l'éviter. Augustin les avait fait taire, il ne tenait pas à ce que Lawrence recommence ses mea-culpa. Mais à partir de là, indéniablement, ses rapports avec les filles s'étaient compliqués.

Sa bière finie, il retourna à la cuisine et se confectionna un sandwich très « parisien » avec la baguette croustillante achetée le matin même, deux tranches de jambon blanc, du beurre salé et des cornichons. Au lieu de penser à cet accident qui n'était plus qu'un vieux souvenir dont il avait appris à se moquer, il ferait mieux de se concentrer sur son commissaire, Max Delavigne, toujours coincé sur son toit avec des gangsters à sa poursuite. Il en avait fait son héros récurrent et le nuançait, lui donnait de la profondeur de livre en livre. Un Max à la quarantaine un peu fatiguée, revenu de beaucoup de choses – la police, la justice – mais pas encore blasé. Et qui, comme son créateur, ne s'en sortait pas très bien avec les femmes.

Il alla se rasseoir devant son ordinateur, posa le sandwich sur le tapis de la souris et ses doigts se mirent à voler au-dessus du clavier.

*
* *

Anaba avait profité de la présence d'une amie de Stéphanie pour venir passer la journée à Paris. Un train pris tôt dans la matinée à la petite gare de Gaillon l'avait conduite à Saint-Lazare en une heure. Puis elle s'était rendue dans le 12e arrondissement, rue Traversière, chez Laverdure, un magasin de fournitures pour les restaurateurs de tableaux. Elle y avait acheté de l'acide, des mastics, huiles, liants, ainsi qu'un vernis à la gomme-laque. À l'époque où elle travaillait pour les musées, la plupart des produits se trouvaient sur place, mais chez Stéphanie elle devait organiser elle-même son petit atelier si elle voulait y travailler sérieusement. L'une des toiles récupérées dans l'appentis en valait la peine, et Stéph avait promis de traquer les tableaux anciens au fond des greniers. Même sans espérer la trouvaille du siècle, elle dénicherait sûrement des choses intéressantes.

Après ses achats, Anaba reprit le métro pour aller déjeuner chez son père. Elle le trouva juché sur une échelle, dans la pièce longue et étroite qui lui servait de bibliothèque.

— Ma chérie, quel bonheur de te voir ! s'exclama-t-il en se penchant dangereusement.

Il se rattrapa d'une main à une étagère, de l'autre remit un livre en place.

— Tu fais encore des rangements, constata-t-elle avec un sourire attendri.

— Ah, j'aurais adoré être un rat de bibliothèque ! Je ne vois jamais le temps passer lorsque j'essaie un nouveau classement, parce que je ne peux pas m'empêcher d'ouvrir chaque volume que je touche, et de me mettre à lire... Mais ne t'inquiète pas, le repas est prêt. Je t'ai fait des râbles de lapin aux pruneaux selon la recette de ta mère.

Anaba savait très bien qu'il n'en connaissait pas d'autres et ne se serait pas risqué à improviser. Ils descendirent dans la cuisine aveugle où flottait une délicieuse odeur.

— Toute la rue doit en profiter ! s'esclaffa-t-il en désignant le soupirail.

Jamais il ne critiquait les défauts de sa maison biscornue, au contraire il s'en amusait. Il prit d'abord des nouvelles de Stéphanie, de leur cohabitation aux Andelys, puis s'inquiéta de l'état moral d'Anaba.

— Je commence à accepter les choses, avoua-t-elle du bout des lèvres.

— Et tu fais des projets ?

— Pas encore. Pour l'instant, je suis bien chez ma sœur et j'ai envie de l'aider. Je vais laisser passer le printemps et l'été comme ça. Si nos affaires ne prospèrent pas, je chercherai peut-être à travailler dans les musées de sa région, mais à mon avis, il y a une place à prendre en tant que restauratrice de tableaux indépendante. Regarde Stéphanie, elle a mis du temps à se faire connaître, elle est passée petit à petit du stade de brocanteur à celui d'antiquaire, et aujourd'hui elle a une bonne clientèle. Le bouche-à-oreille fonctionne vite en province, je vais essayer d'en profiter.

— Tu n'as pas envie de revenir à Paris ? Tu préfères rester en Normandie ?

— Trop tôt pour le dire, papa.

Ils mangèrent durant quelques minutes en silence, puis Roland posa son couvert et considéra sa fille d'un air grave.

— J'ai reçu un coup de téléphone de Lawrence, lâcha-t-il d'un trait.

— Lawrence ? répéta Anaba d'une voix blanche. Quel culot ! Qu'est-ce qu'il voulait ?

— Je ne sais pas trop. Il s'est d'abord perdu dans des circonlocutions visant à m'amadouer, et je dois admettre que je ne l'ai pas laissé continuer. Tu comprends, j'en avais gros sur le cœur, il fallait que ça sorte. Alors, je lui ai rivé son clou et j'ai raccroché sans lui laisser le temps de me demander ton adresse ou ton numéro de téléphone.

Contrariée, elle parvint néanmoins à esquisser un vague sourire. Son père n'avait pas toujours un caractère commode, la plupart de ses anciens élèves auraient pu en témoigner. Il en voulait terriblement à Lawrence, il avait dû le moucher car il ne supportait pas qu'on touche à ses filles. Ses deux épouses étaient mortes, le laissant unique responsable, et il avait fait de son mieux. Mais il devait parfois se dire qu'il avait tout raté, entre les divorces de Stéphanie et la faillite du mariage d'Anaba à Montréal.

— En raccrochant, ajouta-t-il, j'ai regretté de ne pas l'avoir laissé s'embourber dans ses périphrases, car je ne sais pas ce qu'il espérait et je ne peux pas satisfaire ta curiosité.

— Je n'ai pas de curiosité à son sujet, je ne veux plus entendre parler de lui.

Elle n'était pas tout à fait sincère. Et si Lawrence, au désespoir, cherchait par tous les moyens à obtenir son pardon ? S'il était rongé de remords ?

« Non, pas lui. C'est un homme posé, réfléchi. Avant de se défiler, ce matin-là, il a forcément pesé le pour et le contre, or ce n'est pas moi qui l'ai emporté. »

Plantant son regard dans celui de son père, elle murmura :

— Tu as très bien fait. Et maintenant, s'il te reste un petit râble de lapin, je suis preneuse.

Après lui avoir adressé un clin d'œil, Roland souleva le couvercle de la cocotte posée entre eux sur la table.

*
* *

Tirée du sommeil par une sonnerie continue, Michelle chercha à tâtons le réveil et s'aperçut qu'elle n'était pas dans son lit, pas chez elle à Ottawa. Le souvenir de la soirée lui revint d'un coup, achevant de la réveiller. Lawrence était déjà levé, sa place sur les draps était froide. La veille, ils avaient dîné à *L'Actuel*, une brasserie qui se voulait belge, et elle avait pris des moules-frites tandis qu'il se régalait d'un hareng aux pommes de terre.

Il apparut sur le pas de la porte, sa silhouette en peignoir se découpant à contre-jour.

— Si tu as besoin de la salle de bains, j'ai fini.

Une manière un peu désinvolte de dire bonjour, mais elle décida de ne pas s'en offusquer et fila sous la douche. De retour dans la chambre, elle prit un chemisier propre dans son sac de voyage et remit son tailleur strict. Avant tout, elle était à Montréal pour affaires, elle ne devait pas se laisser distraire. La boîte de pub qui l'employait exigeait beaucoup d'elle et son planning de la journée était serré. Néanmoins, elle avait encore le temps de prendre un petit déjeuner, le réveil de Lawrence ayant sonné très tôt.

Elle descendit l'escalier en colimaçon pour gagner la cuisine. Ce duplex était vraiment fantastique, surtout situé dans le centre. Lawrence payait de vertigineuses traites, mais ça en valait la peine. Michelle avait toujours supposé que ses parents l'aidaient financièrement, et donc possédaient une fortune personnelle. Il se montrait plutôt évasif à ce sujet, peut-être pour se protéger de toutes celles qui cherchaient un beau parti. Elle-même, à l'époque de leur liaison, avait été bluffée par sa situation de jeune et brillant avocat plein d'avenir, son appartement, son goût du luxe. Se croyant fin stratège, elle n'avait pas voulu lui mettre la pression, tout ça pour qu'il tombe amoureux d'une autre et se précipite pour l'épouser ! Heureusement, il y avait renoncé in extremis, revenant vers elle au galop. Cette fois, elle saurait mieux s'y prendre, ayant bien compris qu'il n'avait pas peur du mariage mais des enfants. Pas de bébé pour lui dans l'immédiat.

Une odeur d'œufs au bacon l'accueillit. Vêtu d'un costume sombre et d'une chemise blanche, sa cravate pas encore nouée autour du cou, il était vraiment craquant à s'agiter ainsi devant les fourneaux.

— Je n'ai qu'une demi-heure devant moi, prévint-il. Si tu dois t'attarder ici, tu n'auras qu'à claquer la porte en sortant.

— Merci, mais je partirai avec toi, j'ai des rendez-vous toute la matinée. Je ne suis pas à Montréal que pour mon plaisir, chéri ! Même si j'ai beaucoup apprécié la soirée d'hier…

Il lui servit ses œufs sans répondre puis s'installa en face d'elle et se mit à manger.

— Quelque chose te tracasse, Lawrence ?

— L'ambiance au cabinet n'est pas au beau fixe. Le big boss m'asphyxie avec des dossiers sans intérêt, et surtout fort peu rentables. À croire qu'il m'en veut toujours pour ce fichu mariage !

— Il connaissait Anaba ?

— Je la lui avais présentée lors d'un dîner où nous étions censés venir en couple. Le genre de corvée qu'on s'inflige deux ou trois fois par an, prétendument pour rapprocher les avocats de la boîte. En tout cas, elle avait dû lui taper dans l'œil car il prétend qu'elle aurait fait une épouse parfaite et que je ne suis qu'un crétin !

Haussant les épaules, il repoussa son assiette avant de lâcher, d'un ton exaspéré :

— Jusqu'à quand vais-je entendre parler de cette histoire ?

— Jusqu'à ce qu'elle sorte de ta tête à toi.

Vexé par sa remarque, il la toisa sans indulgence.

— J'ai tourné la page, Michelle. Je lui ai même expédié ses affaires, et ça n'a pas été simple ! J'avais le numéro de téléphone de son père, mais je ne me souvenais plus de l'adresse exacte et j'ai été forcé de l'appeler. Je te laisse imaginer de quelle façon il m'a raccroché au nez. Du coup, j'ai tout envoyé à Augustin, il se débrouillera puisque lui sait où elle est !

— Ah bon ?

Elle voyait qu'il était en colère et avait peur de comprendre.

— Vous, les hommes, déclara-t-elle un peu étourdiment, vous ne pouvez pas vous empêcher de croire que vos ex vous appartiennent encore.

— C'est le cas, non ? répliqua-t-il avec un parfait cynisme. Sinon, que fais-tu là ?

Lawrence était de ces gens qui pouvaient vite vous écraser si on ne les tenait pas en respect.

— Je prends du bon temps, chéri. C'est mieux chez toi qu'à l'hôtel, il y a tout sur place, câlin compris.

Au lieu de se vexer, il se mit à rire.

— D'accord, ma grande, d'accord... Et si on allait travailler, maintenant ?

— Chiche !

Ils se levèrent ensemble et elle rangea leurs tasses dans le lave-vaisselle tandis qu'il nouait sa cravate.

— Quand rentres-tu à Ottawa ?

— Demain.

— Dans ce cas, on dîne ensemble ce soir ?

Elle eut la nette impression qu'il le proposait sans grand enthousiasme. Peut-être n'avait-il ni envie d'être seul ni le courage de se remettre à draguer. Le séducteur avait appris la fidélité durant ses fiançailles avec Anaba, c'était un point positif.

— Je t'appelle dans la journée, dit-elle pour ne pas céder trop vite.

*
* *

Stéphanie réprima une nouvelle nausée provoquée par la douleur. Son bras lui semblait glacé et lui faisait atrocement mal. Elle avait longtemps cru que quelqu'un, passant dans la rue, la verrait à travers les carreaux ou bien entendrait les appels qu'elle essayait de lancer de temps à autre. Mais personne n'était entré. En réalité, elle se trouvait dans un angle mort et les gens ne pouvaient pas l'apercevoir, même en jetant un coup d'œil aux objets présentés sur les appuis de fenêtres. De toute façon, il n'y avait pas grand monde dehors car une nouvelle averse de printemps détrempait les trottoirs.

À plusieurs reprises, elle avait essayé de bouger, les dents serrées sur la souffrance qui irradiait jusqu'à son cou, mais l'armoire tombée sur elle était beaucoup trop lourde. Une imposante armoire normande de chêne sculpté qu'elle avait stupidement voulu déplacer, justement parce qu'on ne la voyait pas du tout de l'extérieur. Pourquoi n'avait-elle pas attendu Anaba ? Pour lui faire la surprise ? Pour lui prouver qu'elle aussi avait de bonnes idées en matière d'agencement du magasin ? Tirant, poussant, se cassant un ongle au passage, elle avait réussi à faire bouger le meuble qui s'était soudain dangereusement incliné avant de basculer dans un épouvantable fracas. Écrasée au sol par le poids du bois massif, elle avait su tout de suite que son bras était cassé. Coincé sous le fronton du meuble, il lui faisait un mal de chien et empêchait toute tentative pour se dégager.

Elle avait crié, pleuré, puis vu la nuit tomber. Son téléphone était hors de portée, elle ne pouvait qu'espérer l'arrivée éventuelle d'un client ou le retour d'Anaba. Elle se sentait de plus en plus mal, elle avait froid, soif, et besoin d'aller aux toilettes. Combien de temps tiendrait-elle encore avant de perdre conscience ? L'amie venue déjeuner avec elle était partie depuis longtemps et n'avait aucune raison de revenir. Quant à Anaba, elle pouvait très bien s'attarder à Paris, flâner ou faire des courses sans se presser.

Étouffant un sanglot, elle essaya une nouvelle fois de bouger. De sa main libre, elle n'avait pas assez de force pour soulever l'armoire, et chaque geste torturait son bras prisonnier. L'absurdité de sa position l'aurait fait rire si elle n'avait pas eu si mal. Elle ferma les yeux, s'obligea à respirer lentement. L'odeur de la cire dont elle avait encaustiqué cette foutue armoire lui soulevait le cœur. Elle replia ses jambes, chercha l'endroit où poser ses pieds bien à plat contre le meuble. Après avoir compté jusqu'à trois pour se donner du courage, elle serra les dents et poussa de toutes ses forces.

*
* *

Anaba avait récupéré la voiture de Stéphanie sur le parking de la gare de Gaillon. Il faisait déjà nuit et la pluie tombait dru, décidément le printemps n'arrivait pas à s'installer. Fatiguée par son périple parisien, elle avait hâte de montrer à sa sœur les achats effectués chez Laverdure, et elle conduisit un peu vite dans les grandes lignes droites qui menaient aux Andelys, imaginant déjà le plaisir de prendre un verre devant la cheminée de la cuisine.

Lorsqu'elle gara le break à sa place habituelle, sur la place de l'église, elle nota qu'il n'y avait aucune lumière dans le magasin et s'étonna que Stéphanie ait déjà fermé. Espérant toujours des clients tardifs, elle n'éteignait qu'avant d'aller dîner. S'était-elle lancée dans une improbable recette ? Si c'était le cas, ça ne vaudrait sûrement pas le lapin aux pruneaux de leur père.

Dès qu'Anaba entra, la masse sombre de l'armoire étalée au sol la fit sursauter. Les réverbères de la rue créaient des ombres inquiétantes et elle pensa tout de suite à un cambriolage.

— Stéphanie ? Tu es là ? Stéphanie !

S'efforçant de rester calme, elle laissa ouverte la porte sur l'extérieur et se dirigea vers les interrupteurs qu'elle abaissa d'un geste nerveux avant de se retourner. D'un seul regard, elle comprit la situation et se précipita.

— Stéphanie ! Oh, mon Dieu…

Elle s'agenouilla à côté d'elle, terrifiée. Sa sœur était livide et ne semblait pas consciente mais elle respirait. Anaba ne prit pas le temps de fouiller son sac, elle en renversa le contenu sur le sol et saisit son portable pour appeler les secours.

4

Charlotte Laramie avait appuyé sur la touche du haut-parleur pour avoir une conversation à trois. Chaque fois qu'Augustin téléphonait, elle sommait son mari de la rejoindre, ainsi elle n'avait pas à tout lui répéter. Amusé par son manège, Jean Laramie se prêtait volontiers au jeu, mais parfois il appelait leur fils tout seul de son côté lorsqu'il souhaitait une discussion « d'homme à homme ».

— Ton prochain roman avance ? demanda Charlotte tandis que Jean levait les yeux au ciel.

— À toute allure, maman !

— Alors, on te verra bientôt ?

— Promis. Je pense venir passer une semaine avec vous vers la fin du mois de mai.

— On ira au *Pacific Rim* pour observer les baleines, suggéra Jean. Et pêcher le saumon sur Campbell River !

Il se réjouissait d'avance de ce séjour annuel qu'Augustin leur consacrait, même si leurs idées avaient toujours été en totale opposition. Depuis qu'il était né, son fils n'avait cessé de le surprendre, de le contrarier, et aussi de l'épater.

— Quel temps fait-il à Paris ? voulut savoir Charlotte.

— Affreux. Il pleut tout le temps.

— Pas ici ! ricana Jean.

— Même sous la pluie, Paris est la ville la plus romantique au monde, papa !

— Serais-tu amoureux, fiston ?

Augustin éclata de rire avant de déclarer :

— Non, je me contente de travailler, sinon mon éditeur me couperait les vivres.

Il s'agissait d'une blague puisque Augustin vivait très bien de ses livres, ce que Jean avait du mal à concevoir. De plus, Augustin adorait utiliser cette phrase qui avait longtemps été la menace brandie par son père. *Si tu n'obtiens pas de meilleures notes à tes examens, je te coupe les vivres. Si tu lâches le droit pour cette connerie d'atelier d'écriture, je te coupe les vivres. Si tu ne gagnes pas ce foutu match de hockey, je te coupe les vivres !* Bien entendu, il ne l'avait jamais fait, mais il avait parfois manifesté son mécontentement en réduisant son aide matérielle au strict minimum. Dans ces périodes de désaccord, Augustin prenait des jobs d'été ou des petits boulots de nuit jusqu'à ce que son père revienne à de meilleurs sentiments. Aujourd'hui, il prétendait que cette obligation de travailler à droite et à gauche lui avait ouvert des horizons propres à nourrir son imagination d'écrivain.

— Prends soin de toi, recommanda Charlotte. Et ne mange pas que des sandwiches !

— Il n'a plus douze ans, fit remarquer Jean.

— Mais je suis toujours sa mère.

— Si tu crois que ça l'amuse...

— Bon, je vous laisse vous disputer tranquillement, ironisa Augustin. Je rappellerai la semaine prochaine.

Charlotte l'embrassa et raccrocha avec un soupir. Il lui manquait, les années d'éloignement n'y avaient rien changé.

— Pourquoi ne t'intéresses-tu pas à ce qu'il fait ? s'enquit-elle sur un ton de reproche. Quand je lui demande si son roman avance, tu lèves les yeux au ciel. Si, je t'ai vu !

— Ce n'est pas un vrai travail, répondit-il du bout des lèvres.

— Ah non ? Pourtant, ça lui rapporte de quoi bien vivre.

— Admettons.

— Et il a l'air parfaitement heureux comme ça.

Perplexe, Jean prit le temps de réfléchir à ce qu'elle venait de dire. La discussion n'était pas nouvelle, ils s'opposaient régulièrement sur ce sujet, par plaisir de se chicaner. Mais au fond, Jean devait bien admettre qu'Augustin semblait réussir sa vie, même s'il n'était pas devenu industriel, comme son père, et même s'il avait choisi de s'expatrier. Écrire des romans policiers à Paris n'était peut-être pas si fantaisiste que ça, et d'après Charlotte – qui n'avait pas systématiquement tort – Jean devait faire attention à ne pas devenir un vieux retraité ringard.

— Admettons, redit-il. Être content de se lever le matin n'est déjà pas si mal.

Elle lui sourit, sachant qu'il aimait autant qu'elle leur fils unique.

— Je vais arroser les fleurs, annonça-t-elle.

Sa manière d'atténuer le moment de nostalgie qui suivait toujours un appel d'Augustin. Mais elle pourrait se consoler en imaginant toutes les bonnes surprises à lui préparer pour sa prochaine visite. Jean aussi avait envie d'être dehors et de profiter du soleil printanier mais, avant de retourner à sa chaise longue installée sous un érable du jardin, il fit un crochet par son bureau. Bien en évidence sur une étagère, les livres d'Augustin s'alignaient. Charlotte les avait évidemment dévorés et commentés, sans réussir à convaincre Jean d'en ouvrir un seul. N'était-il pas temps de s'y mettre ? Sa main hésita au-dessus des volumes. Le premier publié, le dernier paru ? Il ferma les yeux et en prit un au hasard. Le genre policier avait beau l'assommer, lui qui ne s'intéressait qu'à l'histoire et à l'économie, il se sentit soudain plein de curiosité. Quel était donc l'univers d'Augustin ? À travers le personnage récurrent de son fameux commissaire Max quelque chose, mettait-il un peu ou beaucoup de lui-même, de ses rêves, de ses fantasmes ? Une fiction pouvait révéler bien des choses pour qui savait lire entre les lignes. Et puis, quel plaisir de lui en parler lorsqu'il viendrait à Vancouver ! Il ne s'y attendrait sûrement pas, connaissant les réticences de son père quant à son métier.

Avec un peu de honte, Jean emporta le roman dehors. Non, il ne le couvrirait pas avec la jaquette d'un autre bouquin plus sérieux, tant pis si Charlotte le voyait plongé là-dedans. Et tant pis si elle lui rappelait, goguenarde, qu'il avait osé dire un jour qu'un auteur de polars et de séries télé ne méritait pas le nom d'écrivain. Une réflexion qu'il avait regrettée à peine prononcée. Il *adorait* Augustin, pourquoi ne le lui montrait-il pas davantage ? Pourquoi condamnait-il tout, de l'atelier d'écriture à son grand ami Lawrence, un type dont l'arrogance était odieuse ? Brillant, sans doute, mais trop content de lui. Et même pas capable d'éviter un mec sur la glace, ce que Jean ne lui pardonnerait jamais. À l'époque de l'accident qui avait défiguré Augustin, Jean s'était pris d'une violente rancune à l'égard de Lawrence, tolérant à peine sa présence à l'hôpital. Depuis, il ne voulait plus en entendre parler, il ne le recevait pas chez lui et ne répondait pas à ses invitations. Une sage décision qui lui avait évité de se rendre à Montréal pour un mariage sans mariés !

— Tiens, tiens…, murmura Charlotte.

Son arrosoir à la main, elle s'était approchée sans bruit.

— Saine lecture, ajouta-t-elle avec un sourire éblouissant. Qui sait si tu ne vas pas devenir fanatique du genre ?

Jean lui rendit son sourire, soudain apaisé. Puis il ouvrit le roman et découvrit, sur la deuxième page, une photo d'Augustin prise sur un pont de la Seine. En toile de fond, on distinguait les majestueux immeubles du quai d'Orléans et, sur le visage de son fils, la cicatrice n'avait pas été retouchée. Un choix délibéré, sans doute, si l'on songeait à tout ce qu'on pouvait faire avec un bon logiciel comme Photoshop. Mais Augustin en avait pris son parti et, de toute façon, il ne trichait jamais.

*
* *

Allongée dans le noir, Anaba écoutait la pluie s'abattre sur le toit et contre les vitres. Pour la première fois elle passait une nuit seule dans la maison de Stéphanie et elle ne se sentait qu'à moitié rassurée. À deux reprises, elle s'était relevée pour vérifier qu'elle avait bien branché l'alarme du magasin et fermé toutes les portes à double tour. Restait la véranda, à l'arrière, dont n'importe qui pouvait facilement casser un carreau. Là n'existait aucune protection. Penser aux flots obscurs de la Seine toute proche la fit frissonner et elle ralluma sa lampe de chevet. Pourquoi les eaux du fleuve, si gaies et apaisantes dans la journée, devenaient-elles angoissantes dès la nuit installée ? Anaba n'était pas spécialement craintive, jamais elle n'avait eu peur dans la maison de leur père à Paris, ni plus tard dans son studio du quartier des Ternes. Encore moins dans le duplex de Lawrence à Montréal lorsqu'elle s'endormait lovée contre lui. Mais ici, c'était différent.

Elle s'assit carrément, remonta l'édredon. D'après les médecins, Stéphanie pourrait vite rentrer chez elle, mais pour l'instant ils préféraient la garder en observation. La fracture de son bras, déplacée plusieurs fois par tous les mouvements qu'elle avait faits pour se libérer, avait nécessité la pose d'une broche, et elle était arrivée aux urgences de l'hôpital de Vernon en état de choc. Elle se révélait incapable de dire combien de temps elle avait passé sous cette foutue armoire, redressée à grand-peine par deux pompiers. Quel calvaire elle avait dû vivre ! Et comme elle avait dû maudire sa sœur de tant tarder à revenir…

D'ici son retour, Anaba devait s'occuper de tout : le magasin, le courrier, les factures, remplir le frigo, répondre au téléphone, faire livrer du bois, bref, gérer l'univers de Stéphanie à sa place. Elle se demanda s'il ne manquait pas des étiquettes sur certains meubles ou objets, car elle était loin de connaître les prix par cœur. Quoi qu'il en soit, elle ouvrirait et fermerait aux horaires habituels.

Elle tendit l'oreille à un bruit d'eau qui ruisselait quelque part. Sans doute une gouttière percée, rien d'inquiétant. Alors, pourquoi se sentait-elle effrayée ? La maison de Stéphanie était douillette, accueillante, et Anaba y avait toujours été à l'aise. Grâce à la protection implicite de sa grande sœur ? Dans tous les moments graves de sa vie, elle avait pu s'appuyer sur la solide Stéphanie, celle qui menait sa barque à sa guise et ne demandait jamais rien à personne. À Montréal, une fois encore, elle s'était montrée à la hauteur de la situation.

— Il est grand temps que je pense à lui renvoyer l'ascenseur.

Et pour ça, oublier définitivement ses petits problèmes personnels, son amertume et ses désillusions. Lawrence appartenait au passé, voilà tout. Plus question de se demander pourquoi il avait téléphoné à Roland, pourquoi il n'avait pas écrit, pourquoi il n'avait pas remué ciel et terre pour la retrouver, s'expliquer, s'excuser et réclamer son pardon.

— Je ne lui pardonnerai jamais ! s'écria-t-elle en rejetant l'édredon d'un geste rageur.

Elle aperçut son reflet dans le miroir qui surmontait la commode. La fille aux cheveux ébouriffés, aux yeux cernés, au vieux pyjama troué, c'était vraiment elle ? Lawrence l'avait transformée en épouvantail ? Pourquoi sa sœur ou son père ne le lui disaient-ils pas ? Elle ne faisait aucun effort pour s'habiller, à la fois par mesure d'économie et aussi parce qu'elle se salissait en travaillant, néanmoins ce n'étaient pas des raisons valables. Ne voulait-elle plus jamais plaire à personne ? Ridicule ! À côté d'elle, et malgré ses quatorze ans de plus, Stéphanie semblait vraiment élégante, féminine. D'ailleurs, elle l'était. Le coup des cheveux gris pouvait très bien être une coquetterie supplémentaire parce qu'en réalité sa sœur avait toujours eu beaucoup d'allure.

— Demain, je me maquille, et à l'heure du déjeuner, pendant la fermeture, je fonce chez le coiffeur.

Restait le problème des vêtements, mais jamais elle ne s'abaisserait à réclamer les siens à Lawrence.

— Tous ces trucs neufs, quel gâchis...

Elle avait été un peu présomptueuse de croire que repartir à zéro dans un vieux jean élimé suffirait à lui procurer l'oubli. Et bien innocente d'imaginer qu'elle serait immédiatement disponible pour une nouvelle histoire. En réalité, elle remâchait son ahurissant échec avec Lawrence et se sentait très mal disposée envers les hommes, tous les hommes.

Pieds nus, elle s'approcha du miroir et se scruta. Quand elle le voulait, elle pouvait être une très jolie fille sur laquelle on se retournait. Elle avait eu la chance de pouvoir se former à un métier qu'elle aimait, elle n'avait pas encore trente ans et toutes les cartes en main, toute la vie devant elle.

— Secoue-toi un peu, dit-elle à son reflet.

Au même instant un meuble craqua bruyamment, quelque part sur le palier, et elle retint son souffle.

— Les vieux bois jouent, tu n'as pas appris ça pendant tes études ?

Elle se demanda si Stéphanie était en train de dormir, dans sa chambre à l'hôpital. Sans doute se faisait-elle du souci pour sa petite sœur, pour son magasin, et peut-être éprouvait-elle des démangeaisons sous son plâtre, mais elle n'avait sûrement pas peur des ombres passant dans les couloirs du service d'orthopédie !

Malgré tout, avant d'aller se recoucher, elle vérifia une fois encore qu'elle avait bien donné un tour de clef à sa porte. Quand elle se glissa dans ses draps, elle se traita d'idiote.

*
* *

Augustin sifflotait en conduisant. Enfin il ne pleuvait plus, un éblouissant soleil printanier séchait la route et donnait des couleurs au paysage. Il brancha la radio, chercha une station musicale et, tombant sur une chanson qu'il connaissait, entonna le refrain à tue-tête. Retourner aux Andelys le rendait gai alors que son premier mouvement, en recevant les valises et cartons expédiés par Lawrence, avait été de se mettre en colère. Pourquoi faire envoyer tout ce bazar chez lui au lieu de l'adresser directement au père d'Anaba ? Joint séance tenante au téléphone – et donc réveillé en pleine nuit à Montréal –, Lawrence s'était contenté de marmonner qu'il avait eu un trou de mémoire quant au nom et au numéro de l'impasse où habitait Roland Rivière. Ben voyons !

Après le départ du transporteur, Augustin avait appelé le magasin d'antiquités de Stéphanie pour proposer d'apporter tout ça lui-même. Il était tombé sur Anaba qui avait accepté avec empressement. Elle semblait distraite, mais heureuse de récupérer ses affaires.

121

Il descendit vers la Seine qui bordait le Petit-Andely et alla se garer sur la place, près de l'église. Chargé de deux grosses valises, il gagna la boutique où Anaba l'accueillit avec un grand sourire.

— Tu es tellement gentil d'être venu jusqu'ici ! s'exclama-t-elle en se jetant à son cou. Je croyais avoir bien fait de tout laisser derrière moi, mais non, il y a des merveilles là-dedans, qui n'ont pas eu le temps de se démoder...

— J'ai aussi deux gros cartons, prévint-il.

— Je t'accompagne.

Ils allèrent décharger ensemble ce qui restait dans la voiture puis transportèrent le tout jusqu'au pied de l'escalier.

— Veux-tu un café, une bière ?

— Un café, avec plaisir.

Il la suivit dans la véranda inondée de soleil et en profita pour la dévisager.

— Tu as meilleure mine que la dernière fois, dit-il gentiment. Tu te plais bien ici, hein ?

— Oui, je suis en train de trouver mes marques. J'aide ma sœur et je restaure des trucs. Tiens, regarde ce qu'un client m'a apporté ce matin !

Elle désigna fièrement un paravent à cinq panneaux en très mauvais état qui trônait dans un coin.

— Peint à la gouache, précisa-t-elle. Il y a un boulot fou là-dessus mais son propriétaire y tient et je pense que ça en vaut la peine. Il est du XIXᵉ et les toiles de lin n'ont pas trop souffert. Ce sera mon premier travail personnel. Je vais peut-être me faire une clientèle dans la région, qui sait ?

— Tu préfères être à ton compte plutôt qu'employée par un musée ?

— En ce moment, oui. Parce que, pour ne rien te cacher, je ne sais pas encore comment je vais organiser ma vie.

Augustin laissa passer un petit silence embarrassé puis il enchaîna :

— Ta sœur n'est pas là ?

— Stéph a eu un accident. Elle s'est cassé le bras en voulant déplacer une armoire qui lui est tombée dessus.

— La malheureuse !

— D'autant plus qu'elle était seule et qu'elle est restée coincée des heures à souffrir le martyre.

— L'armoire en question, c'est cet énorme meuble dans le magasin ?

— Oui, une belle pièce plutôt rare, mais qui ne trouve pas preneur.

— À moins d'avoir un château…

— En repartant, si tu veux t'arrêter pour lui dire un petit bonjour, elle est à l'hôpital de Vernon. Tu passes quasiment devant avant de rejoindre l'autoroute pour Paris.

— Ça ne la dérangera pas ?

— Au contraire, elle s'embête, et moi je suis coincée ici, je ne peux pas lui tenir compagnie. Mais peut-être es-tu pressé ?

— Pantoute ! Je veux dire, pas du tout.

L'expression québécoise lui avait échappé, ce qui le fit rire, puis il redevint sérieux.

— Mon accent doit t'agacer, non ?

— Absolument pas. Je ne vais pas rejeter tout ce qui me rappelle le Canada à cause de Lawrence. Il ne me gâchera pas la vie jusque-là. Pendant toute mon enfance, ma mère m'a raconté des histoires fabuleuses

123

sur son pays, dont elle conservait une immense nostalgie.

— Elle n'a jamais eu l'occasion d'y retourner, de vous y emmener ?

— Les voyages coûtaient cher pour quatre personnes, à l'époque il n'y avait pas toutes ces compagnies *low cost* et, de toute façon, mon père refuse de monter dans un avion.

— Ah oui, c'est vrai…

Il se rappela qu'Anaba l'avait expliqué, quelques jours avant le mariage, pour justifier l'absence de Roland.

— Bon, je vais y aller, je serai content d'embrasser Stéphanie.

Il l'avait dit si spontanément qu'il se sentit rougir. Par chance, Anaba lui tournait le dos, le précédant vers le magasin.

— La prochaine fois que tu nous rendras visite, on te fera un bon déjeuner ou un bon dîner, à ton choix ! Et merci de t'être déplacé, Augustin. Dans ces cartons, il y a des choses auxquelles je tiens beaucoup. C'est pour ça que je les avais emportées…

Elle s'interrompit, soupira, finit par hausser les épaules. Arrêté derrière elle, Augustin jeta un coup d'œil sur les objets exposés.

— La prochaine fois, comme tu dis, je prendrai le temps de regarder vos merveilles.

— Tu es amateur ?

— Assez. Mon appartement n'est pas grand, alors j'essaie de n'y mettre que de belles choses.

Il la prit par les épaules et l'embrassa affectueusement.

— À bientôt, jolie squaw.

124

Qu'elle ne le rejette pas était somme toute inattendu. En tant que meilleur ami de Lawrence, il aurait pu lui devenir très antipathique mais, apparemment, il n'en était rien.

En sortant, il se souvint qu'il avait également apporté deux de ses romans policiers, toujours posés sur le siège passager. Il décida que Stéphanie en aurait davantage besoin pour se distraire qu'Anaba. Lorsqu'il démarra, il se remit à siffloter, toujours aussi gai.

*
* *

Lawrence bouillait de rage. Il sortit de l'ascenseur et traversa le hall à grandes enjambées comme si l'humiliation qu'il venait de subir le poursuivait. L'affrontement avec le big boss, fondateur du cabinet et principal associé, avait tourné au cauchemar. Pourquoi tant de fureur ? Les dossiers imposés à Lawrence, bien que dénués d'intérêt et peu lucratifs, avançaient normalement. Il n'avait commis aucune faute professionnelle, pourtant il venait de se faire traiter plus bas que terre. On ne lui avait même pas proposé de s'asseoir, on l'avait engueulé à la manière d'un mauvais élève convoqué dans le bureau du proviseur. Eh bien, il ne se laisserait pas infantiliser, il allait prendre sa journée, il avait besoin d'air !

Il quitta la place Ville-Marie et se dirigea vers le square Rochester. Dans ce quartier des affaires où se pressaient avocats et banquiers, il s'était senti tout à fait à sa place jusqu'ici. L'univers de cols blancs, dans sa ligne de mire durant toutes ses études, lui avait ouvert ses portes et il s'y était vu accomplir toute sa carrière à venir. Mais que se passerait-il s'il tombait en disgrâce dans le puissant cabinet qui l'employait ? Il fallait absolument qu'il retrouve la faveur de son patron, et pour ça qu'il comprenne d'abord pourquoi il l'avait perdue.

Après s'être arrêté le temps d'acheter un bagel et un double gobelet de café, il gagna l'ombre des grands arbres du square. Le printemps, radieux, le laissait indifférent, il aurait bien pu neiger qu'il s'en serait à peine aperçu. En quelques mois, son existence avait été bouleversée de fond en comble. L'envie irrésistible d'épouser Anaba l'avait conduit à préparer hâtivement un mariage auquel il n'était pas allé. Du coup, il avait contracté des dettes qu'il n'arriverait jamais à éponger si sa situation professionnelle continuait à se dégrader. Son compte était dans le rouge, il jonglait avec ses cartes de crédit et il ne voyait pas vers qui se tourner. Ses parents, qui ne disposaient pas de gros moyens, l'avaient déjà beaucoup aidé, et il ne pouvait décemment pas leur demander davantage. Et Michelle était persuadée qu'il n'avait aucun souci financier, d'ailleurs si elle l'apprenait, elle était capable de prendre ses jambes à son cou. Il n'était pas assez stupide pour ignorer qu'elle était avant tout une femme d'argent, séduite par le luxe et par la réussite. En conséquence, il lui avait laissé croire des tas de choses qu'il trouvait flatteuses pour lui mais qui étaient fausses. Pas de fortune chez les Kendall et, en ce moment, pas de gros chèque pour lui à la fin du mois.

Il grignota son bagel sans appétit. Vivre au-dessus de ses moyens ne l'avait pas effrayé jusque-là, tant il était persuadé de prospérer rapidement. N'était-ce pas ce que lui avaient prédit tous ses professeurs à l'université ? Très bonne mémoire, capacité d'analyse et de synthèse, brio à l'oral, excellentes notes aux examens tout au long de son cursus : n'importe quel gros cabinet allait se jeter sur sa candidature. Et c'était effectivement arrivé, il avait obtenu une place enviable et commencé à collectionner les succès sur des dossiers difficiles. Alors pourquoi tout était-il en train de se détraquer ?

« Parce que tu as eu peur d'épouser Anaba. Pour la première fois de ton existence, tu as flanché, craqué, fui. Et ça donne de toi l'image d'un instable ou d'un lâche. »

Dans son entourage, les gens n'avaient pas l'air d'oublier facilement l'incident. Pourtant, il avait fait retourner par sa « wedding planner » tous les cadeaux de mariage sans exception. Elle lui avait même réclamé un supplément pour ça !

Son regard glissa sur la statue de sir Wilfrid Laurier sans la voir. Il se foutait pas mal du premier Premier ministre francophone du Canada, il avait la tête trop pleine de soucis. En plus, il était fatigué car il n'avait pas pu se rendormir après le coup de téléphone d'Augustin, à quatre heures du matin. Un Augustin ulcéré de recevoir les affaires d'Anaba, mais tout disposé à les lui apporter lui-même. Et où ? Mystère, l'adresse de la jeune femme restait apparemment un secret d'État. Pourquoi Augustin jouait-il Anaba contre Lawrence ? De qui était-il l'ami, hein ? Le pire étant qu'il lui manquait pour de bon. Avec qui aller patiner pour se défouler, avec qui boire des bières au comptoir en refaisant le monde ? Augustin n'était pas seulement son meilleur copain, c'était aussi son meilleur public. Mais avoir choisi de vivre à Paris les deux tiers de l'année le plaçait hors de portée, en faisait un autre homme.

— Lawrence ? Eh bien, tu nous as mis le patron dans un bel état de nerfs ! Il a été odieux avec tout le monde toute la matinée.

Levant les yeux vers Jacques, un de ses confrères du cabinet, Lawrence esquissa un geste fataliste.

— Je ne sais pas ce qu'il a après moi. À croire qu'il aimerait me voir donner ma démission.

S'attendant à des protestations, il fut déçu par le silence éloquent de l'autre.

— Je n'ai commis aucune faute, se défendit-il avec une véhémence exagérée, il n'a strictement rien à me reprocher !

— La question n'est pas là.

— Où, alors ?

— Tu lui as remis en mémoire un épisode très désagréable.

— Lequel ?

Jacques parut hésiter puis demanda, suspicieux :

— Tu n'es pas au courant ? Non, tu n'as pas l'air… Mais après tout, l'histoire est connue, je peux bien te la raconter. Il y a une dizaine d'années, avant que tu n'entres au cabinet, le patron était raide dingue d'une très jolie jeune femme qu'il exhibait partout dans les dîners et les cocktails. Une avocate sans grand talent mais particulièrement agréable à regarder. Il lui avait offert un grand bureau, une secrétaire, et des dossiers juteux pour lesquels il lui donnait un coup de main en douce. Bref, il avait programmé leur mariage, il était fier comme un pou, mais trois jours avant la cérémonie la belle a vidé ses placards et s'est tirée sans laisser d'adresse.

— Oh, merde…, murmura Lawrence, qui voyait très bien ce que cette révélation impliquait.

— Il n'a jamais réussi à avaler la pilule. D'abord parce qu'il en était fou, ensuite à cause de l'humiliation, vu qu'il avait invité le Tout-Montréal du monde judiciaire à ses noces. Depuis, comme tu sais, il est resté célibataire. Et pour lui, forcément, les gens qui se défilent au dernier moment n'ont pas la cote, il ne leur trouve aucune excuse. Il appelle ça un comportement de « nana apeurée ». Si tu l'avais entendu vitupérer, le surlendemain de ton mariage manqué ! Tu t'étais barré à Ottawa, tu as raté une belle séance, crois-moi. Tu comprends, tu as fait à ta fiancée exactement ce que cette garce lui avait fait à lui, donc tu es entré dans la catégorie des nuisibles, des cinglés, j'en passe et des meilleures.

— Mais pourquoi ne m'a-t-on jamais parlé de cette histoire ?

— Parce que personne n'aurait l'idée de la remettre sur le tapis. De toute façon, même si tu l'avais su avant, j'imagine que ça n'aurait rien changé pour toi, tu n'aurais pas épousé ton Anaba rien que pour complaire au patron !

Lawrence s'abstint de répondre. S'il avait connu l'anecdote, aurait-elle pesé dans sa décision ? Il n'en était pas certain, mais après tout…

— Bon, j'y retourne, déclara Jacques, ma pause grand air est finie. Remarque, ça fait du bien de respirer un bon coup au soleil. Tu restes là ?

— Encore un peu, oui.

Il suivit des yeux son confrère qui s'éloignait d'une démarche assurée, voire triomphante. Sans doute se réjouissait-il d'avoir tout raconté à Lawrence, une manière de l'enfoncer un peu plus en lui démontrant qu'il ne regagnerait jamais la faveur du patron. Tous les avocats du cabinet étaient dévorés d'ambition et ne se faisaient aucun cadeau entre eux. Ayant été longtemps l'un des chouchous, celui à qui on confiait systématiquement les grosses affaires, Lawrence avait suscité des jalousies. Assez sûr de lui pour s'en moquer jusque-là, il découvrait soudain qu'il était devenu très vulnérable. Le matin même il en avait eu la preuve, avant son épouvantable rendez-vous avec le patron. Comme à chaque arrivée du printemps, un « repas de cabane à sucre » était organisé par les joyeux fêtards du cabinet. Cette tradition liée au redoux, époque où la sève des érables commence à couler, était toujours prétexte à une sortie bien arrosée dans l'une des innombrables cabanes à sucre de la province du Québec. On y mangeait des crêpes, des fèves au lard, de la couenne de porc grillée appelée « oreille du Christ », et bien sûr des œufs dans le sirop. Or cette fois-ci, Lawrence n'avait été ni prévenu ni convié.

Dans sa poche, son téléphone vibra mais il négligea de répondre. Si c'était Michelle, il n'avait pas envie de prendre un ton gai et désinvolte, si c'était sa banque, qu'elle aille se faire voir. Néanmoins, au lieu de s'accorder la journée, comme il l'avait prévu, il décida de retourner travailler. Son bureau vide ferait le plus mauvais effet et, au point où en étaient les choses, sa propre secrétaire pouvait très bien le dénoncer à la direction.

En entrant dans la chambre de Stéphanie, ses deux livres à la main ainsi qu'une peluche achetée à la boutique du rez-de-chaussée, Augustin se sentit un peu intimidé. Il n'avait pas eu cette impression depuis si longtemps qu'il se demanda ce qui lui arrivait.

— Augustin ? Quelle surprise ! s'exclama-t-elle.

Elle se redressa sur ses oreillers et le considéra d'un air étonné, attendant qu'il explique la raison de sa visite.

— Je viens de chez vous, se dépêcha-t-il de dire. Les affaires d'Anaba m'ont été expédiées par Lawrence, et j'ai pensé qu'elle serait contente de les récupérer, alors, voilà, j'ai fait la route.

— Vous n'auriez pas dû, on se serait débrouillées…

— Oh, c'est aussi une belle journée pour se promener ! Et puis, débrouillées comment ?

Il désigna le plâtre qui allait du poignet à l'épaule.

— Anaba m'a raconté vos malheurs.

— J'en suis responsable. Je me voyais plus forte que je ne le suis.

— Cette armoire n'est pas un petit morceau !

— Pas vraiment, non. Asseyez-vous si vous avez une minute.

— J'ai tout mon temps, j'organise mon planning à ma guise. Tenez, un peu de lecture pour vous.

Il déposa les deux livres sur la table de chevet et assit l'ours en peluche par-dessus.

— C'est lui qui va tourner les pages ? demanda-t-elle avec un beau sourire. Comment s'appelle-t-il ?

— Chum. Ça signifie « pote » ou « petit copain ».

— En parler québécois ?

— Oui, en joual, le parler populaire.

Peut-être trouvait-elle son accent un peu ridicule mais, bien qu'il se soit atténué à force de vivre en France, il n'avait jamais eu envie de s'en débarrasser tout à fait. Pas question de passer des heures avec un prof de diction, comme l'avait fait Lawrence quelques années plus tôt.

Il tira le fauteuil en plastique près du lit et s'installa, s'accordant mentalement un petit quart d'heure afin de ne pas être importun.

— Quand sortez-vous ?

— En principe, demain. Je crois qu'ils me gardent pour le plaisir de me faire bouillir !

— Pas très patiente, hein ?

— Je ne me sens pas malade et je n'ai pas si mal que ça, sauf quand je m'agite. La fracture était double, déplacée, moche. Comme moi en ce moment !

Elle passa la main dans ses cheveux qu'elle ne parvint qu'à ébouriffer. Augustin faillit lui dire qu'elle était belle, car c'était vrai, mais il préféra se taire. Avec sa peau claire, lumineuse, son long cou gracieux et ses yeux d'un bleu incroyable, presque électrique, elle lui plaisait vraiment. Quel âge pouvait-elle avoir ? Un réseau de fines rides s'était déjà installé sous ses yeux et près de sa bouche, ce qui la rendait plus attirante encore.

— Est-ce qu'Anaba s'en sort ? s'inquiéta-t-elle. Elle m'appelle trois fois par jour et se veut enthousiaste, mais je crois qu'elle n'est pas rassurée, toute seule à la maison.

— Elle paraissait en forme. Vous savez, je suis sincèrement désolé de ce qui lui est arrivé à Montréal. Si j'avais cru Lawrence capable d'un coup pareil, je pense que j'aurais averti Anaba pour essayer d'atténuer le choc.

— Puisqu'elle n'est pas là, j'en profite pour vous poser la question, Augustin, quelles ont été les raisons de Lawrence ? Même si je n'avais pas une sympathie folle pour lui, je le prenais pour un type responsable, équilibré, et surtout très sûr de lui, donc ne remettant pas en cause ses propres décisions. Ce mariage, il le voulait, il l'a organisé quasiment tout seul ! Il avait l'air d'aimer Anaba pour de bon, non ?

— Oui, je le croyais aussi. Chaque fois qu'elle arrivait au Canada, il était fou de joie, il avait toujours envie de lui faire découvrir quelque chose, et surtout de lui faire plaisir. Mais pour tout vous avouer, la veille, quand on a fait la tournée des bars, lui et moi, je l'ai trouvé un peu… flottant. Anaba lui avait dit qu'elle voulait des enfants tout de suite et ça le faisait flipper.

— En général, c'est pour ça qu'on se marie.

— Il ne voyait pas les choses de cette façon.

— Les hommes ont toujours le temps, ils peuvent être pères à n'importe quel âge !

Elle l'avait dit avec un agacement évident, ce qui poussa Augustin à prendre la défense de Lawrence malgré lui.

— À sa décharge, il a été obligé de mettre les bouchées doubles pour arriver à ce qu'il voulait. Il avait de très grosses ambitions et ses parents ont tout juste eu les moyens de lui payer ses études. Quand il a décroché son poste dans ce cabinet de prestige, il s'est dépêché d'acheter son duplex pour vivre enfin comme il en avait rêvé. Et disons qu'il n'a pas encore eu le temps de profiter de tout ça. Il n'est pas mûr pour une famille nombreuse, je pense même que ce cliché lui fait horreur.

— Alors pourquoi cette demande en mariage ? Pour ajouter une jolie femme à sa panoplie ?

— Oh, il était très amoureux d'elle ! Et il ne supportait pas de la savoir à des milliers de kilomètres. Il avait envie de la présenter à tous ses amis, il était fier d'elle parce qu'elle est mignonne comme un cœur, et son rôle de mentor auprès d'elle le valorisait. Lawrence a un ego un peu encombrant, je pense que vous l'avez remarqué.

Stéphanie éclata de rire et il se sentit heureux de l'avoir égayée, même aux dépens de Lawrence qu'il défendait finalement assez mal.

— Anaba trouvera quelqu'un de mieux sans problème, affirma-t-elle, mais il y a peu de chances que ce soit un Québécois, et ça, elle le regrettera. Elle voyait la main de Dieu dans leur rencontre, elle qui avait si longtemps rêvé du Canada et d'y retrouver la trace de sa mère... Moi, égoïstement, ça m'arrange que ma petite sœur ne soit pas au bout du monde.

La franchise de Stéphanie plaisait beaucoup à Augustin, il trouvait facile de bavarder avec elle, et il se sentait si bien qu'il mourait d'envie de s'attarder. Comme si elle l'avait deviné, elle demanda :

— Et vous, Augustin ? Vous parlez de Lawrence, d'Anaba, mais pas beaucoup de vous. Racontez-moi pourquoi vous vous êtes installé en France. Vous n'aimiez pas la vie à Montréal ?

— Oh que si ! Vous n'imaginez pas la douceur de vivre là-bas malgré la rudesse de l'hiver. C'est bon enfant, beaucoup plus cool que Paris, il y a de grands parcs un peu partout, des plans d'eau, on fait tout le temps du sport... Dès les premières neiges, on aiguise les patins et on prépare les skis. J'ai adoré ça toute ma jeunesse ! Mais je suis tombé amoureux de la France dès mon premier séjour, et je m'étais juré d'habiter Paris un jour. Et puis... Disons que j'avais besoin de faire mes preuves loin de chez moi, de bâtir ma propre existence. J'ai vécu deux ans aux États-Unis, en écrivant des scénarios pour les séries télé, mais ça ne m'a pas plu et je me suis mis à voyager.

— Quel genre de preuves aviez-vous à faire ?

— Mon père avait d'autres projets pour moi. Il espérait sincèrement que je prendrais la relève, que je m'intéresserais à son usine de pâte à papier. Une affaire de famille depuis trois générations, et surtout un métier passionnant d'après lui. Quand je me suis inscrit en droit, il a cru que je m'orienterais vers le droit commercial, le droit des sociétés, ce qui aurait pu être profitable à la boîte, mais quand j'ai lâché pour l'écriture, il a été terriblement déçu.

— Vous vous êtes fâchés ?

— Non, jamais de la vie ! C'est un bon père doublé d'un type bien, il m'a juste dit de me débrouiller tout seul avec mes âneries. Comme il ne m'avait jamais facilité les choses sur le plan matériel, persuadé qu'il faut élever les garçons avec une certaine rigueur, j'avais déjà l'habitude de me prendre en charge. Je ne suis pas devenu un poète maudit vivant dans la misère, je crois que ça l'épate. Mais il ne lit pas ce que j'écris pour autant, il a horreur des romans policiers.

Elle jeta un coup d'œil vers la table de chevet et hocha la tête.

— Moi, je vous dirai ce que j'en pense. Par lequel dois-je commencer ?

— Je les ai mis dans l'ordre.

— Ce doit être un beau métier, auteur ?

— Je ne sais pas, je n'en connais pas d'autre. En tout cas, ça me convient ! À condition de s'autodiscipliner, parce que quand personne n'est là pour vous surveiller ou vous rappeler à l'ordre, vous avez vite tendance à faire l'école buissonnière.

L'arrivée d'une infirmière les interrompit et Augustin se leva précipitamment.

— Je suis comme tous les bonshommes, s'excusat-il, j'aime bien parler de moi, on dirait ! Vous n'auriez pas dû mettre un euro dans la machine, après elle est impossible à arrêter. Je vous laisse, mais ça m'a fait un fun noir de vous voir. Un plaisir fou, quoi…

— Vous, vous êtes Canadien, constata l'infirmière.

— Je me demande comment vous avez deviné, ironisa-t-il avant de se pencher vers Stéphanie. Portezvous bien et n'essayez plus de rien soulever.

— Juste une cigarette dès que je serai sortie d'ici !

— Vous feriez mieux d'en profiter pour arrêter de fumer, préconisa l'infirmière.

Stéphanie et Augustin échangèrent un regard amusé, puis il se décida à sortir. À peine dans le couloir, il commença à se demander sous quel prétexte il pourrait bien la revoir. Une fois rentrée chez elle, où vivait aussi Anaba, quelle raison aurait-il d'aller les envahir ? Sa présence leur rappellerait toujours Lawrence, quoi qu'il fasse pour se rendre agréable, or Lawrence était évidemment celui dont elles ne

136

tenaient pas à se souvenir. Certes, Anaba avait affirmé qu'Augustin était le bienvenu, mais sans doute ne s'agissait-il que d'une formule de politesse destinée à le remercier d'avoir rapporté lui-même valises et cartons. De plus, s'il se pointait trop souvent là-bas, il aurait soit l'air d'un type désœuvré cherchant à se faire des relations, soit d'un dragueur invétéré qui profitait de la place laissée vacante par Lawrence. Pour trouver une solution à ce casse-tête, il allait devoir solliciter son imagination, ce qui, après tout, n'était pas un exploit pour un romancier. Qu'aurait donc fait le fameux commissaire Max Delavigne dans une situation semblable ?

« C'est peut-être un as de la gâchette et un champion de la déduction, mais avec les femmes il est aussi empoté que moi ! À croire que je l'ai fait à mon image… »

Jusqu'ici, les histoires sentimentales qui avaient compté pour Augustin s'étaient soldées par des échecs. S'obstinait-il à mal choisir les femmes dont il tombait amoureux ? En craquant pour Stéphanie, il n'allait pas se faciliter la tâche et, à ce stade, le plus raisonnable serait d'oublier tout ça, d'éviter la Normandie désormais, de se river au travail pour achever son livre.

Après avoir récupéré sa voiture, il prit la direction de Paris, persuadé d'avance de ne pas suivre les judicieux conseils qu'il se prodiguait. Il était têtu et déraisonnable, tant pis pour lui ! Présomptueux, aussi, parce que Stéphanie avait peut-être quelqu'un dans sa vie ou dans son cœur. Et même si elle était libre, pourquoi se serait-elle intéressée à lui ? Sa cicatrice pouvait la rebuter, tout autant que la différence d'âge entre eux.

Il baissa son pare-soleil pour se protéger des rayons du couchant. En principe, il atteindrait la porte d'Auteuil dans une demi-heure et prendrait les berges de la Seine pour gagner l'île Saint-Louis.

— On habite le long du même fleuve, on voit passer les mêmes bateaux, c'est un signe !

Cette découverte n'avait rien d'extraordinaire, mais il décida qu'elle était forcément de bon augure.

5

À l'aéroport de Montréal-Trudeau, Lawrence attendait en salle d'embarquement. Son vol Air France décollait à dix-huit heures vingt-cinq et le ferait arriver le lendemain matin à sept heures dix, heure de Paris. En réalité, le voyage ne durait que six heures trois quarts, le temps d'avaler un plateau-repas, de regarder un film et de s'endormir pour une courte nuit. Dans ce sens-là, on vieillissait, mais au retour on regagnait le temps perdu.

Ce voyage l'excitait et le perturbait à un tel point que Michelle lui avait fait une scène. Elle savait pourtant dissimuler sa jalousie, jouant à la femme affranchie capable de s'offrir et de donner des libertés, néanmoins tout ce qui concernait Anaba la hérissait. Lawrence avait eu beau lui expliquer qu'il était envoyé par le cabinet pour traiter une affaire et rien d'autre, elle ne s'y était pas trompée. Et encore, elle ignorait de quelle façon il avait dû batailler pour obtenir le dossier ! Dans le climat actuel, jamais son patron ne le lui aurait confié s'il n'avait pas eu une aussi bonne pratique du français, qu'il parlait sans le moindre accent, ainsi que l'habitude d'évoluer à Paris.

Deux atouts qui avaient fini par emporter de justesse la décision. Était-ce le signe que sa disgrâce s'atténuait ? Pas sûr, vu la façon dont on continuait à le traiter, mais il voulait y voir un premier pas. Ensuite, à lui de se montrer particulièrement efficace, ce qui ne serait pas facile dans l'imbroglio du dossier.

Depuis la crise, les avocats voyageant aux frais du cabinet ne bénéficiaient plus que rarement de la classe affaires et, bien entendu, on n'avait pas fait ce cadeau à Lawrence. Peu lui importait, il avait la chance de retourner en France et il comptait faire ses preuves de juriste hors pair qu'on ne devait plus laisser sur la touche. Il comptait aussi, plus secrètement, essayer de rencontrer Anaba. Son envie de la revoir le taraudait chaque nuit, exacerbée à l'idée qu'Augustin se trouvait en contact avec elle. Un Augustin qui se contentait de courriels laconiques du genre : « *Bien reçu les affaires d'Anaba que je lui ai remises en main propre.* » Pas un mot pour dire où elle était, comment elle allait, ce qu'elle faisait. Il devait pourtant bien se douter que Lawrence mourait de curiosité !

Une hôtesse vint annoncer l'embarquement immédiat, de sa voix désincarnée. Ramassant son lourd attaché-case, Lawrence suivit le flot des passagers avec une étrange impression. Combien de fois était-il allé voir Anaba en France, au cours de l'année précédente ? Et combien de fois l'avait-il attendue ici, à Trudeau ? Leurs retrouvailles étaient chaque fois comme un feu d'artifice, il adorait la surprendre, la subjuguer, la combler. Cet état de grâce avait duré très exactement jusqu'au jour où il lui avait offert sa bague, au *Beaver Club*. Le prix du bijou lui flanquait déjà le vertige, mais ce qu'elle avait dit à ce moment-là était bien plus vertigineux. Discours sur le diamant, symbole d'éternité, amour toujours, famille, enfants, des tas de petits Lawrence et de petites Anaba courant sur la pelouse... *Quelle* pelouse ?

— Bon voyage, monsieur, débita mécaniquement le steward en lui prenant sa carte d'embarquement. Votre siège se trouve vers le fond de l'appareil, avancez s'il vous plaît.

Il prit un journal sur la pile à disposition et alla s'installer à la place étroite qui lui était destinée. Au cours de ses précédents vols vers Paris, il se réjouissait toujours, il avait le cœur battant d'impatience et de plaisir. Ah, comme il avait été amoureux d'Anaba ! Sans doute était-ce la meilleure période de sa vie, brutalement interrompue quand cette trouille noire l'avait submergé. Les sublimes martinis du *Beaver Club* n'y avaient rien fait, il était resté figé, faisant semblant d'écouter tandis qu'un abîme s'ouvrait sous ses pieds.

Les réacteurs commencèrent à monter en puissance dans un bruit strident, le décollage était imminent. Quand l'appareil se mit à rouler sur la piste, Lawrence ferma les yeux. À Roissy, personne ne l'attendrait. Même pas Augustin, qu'il n'avait pas prévenu. Il allait lui rendre une visite surprise avant de gagner son hôtel. S'il se montrait suffisamment convaincant – et amical, surtout –, Augustin finirait par lui donner l'adresse. Ce serait un premier test de son éloquence et de sa force de persuasion, à vérifier plus tard au Palais de Justice où il avait rendez-vous en début d'après-midi.

*
* *

Stéphanie se déplaçait avec précaution dans le magasin, prenant garde à ne pas heurter de son plâtre les lampes ou les bibelots. Depuis qu'elle était rentrée, de nombreux amis, relations et clients se succédaient pour lui souhaiter un prompt rétablissement. Jamais Anaba n'aurait cru que sa sœur connaissait tant de monde, mais, en quelques années aux Andelys, Stéphanie avait fait son chemin. Elle passait pour quelqu'un de sérieux, sympathique et sociable, disponible et de bon conseil. Sa réputation d'antiquaire s'étendait désormais assez loin dans la région, et c'était elle qu'on appelait en premier lorsqu'on voulait se séparer de quelques meubles.

L'histoire de l'armoire et du bras cassé avait fait le tour de la petite ville et des environs comme une traînée de poudre, et dans le défilé des gens venus prendre des nouvelles ou signer le plâtre, il se trouvait toujours quelqu'un pour acheter quelque chose. Le stock diminuait, les vitrines se clairsemaient, et malgré les efforts d'Anaba qui astiquait tout ce qu'elle trouvait de vendable dans l'appentis, Stéphanie devrait bientôt repartir à la recherche d'objets rares cachés au fond des greniers.

Cette agitation momentanée profitait à Anaba. On lui posait des questions sur son métier de restauratrice, ce qui semblait ouvrir des horizons à certains clients. Obligée de bavarder à longueur de journée, elle n'avait plus le loisir de s'apitoyer sur son sort de femme abandonnée. D'autant moins qu'elle devait aussi aider Stéphanie à s'habiller, se laver les cheveux, cuisiner ou passer l'aspirateur, et en outre lui servir de chauffeur.

— Ce n'est plus un peu d'aide que tu m'apportes, c'est une assistance de tous les instants ! Ma pauvre, tu dois regretter d'être venue habiter ici.

— Ne dis pas de sottises, Stéph. Je me sens revalorisée, utile, et en plus je trouve qu'on s'amuse. Sans compter les bonnes affaires qu'on réalise.

— Oui, mais pendant que tu t'occupes de tout, tu ne travailles pas à ton paravent.

— Il a presque deux cents ans, il attendra encore un peu.

Stéphanie termina l'assortiment de fromages dont elle venait de se régaler, puis elle recula sa chaise et alluma une cigarette.

— Que c'est bon d'être chez soi... Dans la bouffe de l'hôpital, il n'y avait ni livarot ni pont-l'évêque.

À travers les volutes de fumée, elle observa un moment sa sœur.

— Tu as fait rafraîchir ta coupe de cheveux ? Ça te va bien. Et ton pull est vraiment superbe.

— Je l'ai récupéré avec tout le reste.

— Encore heureux !

— Augustin a été très gentil de m'apporter mes valises sans attendre que j'aille à Paris les récupérer.

— Je crois que c'est vraiment un chic type. Et je me demande si... S'il n'a pas un petit faible pour toi.

— Augustin ? Non, sûrement pas, je m'en serais aperçue avant.

— Avant, tu étais la fiancée de son meilleur ami.

Anaba hocha la tête, réfléchissant à ce que venait de dire Stéphanie. Augustin avait toujours manifesté beaucoup de sympathie à son égard, mais il était naturellement chaleureux, ça ne prouvait rien.

— Je n'éprouve pas d'attirance pour lui, malgré ses beaux yeux verts. Tu les as remarqués ? Ils sont vert lagon !

— Je n'ai jamais vu un lagon de près. Explique-moi plutôt l'origine de sa cicatrice.

— Aucune idée. Il n'y a jamais fait allusion.

Le soleil tapait sur les vitres de la véranda et Stéphanie alla ouvrir la porte vers le jardin.

— Le maçon vient cet après-midi finir sa réfection des murs de l'appentis. Par ce temps-là, le ciment séchera vite.

— En ton absence, j'ai vu avec l'électricien le genre d'éclairage qu'il me faudra. Une fois terminé, ce sera vraiment génial comme endroit pour travailler. Et je vais enfin pouvoir dégager mon bazar de la véranda, on ne mangera plus dans les odeurs de térébenthine. Mais… mais je ne voudrais pas que tu dépenses trop d'argent dans ces travaux.

Stéphanie prit le temps d'écraser sa cigarette, puis elle leva les yeux vers sa sœur.

— Nous en avons déjà parlé, chérie. Rien de tout cela ne t'engage à quoi que ce soit. Je devais agrandir l'appentis et le rendre salubre. Avec ou sans toi, il me servira. L'année dernière, j'ai raté une bonne affaire chez une dame âgée qui liquidait tout un tas de merveilles avant de partir en maison de retraite. Elle ne voulait qu'un seul acheteur, et moi je ne savais pas où stocker vu le capharnaüm de l'appentis. Je le regrette encore ! Dans le lot, il y avait un nécessaire de toilette en argent, des peignes et des brosses en écaille de tortue, des petites choses fantastiques qui se seraient vendues en vingt-quatre heures, mais il fallait emporter aussi des méridiennes, des commodes, des tapis et toute une bibliothèque. Tu imagines ?

Anaba se mit à rire en voyant l'expression navrée de sa sœur. À l'évidence, son métier la réjouissait, la passionnait. Au-delà du goût pour le commerce qu'elle avait toujours manifesté, les antiquités étaient devenues son univers. Elle compensait son manque de formation par un instinct assez sûr et un sens aigu de l'esthétique, mais elle savait aussi demander conseil. Souvent, elle avait appelé Anaba dans son studio des Ternes pour lui décrire précisément un meuble ou un tableau avant de l'acheter. Si son coup de fil commençait par : « Toi qui as fait les Beaux-Arts... », Anaba souriait et s'asseyait en devinant que la conversation allait durer.

— C'est chouette de travailler ensemble, Stéph. On aurait dû y penser plus tôt !

— Non, tu aurais perdu au change. Protection sociale, cotisation pour la retraite, congés payés, arrêts de travail, plan de carrière et autres avantages. Regarde-moi avec mon bras dans le plâtre ! Les commerçants et les artisans sont les laissés-pour-compte du système. Et puis, soyons sérieuses, tu ne vas pas t'enterrer ici à vingt-huit ans. Moi, j'en ai quarante-deux, ma vie est faite, ce choix me convient.

— Paris ne te manque jamais ?

— Jamais. De toute façon, c'est à une heure d'ici et j'y vais pour voir papa.

— À propos, il proposait de prendre un train pour venir déjeuner dimanche ou lundi.

— Il va s'arracher à ses livres ? Faut-il qu'il nous aime !

145

Elle l'avait dit tendrement, avec ce sourire particulier qu'elle avait pour parler de leur père. De nouveau, elle observa Anaba et finit par émettre un petit sifflement mi-amusé, mi-admiratif.

— Tu vaux vraiment cent sous de plus habillée et coiffée comme ça. En fait, tu es mon meilleur argument de vente.

Anaba éclata d'un rire insouciant. Elle se sentait beaucoup plus gaie depuis que sa sœur était sortie de l'hôpital, et aussi, indiscutablement, depuis qu'elle soignait à nouveau son apparence. Avoir retrouvé des vêtements à la mode, ainsi que l'envie de se maquiller un peu, lui rendait une certaine joie de vivre. La terrible déception vécue à Montréal commençait à lui sembler moins grave, l'humiliation s'estompait, perdait de l'importance. Sa vie ne s'était pas arrêtée ce jour-là, devant ce maudit palais de justice, comme elle l'avait cru alors.

Le carillon du magasin retentit et Stéphanie, qui allait allumer une nouvelle cigarette, la rangea dans son paquet avec un air faussement résigné, puis elle se précipita, plâtre en avant, pour aller accueillir le client.

*
* *

— Je veux la voir, Augustin ! martela Lawrence pour la énième fois. Je dois solder notre contentieux, lui expliquer de vive voix que je ne l'ai pas rejetée, elle, mais seulement une vision d'avenir que je ne partageais pas. Lui dire que...

— Tu uses ta salive pour rien.

— Bon sang de bonsoir, tu vas me donner son adresse !

— Non.

Lawrence sentit une onde de violence le parcourir des pieds à la tête.

— Tu m'obliges à te supplier, c'est grotesque. Je ne suis en France que pour très peu de temps, aux frais de la boîte, et je ne pourrai pas prolonger mon séjour. Jouer au chat et à la souris avec toi ne m'amuse pas. Compris ?

— Tu ne te demandes même pas si elle a envie de te voir. Tu veux, tu exiges, redescends sur terre, gros macho !

— Mais tu te crois des droits sur elle ou quoi ?

— Je crois surtout que tu dois lui foutre la paix. Elle se remet du sale coup que tu lui as fait, laisse-la tranquille.

Exaspéré, Lawrence marcha sur Augustin jusqu'à se trouver nez à nez avec lui.

— Je ne veux pas discuter d'Anaba avec toi. Si je dois remuer ciel et terre pour la trouver, je le ferai.

— Fais donc.

— Le problème est que je n'ai pas le temps. Tu m'écoutes ou pas ? Je repars après-demain !

— Traite tes affaires, et après profite de ton séjour autrement qu'en allant emmerder une fille que tu as laissée tomber.

— Garde tes leçons de morale, je ne suis pas d'humeur.

Augustin haussa les épaules et s'écarta de quelques pas en proposant :

— On vide une bière ?

Son calme attisait la colère de Lawrence qui tenta un dernier effort.

— Je n'ai pas soif et j'ai rendez-vous au Palais de Justice dans une demi-heure.

— Alors, ne perds pas ton temps à me cuisiner, ça ne marchera pas.

— On dirait que je te demande la lune !

— Tu demandes un truc impossible. Anaba a été suffisamment trahie, je ne serai pas celui qui en remet une couche. Si elle avait voulu te contacter, elle connaît ton numéro.

— Calice, tu me fais chier ! explosa Lawrence.

De nouveau, il se rapprocha d'Augustin, menaçant cette fois.

— Et si je te flanquais mon poing dans la figure ?

— Tu n'auras pas le guts de le faire.

Le coup partit presque involontairement, atteignant Augustin à la mâchoire. Une seconde plus tard, sans comprendre comment, Lawrence se retrouva allongé sur le parquet.

— D'accord, constata Augustin en lui tendant la main, tu as eu le cran de le faire. Comme tu vois, moi aussi. Un partout. On fait la belle ou on arrête ?

Son étrange sourire asymétrique ne permettait pas de savoir s'il était amical ou ironique.

— Putain, soupira Lawrence, tu ripostes vite. Tu t'entraînes ?

— Toutes les semaines salle de sport pour le kick boxing, salle d'armes pour l'escrime. C'est ce que j'ai trouvé de mieux en matière de sport parce que, les patinoires, à Paris…

Lawrence se remit debout tout seul et tâta sa bouche qui commençait déjà à enfler.

— Est-ce que nous sommes toujours amis ? demanda-t-il d'un ton acide.

— À toi de voir. Moi, je dirais moins qu'avant, mais peut-être plus que demain.

La réponse d'Augustin était assez stupéfiante, et plus encore l'indifférence avec laquelle il venait de l'énoncer.

— J'utilise ta salle de bains.

Lawrence se souvenait de la disposition de ce drôle d'appartement sous les toits et il alla se passer de l'eau froide sur la figure en essayant de ne pas mouiller son col de chemise. Lorsqu'il se redressa et qu'il se vit dans le miroir, il se demanda quel genre d'explication il allait fournir à ses confrères français qui devaient déjà l'attendre. Ses lèvres tuméfiées lui donnaient l'air d'un voyou. Un beau voyou blond avec une cravate !

Derrière lui, il aperçut Augustin qui l'observait, appuyé au chambranle. Comment avaient-ils pu en venir si facilement aux mains tous les deux ? Quinze ans d'amitié s'étaient révélés insuffisants pour empêcher l'empoignade. Est-ce qu'Augustin, ainsi que Lawrence le redoutait, avait réellement des vues sur Anaba ? La protégeait-il par intérêt personnel ou à cause de son stupide côté chevaleresque avec les femmes ? Lui-même avait démarré au quart de tour, frappant le premier avec violence pour soulager sa frustration et sa jalousie. Même si c'était difficile à admettre, il était toujours amoureux d'Anaba.

Il se retourna, croisa le regard indéchiffrable d'Augustin. Sur sa mâchoire, pour l'instant, il n'y avait aucune trace, et Lawrence en fut un peu déçu. L'hématome serait sans doute pour demain, en attendant il paraissait sortir vainqueur de la bagarre.

— Puisque je n'ai pas pu te convaincre, j'irai voir son père. Avec un peu d'éloquence, je devrais pouvoir…

— Il te recevra aussi mal que moi, prédit Augustin. Ici, à Paris, tu n'es pas le roi, mon vieux.

Une allusion au fait que, à Montréal, Lawrence avait été le chouchou de l'université, la coqueluche des filles, puis un jeune avocat plein de promesses auquel rien ne résistait.

— Eh bien, j'irai voir sa sœur, marmonna Lawrence en jetant un coup d'œil à sa montre. Je me souviens qu'elle habite une petite ville à l'entrée de la Normandie. Les Andelys, il me semble. Je la trouverai et elle me parlera.

— Tu crois ça ?

La réponse avait fusé, agressive, annihilant le sang-froid et le calme manifestés par Augustin jusque-là. Lawrence était trop intelligent pour ne pas y déceler un signe, mais il fit celui qui n'avait rien remarqué.

— Nous sommes fâchés ou on dîne ensemble ce soir ? demanda-t-il avec son sourire le plus charmeur.

Augustin n'hésita qu'une seconde avant de proposer :

— Je peux t'emmener chez *Mon Vieil Ami*, près du Pont-Marie, tout à côté d'ici.

— Le nom est prédestiné, on dirait ! Je t'y retrouve à vingt heures.

S'il réussissait à louer une voiture en sortant du Palais de Justice, il filerait aux Andelys et Augustin, l'attendant au restaurant, ne serait pas dans ses pattes.

*
* *

150

— Le musée Nicolas-Poussin présente surtout des peintres normands contemporains, quelques pièces rares de verrerie et un peu de mobilier ancien dont un harmonium fabriqué aux Andelys, en somme rien qui puisse te donner du travail sur place. Et le mémorial Normandie-Niémen encore moins, évidemment, sauf si tu veux restaurer le mirage exposé devant !

Stéphanie, revenue à son idée d'un emploi stable et régulier pour Anaba, passait en revue tous les musées des environs. Elle avait énuméré ceux d'Évreux et même de Rouen, mais sa sœur secouait la tête avec obstination.

— On verra ça l'année prochaine, Stéph. Pour l'instant, et si je ne t'encombre pas, je reste ici à essayer de faire mon trou. Je compte prospecter auprès des conservateurs de châteaux classés monuments historiques, la région en compte un certain nombre. Il y a sûrement des fresques à restaurer, des trompe-l'œil, des tableaux. Je fourmille d'idées ! Si je pouvais me faire une petite clientèle privée, et à côté de ça travailler ponctuellement pour les institutions, ce serait génial. Quand on a goûté à la liberté…

La soirée était douce et elles avaient laissé la porte de la véranda entrouverte sur le petit jardin. Dans les rares moments où elle n'était pas occupée, Anaba avait entrepris de le débarrasser de ses herbes folles et d'y planter quelques fleurs.

— J'ai rendez-vous après-demain à l'hôpital, rappela Stéphanie. J'espère qu'ils vont m'enlever ce maudit plâtre, je n'en peux plus d'essayer de me gratter en enfilant une aiguille à tricoter là-dessous ! Mais je me suis arrangée avec une amie qui m'accompagnera à Vernon, comme ça nous n'aurons pas besoin de fermer le magasin. Ah, je donnerais n'importe quoi pour me plonger jusqu'au cou dans un bain moussant et parfumé !

Interrompue par la sonnerie du téléphone, Stéphanie décrocha de sa main valide.

— Augustin ! s'exclama-t-elle gaiement. Ravie de vous entendre, comment… ?

— Navré de vous appeler à l'heure du dîner, la coupa-t-il de façon abrupte, mais je voulais vous avertir que Lawrence est en France depuis ce matin. Il veut absolument voir Anaba et il s'est mis en tête d'aller chez vous, aux Andelys, pour obtenir son adresse de gré ou de force. Nous avions rendez-vous pour dîner tous les deux, or il a trois quarts d'heure de retard et je commence à me demander s'il n'a pas mis à exécution son projet de louer une voiture. Vous pourriez bien le voir débarquer incessamment.

— Ici ? Quel culot ! S'il se pointe, je lui réserve un bel accueil, croyez-moi.

— Il m'a paru très agité, très remonté.

— Un comble !

— Bon, faites attention à vous et à Anaba.

— Comptez sur moi. Et merci de nous avoir prévenues.

— À bientôt, Stéphanie.

— Attendez ! Bientôt, c'est quand ? Tiens, voulez-vous venir déjeuner dimanche ? Je sais bien qu'il y a la route à faire, mais…

— Mais c'est volontiers ! J'apporterai le dessert.

En raccrochant, elle croisa le regard inquiet d'Anaba.

— Il était question de Lawrence ?

152

— Oui. Il a débarqué à Paris et il te cherche. D'après Augustin, il n'hésiterait pas à venir me demander où tu es.

— Il marcherait sur son orgueil à ce point-là ? Il doit bien se douter que tu ne vas pas lui tomber dans les bras.

Anaba s'était mise à marcher de long en large, apparemment très énervée.

— Écoute, Stéph, si jamais il vient, je le recevrai.

— Toi ? Crois-tu que ce soit une bonne idée ? Tu as envie de lui parler ?

— Je ne sais pas, avoua Anaba du bout des lèvres.

Stéphanie la dévisagea, interloquée. Sa sœur envisageait-elle une quelconque réconciliation ?

— Tu es majeure et vaccinée, tu fais ce que tu veux. Mais essaie de ne pas avoir la mémoire trop courte, hein ?

— Bien sûr que non.

Sa voix manquait d'assurance et de conviction. Était-il possible qu'elle conserve au fond de son cœur des sentiments pour l'homme qu'elle avait aimé et qui l'avait laissée tomber comme une chaussette sale ?

Des coups sourds frappés aux volets du magasin les clouèrent sur place. Jusqu'à cet instant, Stéphanie n'avait pas tout à fait cru à la venue de Lawrence chez elle. Les yeux rivés sur Anaba qui était soudain livide, elle demanda :

— J'y vais ou tu y vas ?

De nouveaux coups, plus bruyants, les firent se précipiter ensemble. Stéphanie alluma les lumières et débrancha l'alarme, puis elle fit signe à sa sœur de se pousser et elle ouvrit elle-même. Elle avait beau s'y attendre, découvrir Lawrence debout sur le trottoir lui fit un choc. Sans le saluer, elle le toisa durant quelques instants, l'obligeant ainsi à parler le premier.

— J'avais peur de ne pas trouver, dit-il à mi-voix. Les routes françaises ne me sont pas familières...

Sous la lumière du réverbère, il semblait fatigué et moins à l'aise que de coutume.

— Dites-moi où se cache Anaba, il faut absolument que je la voie.

— Elle ne se *cache* pas, Lawrence.

Il secoua la tête, faisant voler ses cheveux blonds.

— Je ne partirai pas tant que vous ne m'aurez pas donné son adresse ou son téléphone.

— Qu'est-ce que vous attendez d'elle, ricana Stéphanie, son pardon ?

Elle sentit la présence de sa sœur derrière elle et, avec un soupir, elle s'écarta.

— Je suis là, murmura la jeune femme.

Lawrence parut vaciller, sous le choc.

— Mon Dieu, souffla-t-il, Anaba...

Stéphanie les regarda l'un après l'autre, puis se détourna en murmurant :

— Je ne serai pas loin.

*
* *

Rue Saint-Louis-en-l'Île, au restaurant *Mon Vieil Ami*, Augustin finissait de dîner. Il aimait l'endroit pour son décor actuel et épuré malgré les vieilles poutres, ses lumières tamisées, et surtout la manière originale, bien que gastronomique, d'utiliser certains légumes. Mais ce soir, distrait, il n'avait pas vraiment prêté attention à ce qu'il mangeait. Que Lawrence lui ait fait faux bond n'avait rien de surprenant, néanmoins il se sentait vaguement déçu. Leur amitié était en train de s'effriter.

De son geste habituel, il effleura sa cicatrice, puis descendit vers son menton, là où le poing de Lawrence s'était abattu méchamment, provoquant la riposte immédiate d'Augustin. D'où leur était venue cette envie réciproque de se taper dessus ? Depuis quinze ans qu'ils se connaissaient, ils avaient eu un certain nombre de désaccords mais jamais rien d'aussi grave. Même la lame du patin déchirant sa joue jusqu'à la tempe, Augustin avait réussi à l'oublier. Ignorant les sous-entendus méchants de certains, il s'était toujours refusé à croire que Lawrence aurait pu l'éviter. Bien sûr que non. Ils étaient vraiment des amis à cette époque-là, Lawrence ne lui voulait aucun mal. Si l'un des deux avait dû être jaloux de l'autre, ce n'était pas Lawrence. Il réussissait mieux, il était plus grand, plus sportif et plus brillant, il plaisait davantage aux filles. Sauf la fois où une séduisante petite rousse l'avait envoyé sur les roses en lui lançant qu'elle préférait son « copain aux yeux verts, bien plus charismatique ». Lawrence avait ri, un peu jaune, d'accord, et répondu par une vacherie. Il était mauvais perdant, il voulait séduire tout le monde. Mais avec Augustin il se laissait aller, persuadé à juste titre de ne pas être en rivalité. Sur la glace des lacs où ils allaient patiner certains week-ends d'hiver, ils luttaient comme deux ennemis farouches pour gagner leurs courses improvisées, mais le reste du temps ils jouaient dans la même équipe où ils étaient totalement solidaires. Il était aussi arrivé à Lawrence, lors des révisions d'examens, de donner un coup de main à

Augustin qui l'amusait par son incapacité à intégrer les bases du droit. Non, il n'y avait aucune concurrence entre eux, pas de jalousie. Hormis une pointe d'envie, peut-être, lorsqu'il était question de leurs familles respectives. Qu'Augustin ait des parents riches agaçait Lawrence. Pour tenter de le dissimuler, il tournait en dérision la somptueuse maison victorienne des Laramie au pied du Mont-Royal, leurs grosses voitures, et bien sûr tout ce qui touchait à l'industrie de la pâte à papier. Ou alors il charriait Augustin en lui faisant remarquer que les Laramie, malgré leur fortune, se montraient vraiment pingres avec leur fils obligé de collectionner les petits boulots. Augustin acceptait ces plaisanteries, supposant que Lawrence souffrait des sacrifices consentis par ses propres parents pour payer ses études… et son train de vie, car il ne se refusait rien. Il était dévoré d'une ambition qui visait l'argent, le statut social. Augustin s'en fichait pas mal, il avait envie d'écrire des histoires, d'inventer des aventures, et il avait peu de besoins. Du moment qu'il pouvait emmener sa petite amie manger une crêpe chez *Juliette et Chocolat*, le repaire des étudiants, il était satisfait de son sort.

Le fait de repenser aux serveuses coiffées d'un bonnet rouge de *Juliette et Chocolat* le fit sourire. Il réclama l'addition, puis quitta le restaurant après avoir vérifié qu'il n'avait aucun message dans son téléphone. Si Lawrence avait trouvé le chemin des Andelys, en tout cas Stéphanie n'appelait pas au secours.

Stéphanie… Stéphanie Rivière, une drôle de petite bonne femme qui lui faisait battre le cœur sans qu'il comprenne pourquoi. La première fois qu'il l'avait vue, dans cette chambre du *Hilton Bonaventure*, il avait remarqué ses cheveux gris, plutôt seyants, ma foi, et son regard d'un bleu étonnamment intense. Les deux sœurs se ressemblaient bien peu, il n'y avait rien d'indien chez Stéphanie. Ensuite, il n'y avait plus pensé. Sauf qu'il aurait pu mettre une femme comme elle dans un livre. Une personnalité à part. Peut-être femme de tête, sans doute femme libre, femme forgée par les coups durs de la vie, pas le genre à vouloir être protégée ou épatée.

La température était si douce pour une nuit d'avril qu'il eut envie de marcher un peu. Sa balade favorite consistait à faire le tour de l'île avant de rentrer chez lui, quai d'Orléans. Il longeait le quai de Bourbon en songeant à Camille Claudel qui avait vécu là, puis à Charles Baudelaire sur les quais d'Anjou et de Béthune, deux adresses successives du célèbre poète. Parfois, il se plaisait à imaginer la lointaine histoire des deux petits îlots d'origine au Moyen Âge : l'île aux vaches qui n'avait été qu'un pâturage, et l'île Notre-Dame où se déroulaient les duels. En levant la tête vers les façades des hôtels particuliers construits plus tard, au XVIIe siècle, il se demandait s'il ne finirait pas par écrire un roman historique. Évoluer dans un cadre pareil l'émerveillait toujours. Lorsqu'il retournait à Montréal et racontait à ses amis : « Je vis sur une île au milieu de la Seine, en plein cœur de Paris », il voyait bien les mines envieuses ou incrédules et il mesurait sa chance. Ah, si seulement son propriétaire acceptait de vendre ! Mais le prix du petit appartement sous les toits excéderait probablement de loin ses droits d'auteur à venir.

Il grimpa les cinq étages en se demandant s'il avait la tête au travail ce soir. Écrire nécessitait un esprit libre de toute autre préoccupation, or il ne pouvait pas s'empêcher de penser à Lawrence et aux sœurs Rivière. Que se passait-il en ce moment précis aux Andelys ? Un affrontement homérique entre Anaba et Lawrence ? Stéphanie au milieu, avec son bras plâtré ?

Dans sa petite cuisine il se prépara un café bien fort, comme il l'aimait. Quand il travaillait la nuit, il faisait régulièrement des pauses pour se dégourdir les jambes, le dos, la nuque. Accoudé devant l'une des élégantes lucarnes, il rêvassait en regardant couler la Seine sous le pont de la Tournelle. Dans ces moments-là, il se sentait serein, heureux, en accord avec lui-même.

Il posa sa tasse près de l'ordinateur et s'installa dans son vieux fauteuil à roulettes, pas vraiment élégant au milieu de son décor d'esthète, mais si confortable ! Avant d'ouvrir le fichier contenant les nouvelles aventures du commissaire Delavigne, il jeta un coup d'œil à ses courriels et en découvrit un de son père. « *Je termine "Train d'enfer" à l'instant. Ce n'est pas mal du tout, dis donc ! Je t'embrasse.* »

— Il en a lu un, ça y est ? Calvaire, je n'y crois pas !

Avec un petit rire réjoui, il entreprit de répondre à ce stupéfiant message. Si *Train d'enfer* n'était pas forcément son meilleur livre, il serait désormais celui qui avait vaincu la pseudo-indifférence de Jean Laramie. Mieux qu'un prix littéraire !

*
* *

Pour se donner une contenance, Lawrence avait longuement détaillé la cuisine véranda où l'avait conduit Anaba. Puis ils s'étaient installés côte à côte devant la cheminée où une bûche finissait de se consumer. Sans se regarder et sans se toucher, ils avaient eu besoin de laisser passer une longue minute de silence.

— Tu dois beaucoup m'en vouloir, se résigna-t-il à dire.

— Oui.

— Je comprends.

Elle lui jeta un rapide regard, haussa les épaules et se replongea dans la contemplation des braises.

— Ça m'est égal que tu comprennes ou pas ce que j'ai ressenti. Mais puisque tu es là, je voudrais bien savoir *pourquoi* tu as changé d'avis, et *comment* tu as pu me faire une chose pareille.

— J'ai eu peur. Peur de me tromper de vie, peur que notre mariage ne dure pas, peur de te rendre très malheureuse.

— Oh, tu l'as fait !

— J'ai surtout fait le mauvais choix, tout en estimant que ce serait le plus courageux. N'imagine pas une seconde que ça ne m'ait rien coûté.

— En émotion ou en dollars ? Et ne parle pas de choix *courageux* alors que tu as pris la fuite !

— Anaba…

Il posa ses coudes sur ses genoux et se prit la tête entre les mains.

— Je suis anéanti, murmura-t-il.

— Toi ? Non, n'inverse pas les rôles. Tu m'as littéralement piétinée, Lawrence. Le cœur, la confiance, l'estime de soi, tout était en charpie, j'ai cru que je ne

159

m'en remettrais jamais. Mais le pire était cet immense amour dont je ne savais plus quoi faire, qui n'avait plus de raison d'être, qui tombait dans le vide. Je t'aimais tellement ! Ce matin-là, tu ne pourras jamais savoir à quel point je t'aimais et comme j'étais sûre de toi, de nous...

Elle s'arrêta, refusant d'en dire davantage pour ne pas se mettre à pleurer. Avait-elle vraiment cru que la plaie allait se cicatriser aussi vite ? Sentir Lawrence si proche lui était presque intolérable. Elle essaya de penser à Stéphanie qui devait faire les cent pas dans sa chambre, inquiète et en colère.

— Anaba, dit-il d'une voix rauque, je n'ai pas cessé de t'aimer.

Était-ce ce qu'elle avait envie d'entendre ? Tournant la tête vers lui, elle croisa son regard.

— Aujourd'hui, parvint-elle à articuler, tout ça n'a plus d'importance. Notre histoire est finie, nous le savons tous les deux.

La douleur était de nouveau en elle, lui serrant la gorge et lui coupant le souffle.

— Il faut t'en aller, Lawrence, tu es venu pour rien.

Elle aurait voulu pouvoir se jeter dans ses bras, retrouver sa chaleur, son odeur, retrouver le bonheur disparu. Faire des choses impossibles, peut-être l'amour, là, par terre, devant le feu à moitié mort.

À contrecœur, elle se leva, et il fut obligé de l'imiter. Ils traversèrent le vestibule, puis le magasin où une lampe était encore allumée.

— Tu retrouveras ton chemin ? demanda-t-elle pour dire quelque chose.

— Donne-moi au moins ton numéro de portable. S'il te plaît... je ne te harcèlerai pas, je te le jure.

— Pourquoi m'appellerais-tu ? Quelle idée ! La page est tournée, nous n'aurons plus jamais rien en commun.

Ce fut comme si elle l'avait frappé. D'abord, il recula d'un pas, puis il tendit la main, la saisit par la nuque et l'attira brutalement à lui.

— Je ne peux pas, s'énerva-t-il, je ne peux pas ! J'ai fait une monstrueuse connerie, mais je te jure que j'arriverai à réparer, j'en suis capable. Un jour, on en rira, tu verras !

— Toi, peut-être, moi pas. Je ne vais pas te ranger dans mes *bons* souvenirs. Et tu n'es plus un enfant, tu sais bien que ce qui est cassé ne se répare pas avec une goutte de colle. Un semi-remorque de colle n'y suffirait pas. Maintenant, va-t'en.

Elle se dégagea sans douceur de son étreinte, déverrouilla la porte sur la rue.

— Il y a quelqu'un d'autre, c'est ça ? Tu m'as déjà remplacé ?

— Et alors ? explosa-t-elle.

— Ne me dis pas qu'il s'agit d'Augustin ?

— Au revoir, Lawrence.

— Mais je rêve ! Augustin te console ? Cet abruti ne peut pas se trouver une femme tout seul ? Il faut qu'il mette ses pas dans mes traces ? Ah, tu seras bien lotie avec un minable pareil ! Tu mérites mieux que ça, Anaba. Même si tu veux absolument un Canadien, si c'est ça qui te branche, il y en a de plus intéressants que lui.

Les traits déformés par la colère, il était soudain moins séduisant sous la lumière du réverbère. Anaba voulut fermer la porte mais il l'en empêcha en se carrant dans l'embrasure.

— Augustin ne te fera pas rêver, crois-moi, sauf si tu aimes les polars à la con.

— Eh bien, siffla-t-elle, si c'est toi son meilleur ami, il n'a pas de chance !

Le ton montait, ils allaient réveiller toute la rue, mais Anaba se sentait furieuse à son tour, et c'était beaucoup moins pénible que de s'attendrir, le cœur noyé de regrets.

— Vous partez ou j'appelle la gendarmerie ? lança Stéphanie qui venait de les rejoindre.

— Vous, la vieille fille aigrie, ne vous en mêlez pas !

De sa main valide, Stéphanie lui asséna une gifle retentissante. Elle en mourait forcément d'envie, jamais il n'aurait dû lui offrir cette occasion. Anaba s'interposa aussitôt entre eux, prête à s'empoigner avec Lawrence s'il le fallait, mais il semblait soudain désemparé, presque hagard. Il secoua la tête, esquissa un geste d'impuissance et tourna les talons. Les deux femmes le regardèrent s'éloigner, serrées l'une contre l'autre.

— Il ne perd pourtant pas facilement son calme, finit par dire Anaba. C'est un avocat, il se maîtrise, il pèse ses mots, et là, il a pété un plomb. Tu crois qu'il est si malheureux ?

— Je crois que je m'en fous, répondit Stéphanie d'un ton ferme. Après tout, chacun son tour.

— Tu ne l'as jamais aimé, hein ?

— Non, et apparemment il me le rend bien. Mais tant qu'il faisait ton bonheur, je n'y pensais pas trop. Et toi, est-ce que tu l'aimes encore, aujourd'hui ?

Elle avait toujours posé des questions directes, qui appelaient des réponses franches.

— Tout n'est pas mort, concéda Anaba.

— Ah...

Stéphanie parut réfléchir à la réponse, la soupeser, puis elle conclut :

— Tu as tout de même eu le courage de le mettre dehors, je m'en réjouis.

Elle rentra la première, verrouilla la porte et réenclencha le système d'alarme.

— Tu me trouves faible, Stéph ?

— Je te trouve très forte, au contraire. Parce que moi, vois-tu, j'ai besoin d'un remontant. Une goutte de vieille poire qu'un client m'a offerte, ça te dirait ?

— Carrément deux ou trois gouttes, volontiers !

Elles retournèrent dans la cuisine où, cette fois, le feu était éteint. Anaba sortit un plateau, deux petits verres et la bouteille de poire.

— On va monter, comme ça tu pourras te coucher et mettre ton plâtre sur ta pile d'oreillers. Je m'installerai au pied de ton lit, comme quand j'étais petite. Allez, passe devant !

Le danger s'éloignait, elle pouvait de nouveau respirer librement. Comment avait-elle pu éprouver, ne fût-ce qu'un instant, l'envie de se retrouver dans les bras de Lawrence ? Sans doute parce qu'elle avait tout aimé, chez lui, la couleur de ses yeux, de sa peau, la forme de ses mains, son sourire, ses épaules carrées, son nez, sa voix, tout ! La seule chose qu'elle n'appréciait pas trop depuis le début était son arrogance, or ce soir il l'avait perdue devant elle, redevenant l'homme dont elle était tombée amoureuse. Mais rien n'était plus possible entre eux, elle en avait douloureusement conscience, car rien n'effacerait jamais certain matin d'hiver à Montréal, le plus beau et le plus atroce matin de sa vie.

Elle alla se mettre en pyjama avant de rejoindre Stéphanie dans sa chambre. Comme prévu, elle s'installa au pied du lit, posa le plateau entre elles deux, puis glissa ses jambes sous le bout de l'édredon.

— Durant tes deux divorces, je n'ai pas été très présente, alors que toi, tu es toujours là pour moi.

— Je suis l'aînée, et de loin. Tu n'as pas besoin de veiller sur moi.

— Ben voyons !

— La première fois, tu n'étais qu'une gamine, et la seconde, tu venais d'entrer aux Beaux-Arts. Entre les deux, il t'a fallu affronter la mort de ta mère, tu avais assez de chagrin comme ça.

Anaba but une gorgée d'alcool qui lui brûla la gorge. Elle grimaça, en avala une autre, sentit enfin le parfum de la poire qui s'épanouissait dans sa bouche et son nez.

— Je pense souvent à maman. Évidemment, chaque fois que j'allais au Canada, j'y pensais encore plus. Lawrence m'avait promis que, l'été prochain, nous irions passer une semaine du côté de Rivière-du-Loup, là où elle est née. Je voulais découvrir de mes yeux les chutes d'eau de la rivière en pleine ville, aller à Kamouraska voir les fameux couchers de soleil, et sur la grève de Cacouna visiter la minuscule réserve indienne.

— En algonquin, Cacouna signifie « au pays du porc-épic ». Tu t'en souvenais ?

— Oui, et Kamouraska veut dire « l'endroit où il y a des joncs au bord de l'eau ».

— A-t-il fallu qu'elle nous en parle pour qu'on garde tout ça en mémoire !

Elles échangèrent un sourire nostalgique, aussi émues l'une que l'autre par le souvenir de Léotie. Leur père l'appelait sa « belle Indienne », tout comme Lawrence, plus tard, avait surnommée Anaba sa « petite squaw ».

— Je ne verrai jamais Rivière-du-Loup, soupira Anaba.

— Pourquoi ? Qui t'en empêcherait ? Tu as toute la vie devant toi, tu feras ce voyage un jour. Ce ne sera pas avec Lawrence, et alors ?

Anaba observa sa sœur qui allumait une cigarette, les joues creusées par l'aspiration de la première bouffée.

— Tu fumes au lit ?

— Si j'en ai envie, oui. C'est un des plaisirs de la solitude. Je rallume aussi en pleine nuit pour lire quand j'ai une insomnie. Je descends me faire une tasse d'infusion que je remonte entourée de biscuits, et il m'arrive de semer des miettes dans les draps !

Stéphanie se mit à rire avec insouciance avant d'ajouter :

— Il n'y a personne pour me culpabiliser ou pour m'infantiliser, pour me dire d'un ton docte et moralisateur de ne pas faire ci ou ça, que j'ai tort de, que j'abîme ma santé à. Quel repos !

— Tu es un ours.

— Non, j'ai seulement pris goût à la liberté. Car vois-tu, les deux hommes qui sont successivement sortis de ma vie ne me la rendaient pas agréable.

— C'est aussi simple que ça ?

La tête penchée sur le côté, Stéphanie prit le temps de réfléchir avant de répondre en souriant :

— Pas beaucoup plus compliqué.

— Tu n'as tout de même pas fait une croix sur l'amour ?

— Absolument pas ! Mais jusqu'ici, aucune aventure ne m'a donné envie de poursuivre au-delà d'une nuit. J'espère que ça viendra. Sinon, tant pis, il y a d'autres choses dans la vie. Je prends ce qu'elle me donne au passage.

Elle semblait vraiment sereine, en paix.

— Redonne-nous une petite goutte de cette poire, demanda-t-elle. J'aimerais être certaine que tu dormiras comme un bébé malgré la visite de Lawrence. Qui a quand même un sacré culot d'être venu jusqu'ici.

— À ton avis, qu'est-ce que ça prouve ? Qu'il regrette ?

— Et alors ? Des regrets te suffiraient ?

— Non, admit Anaba.

Elle laissa errer son regard autour de la chambre, encore plus douillette que la sienne. Du chintz rose pâle sur les murs, des rideaux de velours gris perle, un amour de petit bureau Majorelle surmonté d'une lampe en pâte de verre. Après ses déceptions sentimentales, Stéphanie s'était peu à peu construit un univers à son goût, à sa mesure. Sa force était de toujours se relever pour avancer. Professionnellement aussi elle avait trouvé sa voie, la réussite de son magasin d'antiquités l'attestait. Anaba possédait-elle la même volonté ? En avait-elle seulement l'envie ? Elle avait rêvé de se consacrer à Lawrence, de fonder avec lui une famille, elle s'était imaginée à travers les autres et s'était un peu oubliée en chemin.

— Je vais me coucher, décida-t-elle.

L'alcool la rendait mélancolique mais, levant les tabous, lui faisait aussi entrevoir des vérités. Alors qu'elle n'avait pas accordé une grande confiance à ses premiers petits copains, dès le début elle s'était donnée sans réserve à Lawrence, ne s'imaginant plus qu'à ses côtés. Le cœur léger, elle avait quitté la France, son père et sa sœur, son emploi au musée, son studio, persuadée d'avoir trouvé sa voie. Lawrence la rassurait, la motivait, elle en était folle et ne voyait rien d'autre. Comment aurait-elle pu envisager qu'il l'abandonnerait juste à la porte de ce qu'elle avait pris pour le paradis ? À Montréal, ce jour-là, elle n'avait plus aucun libre-arbitre, elle s'était totalement mise entre ses mains et la chute avait été d'une brutalité inouïe.

En se glissant dans son lit, elle se souvint de s'être demandé, quelques mois auparavant, si le manque d'enthousiasme de Stéphanie vis-à-vis de Lawrence ne trahissait pas une pointe d'envie. Quel aveuglement ! Non, sa sœur n'était pas jalouse, elle possédait seulement le discernement qui avait manqué à Anaba. Et qui avait encore failli lui faire défaut, une heure plus tôt, dans la cuisine.

*
* *

Consterné, Lawrence relut ses notes une fois encore. Où avait-il donc eu la tête lors de son rendez-vous avec ses confrères français ? Le dossier était dense, difficile, embrouillé, chacun défendait sa partie toutes griffes dehors et aucun détail, même le plus insignifiant, ne devait être négligé. En temps normal, il aurait noirci plusieurs fiches, or il n'avait écrit que quelques lignes distraites, persuadé qu'il se souviendrait du reste. S'en souvenir ? Obnubilé par sa location de voiture, son itinéraire pour Les Andelys et le discours préparé à l'intention de Stéphanie, il ne s'était intéressé que superficiellement à son affaire. Il lui manquait des chiffres, des précisions. Où était passée sa formidable mémoire ?

Mais aussi, quelle abominable journée ! Se battre avec Augustin, filer au Palais de Justice, se lancer sur les routes, avoir le choc de se retrouver devant Anaba, se faire gifler et mettre dehors... Bon sang, il n'était pas venu en France pour tout ce cirque très personnel, il était là pour faire avancer un dossier. Et ce dossier risquait d'être le dernier qu'on lui confierait s'il revenait à Montréal avec aussi peu de résultats. Il ne lui restait plus que la journée du lendemain pour se rattraper. Un second rendez-vous devait réunir d'autres parties, avec des Anglais cette fois, et il avait intérêt à mettre les bouchées doubles. Pour commencer, il allait tout reprendre de zéro. Dans son ordinateur portable il pouvait consulter un grand nombre de fichiers qui lui rafraîchiraient les idées. Jusqu'ici, il avait su se montrer habile dans ce type d'affaires internationales complexes, alors même s'il devait y passer la nuit, il arriverait à maîtriser son sujet.

À condition de ne plus penser à Anaba. De ne pas évoquer ses grands yeux noirs, sa silhouette de gazelle. Anaba appartenait au passé, autant l'accepter puisqu'il en était responsable. Mais, bon sang, comme il avait eu envie d'elle dans cette drôle de cuisine ! Il lui avait fallu tout son sang-froid pour ne pas se jeter sur elle, l'embrasser de force, la sentir fondre contre lui...

Son téléphone se mit à vibrer et il regarda le nom qui s'affichait. Michelle. Non, pour l'instant il n'avait pas de temps à perdre. Et aucune envie de parler à qui que ce soit. Marivauder avec Michelle ne le tentait pas, encore moins appeler Augustin pour s'excuser de lui avoir posé un lapin. En réalité, il était très seul face à ses problèmes. Une situation inédite pour un homme aussi entouré que lui. Ses parents le vénéraient, en conséquence il aurait eu honte de leur apprendre qu'il croulait sous les soucis financiers, professionnels et sentimentaux. Son meilleur ami était en train de devenir son ennemi, voire son rival. Sa maîtresse le croyait en pleine ascension sociale, sinon elle le quitterait sur-le-champ. Ses confrères du cabinet le traitaient de haut depuis qu'il était tombé en disgrâce. Vers qui pouvait-il se tourner ? À l'époque de la fac il avait eu plein de bons copains, mais ensuite son travail l'avait tellement accaparé qu'il les avait perdus de vue. Et les quelques rares amis véritables, en dehors d'Augustin, s'étaient mariés, avaient eu des enfants, menaient d'autres vies.

Il alla se planter devant le miroir en pied de la penderie et se regarda pour une fois sans complaisance. D'accord, il était plutôt beau mec. Il ne perdait pas encore ses cheveux, il avait conservé une silhouette athlétique grâce au patin à glace et au ski. Mais pour combien de temps ? À trente-trois ans, beaucoup de choses étaient déjà jouées. Il aurait dû être dans les premiers plans du cabinet, et voilà qu'il dégringolait. Il aurait dû être marié mais il avait pris ses jambes à son cou. La plus mauvaise décision de toute sa vie. En croyant se sauver, il s'était perdu. S'il ne redressait pas la barre au plus vite, ses ambitions allaient s'écrouler. Or l'idée de ne pas réussir le révulsait.

— Quelle connerie, quelle connerie !

Il faillit frapper la glace, s'arrêta juste à temps. Devenait-il violent ? Son existence était en train de lui échapper, il sentait le danger et l'urgence. Il se retourna, observa cette chambre de catégorie moyenne qu'on lui avait réservée.

— Au travail, maugréa-t-il en allant vers son ordinateur.

Jamais il n'aurait cru que sa rupture avec Anaba puisse l'affecter à ce point. C'était sa première déception sentimentale, son premier échec qu'il s'était infligé lui-même et dont les conséquences le dépassaient.

Il s'installa devant l'écran, fit le vide dans sa tête et ouvrit un premier fichier.

6

Anaba était allée chercher Roland à la gare de Gaillon et, à peine arrivé dans la cuisine de Stéphanie, il se mit aux fourneaux. Comme il ne venait pas souvent aux Andelys, il eut d'abord un peu de mal à trouver les ustensiles et les ingrédients nécessaires à sa recette, une fiche de Léotie qu'il avait soigneusement glissée dans son portefeuille avant de partir.

La veille, à l'hôpital, on avait retiré son plâtre à Stéphanie, mais son bras était tout faible, ses muscles avaient fondu, et elle devrait s'astreindre à de la rééducation avant de s'en servir normalement. Peu confiant dans les talents culinaires d'Anaba, Roland avait donc décidé qu'il s'occuperait du déjeuner.

— Et vous avez invité ce Canadien, cet Augustin…

— Laramie, précisa Stéphanie. Il a été vraiment chic avec nous, non seulement pour les affaires d'Anaba mais aussi pour nous avoir prévenues de la visite intempestive de Lawrence. Un type bien, à mon avis.

— Il ne m'avait pas fait mauvaise impression quand je l'avais trouvé planté devant chez moi, admit Roland. D'ailleurs, on ne va pas rejeter tout ce qui

171

touche au Canada de près ou de loin à cause de ce foutu Lawrence !

Comme il n'était jamais vulgaire, Stéphanie devina toute la hargne que lui inspirait l'homme qui avait failli être son gendre. À cause d'Anaba, bien sûr, et parce que rien ne devait ternir le souvenir de Léotie.

— Tu as du gros sel ? Ah, oui, dans la boîte en bois, tu me l'as déjà dit ! Où est partie Anaba ?

— Acheter du pain.

— Profites-en pour me dire comment elle va.

— Plutôt bien.

— Je l'ai trouvée ravissante devant la gare, bien coiffée et bien habillée, beaucoup mieux que le jour où elle était venue à Paris faire des courses pendant que tu gigotais sous ton armoire, ma pauvre ! Quel sale moment tu as dû passer...

Il se retourna pour lui adresser un sourire attendri tout en continuant à remuer sa sauce.

— Ce qui me rassure, ajouta Stéphanie, c'est qu'elle a repris goût au travail. Elle a restauré plusieurs tableaux, un paravent à cinq panneaux, une minia- ture, et crois-moi, elle n'a pas perdu la main. Ça commence à se savoir dans la région, elle a déjà ses propres clients.

— Tu penses qu'elle va vouloir rester avec toi, s'éta- blir ici ?

— Je ne sais pas. Trop tôt pour prendre une déci- sion, elle est encore convalescente.

— Pas définitivement guérie de son Lawrence ? s'exclama-t-il d'un ton incrédule.

— Il faudra du temps, d'autres rencontres. Je commence à lui proposer d'aller dîner chez des amis et elle ne dit pas non. En revanche, elle ne veut pas revoir les siens pour ne pas avoir à expliquer pourquoi elle n'est pas à Montréal. Elle avait annoncé son départ à tout le monde, pris congé, fait promettre qu'on irait la voir là-bas. Tu imagines la honte ?

— La honte est sur lui, pas sur elle.

— Je suis très satisfaite de lui avoir mis ma main dans la figure. Je dois avoir un mauvais fond !

Ils rirent ensemble, complices depuis longtemps dans leur affection pour Anaba. Une bonne odeur commençait à s'échapper de la cocotte où Roland mitonnait son poulet à l'estragon.

— Et toi, ma chérie, tes affaires marchent ?

— Très bien.

— Alors, la vie est belle ?

— Je trouve !

Il se retourna de nouveau et la dévisagea avec attention.

— Oui, tu as l'air en forme toi aussi, conclut-il après son examen.

Stéphanie savait qu'il se faisait des tas de reproches à son sujet. S'était-il assez occupé d'elle ? Il lui avait imposé Léotie comme seconde mère, Anaba comme précieuse petite sœur qu'il fallait protéger. Il ne l'avait pas poussée à faire des études, trop absorbé par sa passion pour Léotie. Jamais il ne parlait de sa première femme, sa mère à elle, comme si elle n'avait pas existé, pas compté. Quand Stéphanie s'était débattue dans ses divorces, il était occupé à finir d'élever Anaba. Et puis, tous ces livres qui bouffaient l'espace, cet argent consacré aux exemplaires rares, ce temps passé à les classer, parfois il se demandait s'il n'avait pas été qu'un égoïste. Quand il se posait ce genre de question à voix haute, Stéphanie riait, le rassurait.

Non, elle n'avait souffert de rien, vivre au milieu d'une bibliothèque n'était pas traumatisant, et Léotie s'était révélée une parfaite belle-mère. « Ne prends pas mes échecs sentimentaux à ton compte », lui avait-elle dit un jour où elle le voyait triste. Il était un bon père, il avait fait ce qu'il avait pu.

Le carillon du magasin retentit, et deux secondes plus tard Anaba entra, suivie d'Augustin.

— Nous nous sommes rencontrés chez le pâtissier, annonça-t-elle, nous avions choisi le même ! Mais il était devant moi dans la file et il n'a pas voulu me céder sa place, donc c'est lui qui a pris le gâteau.

— Vous aimez les framboises, j'espère ? demanda Augustin à Stéphanie.

Il portait un blouson de cuir joliment fatigué, une chemise bleue et un jean. Malgré ses cheveux un peu trop longs et son étrange sourire, on remarquait surtout son regard franc, vert jade. Stéphanie estima qu'il ferait un assez joli couple avec Anaba, mais bien sûr c'était une idée absurde, sa sœur n'allait pas craquer pour le meilleur ami de Lawrence. Ou alors, pas tout de suite.

— Monsieur Rivière, dit Augustin en tendant la main à Roland. Je ne sais pas ce que vous nous préparez mais ça sent bon !

— Poulet à l'estragon, avec des olives, de la crème, et deux ou trois autres choses qui font partie du secret de la recette.

— Cordon-bleu ?

— Ma femme l'était, j'ai gardé toutes ses fiches. Une Canadienne, comme vous, mes filles ont dû vous le dire, mais d'origine indienne.

— Oui, je le savais. Et puis, ça se voit chez Anaba.

Roland lui adressa un grand sourire, apparemment, il était conquis.

— Une petite coupe de champagne en apéritif ? proposa Stéphanie.

Augustin lui prit la bouteille des mains pour l'ouvrir.

— Comment va ce bras ?

— Pas terrible. Tout mou, il m'obéit à peine.

— Vous ne sentez plus la broche ?

— Non, mais ça, c'est moche...

Elle releva la manche de son chemisier pour lui montrer sa cicatrice violacée et boursouflée.

— J'avais espéré plus discret, soupira-t-elle. L'été va arriver et je serai condamnée à porter des manches longues pour ne pas exhiber cette vilaine chose !

Puis aussitôt, elle se sentit très embarrassée. Qu'allait-elle se plaindre de cette marque sur son avant-bras, qui disparaîtrait en quelques mois, lui avait affirmé le chirurgien, alors qu'Augustin portait sa cicatrice au visage pour la vie ? Elle leva les yeux vers lui, croisa son regard, le vit sourire.

— On fait avec, dit-il gentiment, comme s'il avait compris sa gêne.

Il emplit les coupes d'une main experte et alla porter la sienne à Roland.

— Pour le chef ! Il paraît que vous êtes passionné par les livres anciens ?

— Par les livres tout court.

— Moi aussi.

— À propos, dit Stéphanie en les rejoignant près des fourneaux, j'ai beaucoup apprécié les vôtres. Max Delavigne me fait totalement craquer. Vous en avez d'autres à me passer ?

— Un certain nombre. Et j'en ai mis deux dans ma voiture, au cas où.

— Moi, je le trouve un peu tristouille, ce Max, décréta Anaba.

— Oh, tu as lu aussi ?

— Oui. Pourquoi le mets-tu en échec dans sa vie privée ?

— Pour compenser ses succès de commissaire. Il dénoue les intrigues, il déjoue les pièges, il faut bien qu'il ait quelques soucis, non ? Et puis, il est trop pris par ses affaires policières, sur le pont nuit et jour, aucune femme ne peut supporter ça !

— J'en lirais bien un, décida Roland dont la curiosité semblait piquée.

Ils passèrent à table en bavardant gaiement et, tout naturellement, la conversation vint sur le Canada.

— Je vais aller passer une semaine à Vancouver le mois prochain, déclara Augustin. Mes parents s'y sont installés lorsqu'ils ont pris leur retraite et c'est vraiment un endroit magnifique. Ça fait partie de la région de la Colombie-Britannique et des Rocheuses, mais Vancouver et son île occupent vraiment un des plus beaux sites du monde. La perle de la côte Ouest !

— Pourquoi ont-ils quitté Montréal ? s'enquit Anaba.

— Pour le climat très doux par rapport au reste du pays. Il neige rarement là-bas ! Ma mère peut se consacrer à sa passion du jardin, tout pousse sous l'influence océanique. Quand je vais leur rendre visite, mon père a toujours mille balades à me faire faire, que ce soit du côté du port ou du parc Stanley. Je crois qu'il aimerait assez s'acheter un petit bateau de plaisance s'il était certain de pouvoir m'enrôler comme mousse.

Roland l'écoutait, sourire aux lèvres, sans doute charmé par cet accent qui lui rappelait Léotie.

— Ça vous dirait de m'accompagner pour quelques jours de vacances ? enchaîna Augustin.

Sa proposition, qui s'adressait à tout le monde, stupéfia Stéphanie. Augustin croyait-il vraiment qu'Anaba supporterait de retourner si vite au Canada ? Mais il ajouta, à son intention :

— Je voudrais te réconcilier avec mon pays.

— Tu plaisantes ?

— Pas du tout. Il y a cinq chambres d'amis dans la maison des parents… qui ont toujours vu trop grand. Mais on peut tous y loger sans problème et s'offrir une semaine de rêve. Il n'y aurait que les billets à payer.

Durant le silence qui suivit, Roland se racla la gorge.

— En ce qui me concerne, je ne prends pas l'avion, mais merci pour l'invitation. Vous devriez en profiter, les filles !

— Oh, murmura Anaba, je ne crois pas pouvoir…

— Si, tu peux très bien, affirma Augustin avec conviction. Je suis un bon guide, vous ne vous ennuierez pas une seule seconde. Par exemple, d'un coup d'avion on file à Calgary, et de là je vous emmène à la découverte du parc de Banff. Époustouflant !

Son enthousiasme était communicatif, néanmoins Stéphanie était certaine que sa sœur refuserait.

— C'est très gentil de ta part, commença Anaba.

— Ne dis pas non tout de suite. Réfléchis-y sérieusement, à tête reposée.

Pourquoi insistait-il autant, pour une demande aussi surprenante et probablement vouée à l'échec ?

— On en reparlera, finit-elle par concéder.

Augustin esquissa un sourire et chercha le regard de Stéphanie. Que voulait-il lui faire comprendre ? Anaba lui plaisait sans doute beaucoup, et sa façon très directe de s'y prendre avec elle semblait avoir porté ses fruits.

— Vous adorez votre pays mais vous avez choisi de vivre en France ? s'étonna Roland.

— J'ai eu un coup de foudre pour Paris, or c'est là que la chance m'a souri. En trouvant l'inspiration, j'ai aussi trouvé le bon éditeur. J'ai d'abord eu du succès en France avant d'accrocher mon lectorat au Canada. Alors, comme dit le proverbe, on ne change pas une équipe qui gagne. Et puis, quand j'arrive sur l'île Saint-Louis, dans mon petit appartement sous les toits, je sais que je vais bien travailler, travailler avec plaisir.

Le repas s'achevait, le poulet à l'estragon et la tarte aux framboises avaient été engloutis.

— Le temps est magnifique, tu devrais faire découvrir Les Andelys à Augustin, suggéra Stéphanie.

— On va débarrasser d'abord et y aller tous ensemble, répondit fermement Anaba.

— Non, non, je me débrouillerai avec papa, d'ailleurs, il faut que je fasse bouger mon bras, ce sera un très bon exercice !

Anaba fixa sa sœur deux ou trois secondes, l'air dubitatif, puis finit par se lever. Augustin l'imita en déclarant :

— C'était vraiment un très bon dîner ! Enfin, je veux dire déjeuner, encore une expression québécoise dont je dois me défaire. On va prendre cette marche, Anaba ?

Stéphanie éclata de rire avant d'expliquer :

— Ici, on dit « faire une promenade ».

Augustin lui adressa son drôle de sourire puis suivit Anaba.

— Vous n'ouvrez pas le dimanche ? demanda-t-il pendant qu'ils traversaient le magasin.

— Uniquement l'après-midi, vers trois heures, au moment où les gens vont se balader. Veux-tu qu'on commence par les bords de Seine ?

Elle l'entraîna vers les berges qui offraient un joli point de vue sur les maisons anciennes du Petit-Andely, dont certaines, avec leurs pans de bois, semblaient sorties du Moyen Âge. À cet endroit le fleuve décrivait un vaste méandre qui s'ouvrait au loin sur des falaises de craie.

— Tu es déjà allé au Château-Gaillard, Augustin ?

— Oui, et j'ai appris qu'il n'avait fallu qu'une seule année à Richard Cœur de Lion pour construire sa forteresse, mais en y mettant six mille ouvriers ! La restauration en cours risque de prendre bien plus de temps, hein ? Mais c'est ça qui est formidable, en France, où qu'on se trouve il y a toujours un château ou une abbaye à visiter.

— Au Canada, il y a toujours un parc, non ?

Il hocha la tête, amusé, puis demanda d'une voix très douce :

— J'espère ne pas t'avoir froissée avec ma proposition de voyage à Vancouver.

— Non…

— Je t'aime bien, Anaba, et je trouverais triste que tu nous prennes tous en grippe à cause de Lawrence.

Elle s'arrêta pour lui faire face, le dévisagea.

— Tu es un drôle de type. Écoute, il y a une chose que je dois te dire à propos de Lawrence. Il semble croire que tu aimerais prendre sa succession.

— Succession ? répéta Augustin d'un air interrogateur.

— Avec moi.

Son expression changea radicalement tandis qu'il s'écriait :

— Mais il est devenu fou ! Enfin, Anaba, je t'assure que jamais…

— Ne te vexe pas.

— Ce n'est pas vexant. Jolie comme tu es, tous les hommes peuvent tomber amoureux de toi. Mais je n'aurais pas eu le mauvais goût de jouer le bon copain pour te récupérer au tournant. De toute façon, tu n'es pas guérie de lui, n'est-ce pas ?

— Comment le sais-tu ?

— À ta façon de prononcer son prénom. D'abord, tu hésites à le faire, et quand tu t'y résignes, il n'y a pas de hargne.

Elle leva son visage vers le soleil et ferma les yeux. Au bout d'un moment, elle murmura :

— Pour être honnête, j'ai bien failli craquer l'autre soir. Il avait l'air si perdu, si malheureux… et moi j'aurais tellement voulu qu'on puisse tout effacer ! Mais c'est impossible, bien sûr, alors il est reparti comme il était venu.

— Il n'aurait pas dû. Je lui avais dit de te foutre la paix.

— Stéphanie était furieuse, elle l'a giflé parce qu'il n'arrivait pas à s'en aller.

— Elle a bien fait. C'est une femme formidable.

— Et lui, il restait branché sur toi, comme s'il avait le droit d'être jaloux.

— Jaloux de moi à cause de toi ? Mais je ne suis pas amoureux de toi, Anaba, je suis...

Il s'arrêta net et elle rouvrit les yeux pour le considérer avec curiosité.

— Tu es... ?

— Je... j'ai quelqu'un d'autre dans la tête.

Pourquoi rougissait-il en le disant ? Elle risqua une question qui pouvait dissiper son embarras :

— Une femme, un homme ?

— Une femme, répondit-il tranquillement, comme s'il avait déclaré qu'il préférait le bleu au vert. Mais c'est top secret pour l'instant !

Ils reprirent leur marche à pas lents, les yeux rivés sur les flots de la Seine.

— C'est vraiment beau, Vancouver ? finit-elle par demander.

— Mieux que beau ! Et en plus, à presque quatre mille kilomètres de Montréal, aucun risque de rencontrer Lawrence par hasard. Si vous venez, Stéphanie et toi, je vous organiserai un séjour inoubliable. Je sais que les billets sont chers, mais il y a parfois des opportunités quand on s'organise bien.

— J'aimais beaucoup voyager, dit-elle lentement, tout mon argent y passait. Découvrir d'autres horizons, d'autres cultures, je trouvais ça exaltant... Mais bien sûr, le Canada avait une importance particulière, une dimension d'identité familiale pour moi. Lawrence m'a montré certains aspects de ton immense pays et j'attendais les autres avec impatience. Terre-Neuve et le Labrador, la Nouvelle-Écosse, l'Ontario, la terre des Inuits aux frontières du monde habitable, tous ces noms me faisaient rêver ! Et c'est très dur de renoncer à ses rêves.

Elle s'arrêta de nouveau, se tourna vers lui.

— Ma vie était toute tracée. Du jour où Lawrence m'a demandé de l'épouser, je me suis projetée dans un avenir bien défini. Pendant des mois, j'ai imaginé des choses précises. J'ai bâti des plans, vu mon existence sous un jour différent. Dans ma tête, tout était arrangé, je vivais un conte de fées. Et il m'a brutalement précipitée dans le néant. Oh, je sais que je m'en remettrai, mais j'ai encore du mal...

D'un geste inattendu, spontané, Augustin la prit dans ses bras.

— Tout ira bien, murmura-t-il. Chaque jour qui passe t'éloigne de cette histoire lamentable. Je te fais le pari que l'année prochaine à la même heure, tu seras de nouveau heureuse.

Elle avait tellement envie de le croire qu'elle éprouva une soudaine bouffée de reconnaissance envers lui.

— Tu es un vrai gentil, dit-elle en retrouvant le sourire.

Devant sa sœur ou son père, elle essayait d'être forte, et ce moment d'abandon l'avait soulagée.

— Pour Vancouver, n'y compte pas trop. En fait, j'adorerais, mais Stéph et moi ne sommes pas riches. À mille cinq cents euros le billet, c'est au-dessus de nos moyens. Plus tard, peut-être ? L'année prochaine à la même heure, comme tu disais...

— Quand vous voudrez. Vous serez toujours les bienvenues, invitées permanentes.

S'il était déçu, il n'en montrait rien.

— On rentre ? proposa-t-il. Je discuterais volontiers avec ton père, qui a l'air d'aimer les livres plus que moi !

Elle mit sa main dans celle d'Augustin et ils firent demi-tour.

*
* *

— C'est trop bête, s'excusa Lawrence après avoir fouillé en vain toutes ses poches, j'ai oublié mon portefeuille. Paye pour moi, je te rembourserai dès qu'on sera rentrés.

Mais il n'en avait pas l'intention. Michelle fronça les sourcils, apparemment contrariée. Ce dîner chez *Nuances*, le restaurant du casino, était censé fêter son anniversaire, or Lawrence était arrivé en retard et sans cadeau. Il avait prétexté un travail fou, pas une minute à lui, et promis qu'il se rattraperait. En réalité, plusieurs avertissements de sa banque le mettaient dans l'impossibilité de se servir de ses cartes bancaires. Son découvert se creusait, bientôt il n'arriverait plus à payer les mensualités de son emprunt pour le duplex.

Ils avaient mangé du thon grillé au basilic puis de l'agneau au vin tout en profitant du sublime panorama sur le Saint-Laurent et le centre-ville. Lawrence savait que l'addition serait exorbitante mais, bien décidé à ne pas la régler, il avait aussi commandé du champagne. Michelle était très élégante, presque trop avec le décolleté vertigineux de sa robe de soie sauvage et les boucles d'oreilles en diamant qu'il lui avait offertes trois ans plus tôt, à l'époque où il gagnait très

183

bien sa vie. Offrir des bijoux aux femmes lui avait toujours procuré une satisfaction d'orgueil, hormis la bague ruineuse donnée à Anaba au *Beaver Club*, car celle-là il l'avait choisie avec autant d'angoisse que d'amour. La portait-elle malgré tout ? Il ne l'avait pas remarquée à sa main pendant leur triste conversation dans la cuisine de Stéphanie. Mais il n'avait rien vu, ce soir-là, hypnotisé par les yeux sombres d'Anaba.

Deux heures plus tôt, lorsque Michelle et lui étaient entrés dans le restaurant, un certain nombre de convives avaient tourné la tête vers eux. Michelle était voyante, décorative, elle flattait celui qu'elle accompagnait. Pour cette raison, entre autres, Lawrence ne voulait pas la perdre. Néanmoins, il n'était plus amoureux d'elle depuis le jour où il avait rencontré Anaba, et leur liaison réchauffée le laissait indifférent. Certes, il la désirait, se comportait en amant fougueux lorsqu'ils étaient au lit, mais il n'éprouvait pas de sentiment pour elle. De toute façon, il était accaparé par ses ennuis professionnels, et son cœur battait toujours pour Anaba. L'avoir revue, en France, le laissait totalement désemparé. Il finissait par se demander si elle n'avait pas été la meilleure part de lui-même, la seule femme capable de le faire vibrer, et depuis qu'il l'avait abandonnée, il se sentait de plus en plus mal.

— Comment ça se passe, au cabinet ? demanda Michelle en déposant sa carte sur l'addition.

— Comme d'habitude. Un boulot dingue.

Il n'allait sûrement pas lui raconter que, à son retour de Paris, sa piètre prestation et son compte-rendu incomplet n'avaient pas arrangé sa position précaire. On lui avait retiré le dossier pour le confier à un avocat plus jeune et moins expérimenté que lui, ce qui représentait une punition doublée d'une humiliation. Parmi ses collègues, il vivait désormais une véritable descente aux enfers. Et en guise de « boulot dingue », il n'avait aucune affaire importante à traiter. Plus vexant encore, on lui avait momentanément retiré sa secrétaire particulière et il devait se contenter de celle de l'étage, toujours saturée. La mort dans l'âme, il avait demandé un entretien au big boss qui ne le recevrait que dans huit jours. Il ignorait encore comment il allait plaider sa cause, mais avant qu'on ne le change de bureau pour le transférer dans un placard au bout du couloir, il devait réagir.

— Tu parais très soucieux, très distrait.

Une manière de lui dire qu'il n'était pas drôle et qu'elle passait une mauvaise soirée ? Avec elle aussi, il devait faire attention. À la fin du mois, le grand dîner annuel réunissant tout le cabinet aurait lieu, et arriver au bras d'une femme comme Michelle le valoriserait. Pas question de se fâcher d'ici là.

— J'aurais aimé prendre des vacances, partir quelques jours avec toi, déclara-t-il en prenant son air le plus aimable. Malheureusement, il n'en est pas question.

— Console-toi en te disant que tu gagnes de l'argent ! Pendant ce temps-là, je galère dans ma boîte. La période est mauvaise, nous n'avons que très peu d'annonceurs et notre seul gros contrat nous a claqué dans les doigts.

— Pourquoi ?

— La concurrence. Une meilleure idée ailleurs… La pub est un métier de chien.

Lawrence lui tendit galamment la main pour l'aider à se lever. Dépensière comme elle l'était, si Michelle connaissait une baisse de revenus elle finirait par s'adresser à lui. Et là...

— On va boire un verre ? proposa-t-elle.

Il la détailla des pieds à la tête, ébaucha un sourire.

— J'aimerais autant rentrer, j'ai envie de toi depuis le début du repas.

Ravie, elle eut un petit rire de gorge très sensuel.

— D'accord, on boira chez toi.

Au moins, il avait un pack de bière au frigo, et deux ou trois bouteilles de champagne qui lui restaient d'une caisse envoyée par un client. Avec un peu de chance, elle oublierait la note du restaurant s'il commençait à la déshabiller à peine arrivée.

— Tu as vu Augustin, à Paris ? demanda-t-elle tandis qu'ils montaient dans un taxi.

— En coup de vent.

Il aurait pu répondre « en coup de poing » mais il n'avait pas envie de lui raconter leur dispute. Elle n'appréciait pas Augustin parce qu'il n'avait jamais été en extase devant elle. D'ailleurs, qui admirait-il ? À une époque, il avait semblé épaté par Lawrence, par ses notes aux examens comme par ses talents de patineur, mais tout ça était terminé. Les soirées entre hommes à refaire le monde en regardant passer les filles, l'amitié virile, les courses folles sur la glace qui leur rappelaient leur jeunesse, les randonnées en raquette qui provoquaient immanquablement des fous rires : tous ces bons moments n'auraient plus lieu. Et Lawrence pressentait qu'il allait le regretter. Si Augustin avait été à Montréal, Lawrence aurait su à qui se confier et sur qui compter. Chaque fois qu'il avait eu des ennuis, Augustin s'était mis en quatre pour l'aider. Aujourd'hui, il n'y avait pas seulement un continent entre eux, il y avait Anaba. Seigneur ! Était-ce concevable ? L'idée d'Anaba dans les bras d'Augustin le rendait malade.

— Nous sommes arrivés, Lawrence, fit remarquer Michelle d'une voix agacée.

Par bonheur, il avait assez de monnaie pour régler le taxi. Dès demain, il irait voir son banquier, négocierait de nouveaux délais. Il rejoignit Michelle sur le trottoir et la prit par la taille pour entrer dans l'immeuble. Son duplex était vraiment une merveille, pas question qu'on le saisisse pour payer ses dettes. Avant d'en arriver à cette extrémité, il trouverait une solution. Il pouvait se résoudre à appeler ses parents et à leur raconter un gros bobard. Mais même s'il se montrait convaincant, ils n'avaient sans doute plus beaucoup d'économies. Serait-ce suffisant pour amadouer la banque et attendre que l'orage passe ? Bonté divine, il était un *excellent* avocat, comment avait-il fait pour se mettre dans un pétrin pareil ?

— Décidément, j'adore ton appartement ! s'exclama Michelle à peine entrée.

Oui, il l'avait bien arrangé, meublé avec goût, et la vue était magnifique de jour comme de nuit.

— Parfois, je me dis que je quitterais volontiers Ottawa, ajouta-t-elle d'une voix langoureuse. Il y a de bonnes boîtes de pub à Montréal…

Mais devant son silence, elle n'osa pas préciser qu'elle s'installerait ici avec plaisir.

*
* *

— Ah bon, il a une petite amie, une femme dans sa vie ?

— Il n'a pas dit dans sa vie mais dans sa tête, expliqua Anaba. En tout cas, les choses sont claires entre nous désormais, et je me sens soulagée. Je n'aurais pas voulu qu'il s'imagine des choses, ça aurait pourri nos rapports.

— À ce point-là ? Il n'est pas repoussant !

— Bien sûr que non. Il a même un charme fou… pour un brun. Mais tu sais bien que je n'aime que les blonds. Et puis, je ne le verrai jamais autrement que comme ce meilleur ami que m'avait présenté Lawrence.

Stéphanie était en train de mettre des bougies rouges dans un chandelier de bronze très travaillé.

— C'est mieux comme ça, non ? On a tout de suite envie de l'avoir sur sa table, on imagine un dîner romantique… Donc, Augustin a le cœur pris ?

— Il ne m'a pas donné de détails. Mais pourquoi insistes-tu pour savoir ? Il te plaît ou quoi ?

— Ne sois pas bête, il est beaucoup trop jeune pour moi.

— Sept ans, ce ne serait pas insurmontable.

— Anaba !

L'arrivée d'un client les interrompit. Après l'avoir salué, elles le laissèrent se promener à sa guise parmi les meubles et les objets. Il finit par s'arrêter devant un bonheur-du-jour qu'il inspecta avec intérêt.

— Croyez-vous que ce serait une bonne idée de cadeau pour mon épouse ? demanda-t-il en se tournant vers elles.

— Idéal, répondit Anaba avec aplomb. Ce type de petit bureau, qui s'est répandu en France au milieu du XVIIIe siècle, était justement destiné aux femmes. Décoratif, facile à déplacer, il peut servir de secrétaire, de chiffonnière ou de coiffeuse.

— Ah…, fit le client, un peu déconcerté.

Il se pencha pour lire le prix sur l'étiquette et hocha la tête.

— Ça correspond à mon budget, mais comment être sûr que ça lui plaira ?

Stéphanie s'approcha, sourire aux lèvres.

— Vous pourriez emmener votre épouse ici et le lui montrer ?

— Non, c'est pour ce soir. Une surprise.

— Alors, vous n'avez qu'à le prendre, et si par hasard il ne lui convient pas, vous me le rapportez et je vous rembourse intégralement.

Le visage de l'homme s'éclaira aussitôt.

— Dans ces conditions, c'est parfait !

Il régla son achat et Anaba l'aida à transporter le petit meuble jusqu'à sa voiture. Quand elle revint au magasin, Stéphanie riait toute seule.

— Voilà une vente vite bouclée !

— Grâce à toi, soupira Anaba. Tu as le sens du commerce, tu sais ce qu'il faut dire. Moi, j'étale ma science et ça ne sert pas à grand-chose.

— Si, avec des clients plus pointus que lui et qui ont envie de parler d'art. Les meilleurs ! Lui voulait juste un beau cadeau, il est entré ici parce qu'il ne savait pas trop où aller. Tu as moins l'habitude que moi de convaincre, c'est normal. Ton travail au musée était très solitaire alors que je suis au contact des gens depuis des années. J'adore ça ! Rien qu'en les observant, j'ai appris à les ranger dans des catégories bien distinctes : l'indécis, le promeneur, le fauché, le curieux, le pressé...

Amusée par cet inventaire, Anaba se mit à rire.

— Travailler avec toi est un régal ! Bon, je retourne dans mon atelier, je suis en train de nettoyer la petite peinture sur bois que tu as rapportée la semaine dernière. Tu l'avais payée cher ?

— Non, une misère.

— Eh bien, je crois pouvoir en tirer quelque chose de surprenant. Figure-toi que, sous le paysage, plutôt médiocre, un beau visage de Christ est en train d'apparaître. On dirait que quelqu'un, pour une raison indéterminée, a voulu cacher cette peinture religieuse mais l'a fait avec précaution.

— Waouh ! Et tu en as pour longtemps ?

— Quelques jours, sois patiente. Ah, et puis j'ai oublié de te dire que Jean-Philippe Garnier, le type du paravent à cinq panneaux, est tellement satisfait qu'il tient absolument à m'inviter pour déjeuner ou dîner au restaurant *La Chaîne d'Or*, juste à côté d'ici. Je lui proposerais bien jeudi soir, puisque je sais que tu as un truc de prévu.

— Excellente idée ! s'enthousiasma Stéphanie. Je suppose qu'il est sympa ?

— Intéressant.

C'était la première fois qu'Anaba acceptait ce genre de sortie depuis son retour de Montréal. Jusque-là, elle avait parfois accompagné sa sœur chez des amis, mais toujours un peu à contrecœur, comme si elle ne voulait rencontrer personne. Elle n'avait pas non plus repris contact avec ses propres relations et n'allait que très rarement à Paris. Qu'elle manifeste le désir de dîner avec un homme, quel qu'il soit, était bon signe.

Anaba quitta le magasin pour regagner l'atelier et Stéphanie continua d'arranger çà et là quelques objets afin de les mettre en valeur. Elle avait de la comptabilité en retard mais, sous prétexte de rééduquer son bras, elle préférait se trouver des tâches plus physiques. De toute façon, elle ne tenait pas en place, l'immobilité forcée à l'hôpital durant quelques jours lui ayant été très pénible. Le temps superbe de ce début de mai donnait envie d'aller se promener, d'être dehors, peut-être même de partir en voyage. Vancouver aurait été une destination fabuleuse, bien sûr, mais il ne fallait plus y songer. Trop loin, trop cher, et d'ailleurs Stéphanie ne fermait jamais à cette époque de l'année. Et puis, il fallait aussi abandonner l'idée de voir Anaba et Augustin s'engager dans une amitié amoureuse. Dommage, c'était un homme charmant, et sans doute mille fois plus fiable que Lawrence ! En tout cas, l'avoir pour ami restait réjouissant car il était toujours de bonne compagnie. Drôle, serviable, chaleureux, et surtout modeste, car il parlait peu de lui ou de ses succès. Pourtant, maintenant qu'elle y faisait attention, Stéphanie voyait les livres d'Augustin en pile à la maison de la presse ou dans son supermarché. Auteur de polars... Un drôle de métier, mais leur père avait paru très intéressé, il avait posé plein de questions à Augustin sur la construction d'une intrigue, le point de vue du narrateur, l'avantage des dialogues ou du style indirect. Au bout d'un moment, leur discussion était devenue assommante et Stéphanie avait cessé d'écouter, se contentant d'observer Augustin. Non, sa cicatrice ne le défigurait pas, bien qu'étant très visible. Elle partait de la tempe, juste au-dessus de la pommette, descendait dans le creux de la joue et s'arrêtait avant le maxillaire. Ni boursouflée ni rose – comme celle du bras de Stéphanie pour l'instant –, les années l'avaient sans doute pâlie et atténuée, mais un muscle ne répondait plus, créant une dissymétrie lors de certaines expressions du visage. Augustin semblait s'en moquer, il ne portait pas de cols montants ou de grosses lunettes de soleil pour se dissimuler.

Le carillon de la porte lui fit lever la tête et elle sourit au couple qui venait d'entrer. En quelques minutes, elle comprit que la femme avait craqué sur le chandelier de bronze orné de ses bougies rouges, tandis que l'homme hésitait devant une élégante lampe à pétrole.

— En état de fonctionner ? demanda-t-il en la soupesant.

— Il faudrait changer la mèche, mais elle a été fabriquée pour ça.

— Elle me plaît. Je la prendrais bien si elle était un peu moins chère.

Stéphanie eut un geste d'impuissance, sans cesser de sourire.

— Je suis désolée, dit-elle aimablement. Il s'agit d'une authentique faïence de Moustiers.

Elle n'appréciait pas le marchandage des objets exposés, dont elle avait calculé le prix avec soin.

— Nous ne sommes pas dans une brocante, chuchota la femme à son compagnon. Tu la prends ou tu la laisses !

— Je la laisse, dit-il pour ne pas céder, mais je t'offre ton chandelier.

La femme le toisa des pieds à la tête, apparemment agacée.

192

— Si vous achetez plusieurs choses, décida Stéphanie, je peux vous consentir un geste commercial de cinq pour cent sur l'ensemble.

Elle savait exactement quand et comment intervenir dans ce genre de situation. L'homme avait envie de la lampe, il fallait juste lui offrir la possibilité de sortir de la transaction la tête haute. Avec un petit mouvement du menton en signe d'approbation, il lui tendit sa carte bancaire.

*
* *

Roland était assez content de lui. Pour une fois, il ressortait de chez le libraire avec un peu d'*argent* en poche. La plupart du temps, il n'arrivait pas à résister, s'il vendait un de ses précieux livres, il en achetait deux autres à la place et réglait la différence. Moralité, sa passion lui coûtait cher et il n'avait plus la moindre place disponible dans sa petite maison. Aujourd'hui, il s'était montré courageux, se séparant sans états d'âme d'une édition ancienne des œuvres de lord Byron, sans se jeter pour autant sur le François Villon qu'il convoitait.

Il fit un détour par le square des Épinettes afin de saluer le hêtre pourpre plus que centenaire auquel il recommandait régulièrement l'âme de Léotie. Pourquoi s'adressait-il à un arbre plutôt qu'entrer dans une église ? Toutes ses lectures l'avaient peu à peu éloigné de la religion. Il était devenu agnostique mais pas incroyant. Si Dieu était quelque part dans l'univers, il pouvait tout aussi bien se trouver dans ce hêtre majestueux. Assez philosophe pour comprendre que ses deux veuvages – surtout le second – entamaient sa confiance en l'Infiniment *Bon*, il n'avait pourtant pas tout à fait perdu la foi.

Rêveur, il alla s'asseoir sur son banc favori. Le soleil de mai était résolument triomphant, comme lui à sa sortie de chez le libraire. Il avait pris la décision de ne plus se ruiner quelques jours plus tôt, en observant Stéphanie et Anaba. Le déjeuner aux Andelys avait été un moment très agréable, cependant, à peine de retour chez lui, il s'était posé une foule de questions au sujet de ses deux filles. Les aidait-il suffisamment ? Certes, il les avait élevées, mais sa tâche ne s'arrêtait pas à leur majorité, toute sa vie il se sentirait plus ou moins responsable d'elles. Jamais elles ne lui auraient demandé d'argent, sachant qu'il n'en possédait guère, mais ni l'une ni l'autre ne roulait sur l'or. La preuve en était de cette opportunité de séjour à Vancouver, qu'elles n'avaient pas pu saisir. Mais, à défaut d'une aide matérielle, était-il assez disponible, assez affectueux ? Il aurait aimé les faire profiter de son expérience, de ses conseils, or il était trop tard pour ça. Par pudeur, il s'était bien gardé de se mêler de leurs affaires senti-mentales ou professionnelles. Pour ne pas les asphyxier, il ne les avait pas câlinées autant qu'il l'aurait voulu. Il était là, il veillait, mais suffisait-il à leurs besoins ? Toutes les heures passées à classer des livres ne leur avaient-elles pas été en quelque sorte volées ? Stéphanie avait divorcé deux fois, Anaba s'était entichée d'un homme capable de la plaquer le matin du mariage. Quelle vision avaient-elles de l'amour, de l'union de deux êtres ? Et pourquoi n'était-il pas capable de les interroger directement là-dessus ? Leurs échanges se limitaient souvent à des banalités, il en prenait cruellement conscience. Croyaient-elles donc que ce rat de bibliothèque qu'était leur père n'avait aucune envie de les écouter ?

« Comme la vie est compliquée… On croit bien faire et on passe à côté. On pense se dévouer et on n'est qu'égoïste, paresseux ou empêtré dans sa timidité. Savoir dire qu'on les aime aux gens qu'on aime, quel défi ! J'étais là physiquement mais je ne pensais qu'à Léotie, à ma douleur mal consolée par les livres. »

Au moins, il avait remarqué le regard d'Augustin Laramie. De beaux yeux verts qui revenaient toujours sur Stéphanie. Des coups d'œil discrets, hésitants, incessants. Un homme pouvait deviner ces choses-là, Roland ne s'y était pas trompé. Mais elle n'avait rien vu, occupée à pousser sa sœur vers Augustin. Quelle idée absurde !

« Dois-je le lui dire ? Attirer son attention ? Ce n'est pas mon rôle habituel, elle ne comprendrait pas. »

Tout de même, c'était dommage. En se levant, il tâta sa poche où se trouvaient les billets donnés par le libraire. Il allait vendre d'autres livres, faire de la place. Rendre sa maison plus accueillante, y recevoir ses filles plus souvent.

Il sortit du square, se dirigea vers la rue de La Jonquière. Stéphanie avait quarante-deux ans, il ne pouvait décemment pas se mêler de sa vie privée. Peut-être risquer une simple allusion ?

« Ah, tu es terrible ! Ne fais rien, ne dis rien. Attends. Quand tu appelles, ne pose pas de question stupide. Pendant ce temps-là, range et trie ta bibliothèque, fais-toi plaisir. »

Et voilà l'égoïsme qui pointait à nouveau son nez. Bon, il n'était pas parfait et ne tenait pas à l'être. Sa passion des livres, à condition de la tenir en laisse, lui permettait d'avoir une retraite intéressante, presque heureuse, et de ne pas peser sur ses filles. Elles n'auraient pas voulu savoir qu'il s'ennuyait à longueur de journée, qu'il se morfondait près du téléphone en attendant leurs appels, qu'il ne vivait que pour leurs trop rares visites. Eh bien, ce n'était pas le cas, il fallait s'en réjouir au lieu de se fustiger !

« Aurais-je l'air de mijoter quelque chose de louche si j'invitais cet Augustin la prochaine fois que les filles viendront ? Oui, évidemment… »

Tant pis, il se contenterait d'être spectateur. Neutre mais bienveillant. Le sympathique Canadien aurait un allié muet, mais pas de coup de pouce. Car comme tous les autres, le destin de Stéphanie était écrit, il s'accomplirait sans que personne s'en mêle.

7

Charlotte s'était surpassée. Elle avait préparé un pâté de viande de gibier qu'elle comptait présenter sur un lit de têtes-de-violon, de jeunes pousses de fougères très savoureuses. Ensuite, elle servirait un saumon sauvage entouré de galettes de pomme de terre. Enfin, elle avait opté pour le dessert préféré d'Augustin, des gaufres qu'il pourrait noyer de sirop d'érable. Sa venue était toujours un événement préparé avec soin, et Jean lui-même était allé acheter quelques bouteilles de bon vin. Mieux encore, il avait pris sa voiture pour se rendre à Steveston, un village de pêcheurs situé à une vingtaine de kilomètres de Vancouver, où on trouvait les meilleurs poissons. Il en avait rapporté des soles, des langoustines et des crabes, prévus pour les repas du lendemain.

Après avoir réglé le four, Charlotte s'échappa de la cuisine afin de vérifier une dernière fois si tout était en ordre dans la chambre de leur fils. Les rideaux revenaient de chez le teinturier, ainsi que le dessus-de-lit, un gros bouquet de fleurs trônait sur la commode. Lorsqu'ils avaient acheté la maison, elle avait pris beaucoup de plaisir à décorer cette pièce, essayant de coller au plus près des goûts de leur fils. Il aimait les tons chauds comme le rouge ou le tabac, et n'appréciait pas les imprimés. Aussi, pour suggérer une atmosphère masculine, Charlotte avait choisi une tête de lit en cuir fauve, assortie à une paire de fauteuils Chesterfield installés près de la fenêtre. Elle espérait de tout cœur qu'Augustin amènerait un jour une femme avec lui et la leur présenterait comme sa future épouse. Il avait trente-cinq ans, il était vraiment temps qu'il leur donne des petits-enfants ! D'autant plus qu'il ferait un père formidable, Charlotte en était persuadée. Malheureusement, ses rapports avec les femmes ne devaient pas être simples car toutes ses histoires d'amour s'étaient achevées dans une impasse. Était-ce sa cicatrice qui le complexait ? Charlotte en avait la conviction. Elle connaissait Augustin mieux que personne, et sous son apparente désinvolture elle devinait qu'il avait dû souffrir, à vingt ans, d'être quasiment défiguré durant des mois et des mois. Sans l'acharnement de Jean, qui avait remué ciel et terre pour trouver le meilleur chirurgien plasticien, puis qui avait convaincu leur fils de se faire réopérer, Augustin serait resté vilainement balafré. Alors, même si les choses s'étaient considérablement arrangées par la suite, peut-être le traumatisme psychique demeurait-il ? Peut-être que les regards apitoyés ou horrifiés des filles, à l'université, l'avaient marqué à jamais ?

Lorsqu'elle en parlait à Jean, il haussait les épaules, rappelant que leur fils était tout sauf une mauviette. Original, peut-être, mais la tête sur les épaules. Et pas occupé à se regarder dans une glace du matin au soir, ni à se soucier outre mesure de son apparence. Elle n'était pas d'accord mais n'insistait pas car le seul jour où elle l'avait fait, voulant avoir raison comme toujours, Jean avait férocement livré le fond de sa pensée en accusant ce « sale con » de Lawrence de l'avoir fait exprès.

Charlotte trouvait son mari très injuste. À l'époque, Lawrence était le meilleur ami d'Augustin, ils étaient inséparables et s'entendaient comme larrons en foire. Excellents patineurs tous les deux, ils faisaient merveille dans l'équipe universitaire de hockey. Par quelle aberration perverse Lawrence aurait-il voulu du mal à Augustin ? S'il s'était rendu chaque jour à l'hôpital, c'était par amitié et non pas pour soulager sa conscience, comme le prétendait Jean. Bien sûr, il devait se sentir responsable, mais il s'agissait d'un terrible accident, rien d'autre. Charlotte ne s'était pas laissé aveugler par son amour maternel, elle n'avait pas cherché un coupable à tout prix. Elle aimait bien Lawrence, le trouvait brillant, intéressant, et très beau garçon. Longtemps, elle avait espéré que grâce à lui Augustin poursuivrait ses études de droit malgré ses mauvais résultats. « Prends modèle sur Lawrence ! » répétait-elle pour le stimuler. Mais Augustin n'obtenait que des notes médiocres, il s'ennuyait en cours, rêvait d'une vie d'artiste et s'habillait comme un clochard. Lorsqu'il avait abandonné l'université pour s'inscrire dans cet improbable atelier d'écriture, la déception de Jean avait été immense. Personne ne reprendrait l'usine, il faudrait la *vendre*. Un crève-cœur.

Elle entrouvrit la fenêtre pour laisser entrer l'air délicieux du printemps. Jean n'avait pas bazardé son affaire familiale, il l'avait au contraire très bien négociée. Ils étaient largement à l'abri du besoin et pouvaient s'offrir une retraite sans soucis. Augustin avait choisi un autre métier, et alors ? Elle se sentait fière de lui chaque fois qu'elle voyait ses livres ou qu'elle lisait un article à son sujet dans les rubriques littéraires.

Après un dernier coup d'œil circulaire, elle referma doucement la porte et se dépêcha de retourner à la cuisine.

*
*   *

— Ta mère t'a concocté un menu de gala, avertit Jean, j'espère que tu meurs de faim !

Il avait récupéré à l'aéroport un Augustin rendu un peu hagard par treize heures de voyage et, en arrivant à la maison, il l'avait conduit directement dans son bureau pour lui offrir un cognac en guise de remontant.

— Alors, es-tu satisfait de la British Airways ?

— Depuis Paris on fait une escale à Londres, mais ensuite le vol est direct. Je préfère ça plutôt que m'arrêter à Montréal, et le prix est plus intéressant.

— Si tu n'habitais pas la France, tu ne serais pas obligé de te ruiner pour venir voir tes vieux parents ! Pourquoi n'aimes-tu pas faire escale à Montréal ?

— Parce que j'ai l'impression d'être arrivé, je ne comprends pas pourquoi je ne quitte pas l'aéroport.

Jean esquissa un sourire. Il savait que son fils restait très attaché à son pays, et surtout à la ville où il était né, où il avait passé son enfance et sa jeunesse.

— Tu as toujours ton studio là-bas ?

— Oui, bien sûr. Je le garde pour mes amis, mes habitudes… et il n'y a pas de neige l'hiver à Paris, ça me manque. Accessoirement, j'ai aussi mon éditeur québécois ainsi que ma traductrice pour les États-Unis, qui est une femme très marrante. Elle est tombée amoureuse de Max, mon commissaire que tu connais à présent.

Ils échangèrent un regard amusé, puis Jean admit de bonne grâce :

— D'accord, j'aurais peut-être dû te lire plus tôt. J'ai été agréablement surpris, je te l'ai dit, ce n'est pas la… soupe que j'imaginais.

Augustin le dévisagea quelques instants avant de murmurer :

— Merci.

Au milieu de toutes ses bonnes raisons pour conserver son studio, il n'avait pas mentionné Lawrence, ce qui intrigua Jean.

— Et ton ami le fuyard de noces, ne put-il s'empêcher de demander, tu fais toujours du ski avec lui dans les Laurentides ?

— Non, pas cette année, admit Augustin. Avec cette histoire de mariage raté…

Pour la première fois depuis bien longtemps, il n'était pas allé passer quelques jours avec Lawrence à Mont-Tremblant. Pas de balades à motoneige ou dans un traîneau à chiens, pas de folles descentes à ski sur les pistes s'enfonçant dans la forêt.

— Figure-toi qu'Anaba, celle qu'il devait épouser, est une fille vraiment adorable.

— Tu l'as revue en France ?

— Bien obligé. Lawrence a renvoyé ses affaires chez moi parce qu'il ne savait pas où elle était.

— Mais toi, oui ?

— Enchaînement de circonstances. Elle avait aussi oublié son cellulaire au *Hilton Bonaventure*. Bref, j'ai fait la connaissance de son père, de sa sœur…

Le visage d'Augustin prit une expression rêveuse, puis il étouffa un soupir.

— J'aurais bien aimé te la présenter.

— Qui ? *Anaba ?*

Entre stupeur et réprobation, Jean mit ses mains sur ses hanches et toisa son fils.

— Mais enfin, Augustin, où veux-tu en venir ?

— En fait, je les avais invitées toutes les deux, elle et sa sœur Stéphanie, à m'accompagner ici. Seulement, c'est un grand voyage, ça coûte cher, et Anaba aura sûrement du mal à remettre les pieds au Canada.

Jean le considérait à présent avec des yeux ronds.

— Est-ce que tu es en train de me dire que tu… ?

Non, il ne pouvait pas croire qu'Augustin veuille récupérer la fille que Lawrence avait éconduite. Consoler les cœurs brisés était sa nouvelle lubie ? Déjà, gamin, il ne pouvait pas s'empêcher de ramener les chiens perdus et les chats errants à la maison.

— Je suis amoureux, déclara Augustin en plantant son regard dans celui de son père.

Une incroyable déclaration, pour un garçon aussi discret que lui sur ses sentiments. Sa mère avait toujours dû lui arracher les confidences et n'avait jamais obtenu beaucoup de détails. La seule chose évidente était qu'il avait connu des ruptures douloureuses.

— Écoute, c'est ridicule. Mettons que tu éprouves de la compassion.

Augustin ne semblait pas comprendre, il regardait son père d'un air interrogateur et méfiant.

— Compassion ? Non, sûrement pas. Je suis… en admiration.

— Elle est si jolie que ça, cette fille ? risqua Jean.

— Ce n'est pas une *fille*, papa, c'est une femme. Moi, je la trouve très belle, oui.

— Parfait ! Tu as trente-cinq ans, tu peux faire ce que tu veux de ton existence, ça ne me regarde pas. D'ailleurs, ça ne m'a jamais regardé, tu t'es passé de mon avis sur bien des choses. Pour ton grand ami Lawrence, le si brillant et si sympathique Lawrence, tu ne m'as pas écouté non plus. Or ce type ne voulait pas ton bien, il voulait juste que tu lui serves de faire-valoir. À un moment donné, tu as dû le gêner malgré tout, il…

— Tu ne vas pas me ressortir cette vieille histoire ?

— Tu l'as oubliée, toi ? demanda Jean d'un ton dur.

— C'était un *accident*, papa.

— Chacun sa vérité ! Mais, quoi qu'il en soit, te voir ramasser ses rogatons ne peut pas me faire plaisir.

— Ses rogatons ? Tu parles de quoi ?

— De ton coup de cœur pour cette Anaba !

— Anaba ?

Augustin considéra son père avec stupeur puis, l'instant d'après, il éclata de rire.

— Décidément, ça crée le malentendu. Comment peux-tu imaginer un truc pareil ? Allez, ne fais pas la baboune, il ne s'agit pas d'Anaba mais de sa sœur Stéphanie.

Soudain calmé, Jean resta d'abord silencieux puis finit par marmonner :

— Oh, désolé… Stéphanie, tu dis ? Et donc, tu es amoureux ? Eh bien… félicitations.

— Trop tôt pour ça, elle n'est pas au courant.

— Mais alors, pourquoi...

— Pourquoi je t'en parle ? Parce qu'il *fallait* que je le dise à quelqu'un tellement ça me gonfle le cœur ! Et mon père m'a paru le plus indiqué.

Ému, Jean le rejoignit, lui prit son verre des mains.

— Tu es un très curieux garçon, mais ça me va. Maintenant, je pense que le dîner est prêt et qu'on n'a pas intérêt à faire attendre ta mère.

— Ne lui en parle pas pour l'instant, demanda Augustin en se levant.

— Oh, je m'en garderai bien ! Si elle te savait amoureux, ça deviendrait son seul sujet de conversation du matin au soir.

Jean poussa Augustin hors du bureau, très content de leur petite conversation. Pour la première fois son fils l'avait pris pour confident, c'était un jour à marquer d'une pierre blanche.

*
* *

Anaba laissa retomber le rideau. Elle n'arrivait pas à dormir et, bien qu'elle la connaisse par cœur, elle relut la longue lettre de Lawrence. Même si elle refusait de croire à ses protestations d'amour, elle se sentait bouleversée par certaines phrases désespérées. Il écrivait qu'il s'en voulait d'avoir tout gâché, de lui avoir fait du mal, de s'être comporté si lâchement. Et il était bien puni car il affirmait penser à elle nuit et jour, ne plus arriver à travailler, être sur le point de se faire licencier par son cabinet d'avocats.

Lawrence ? Difficile d'admettre qu'un homme aussi brillant, aussi sûr de lui, puisse être mis sur la touche dans son métier. Mais après tout, peut-être souffrait-il vraiment ? Il avait aimé Anaba, de ça elle ne doutait pas, et prétendait l'aimer encore comme un fou. Il demandait, avec beaucoup d'humilité et sans avoir l'air d'y croire, s'ils ne pourraient pas reprendre leur histoire à l'endroit où il l'avait brisée net.

Elle ne comptait pas répondre à ce courrier, en conséquence elle aurait mieux fait de le jeter ou le brûler au lieu de le relire sans cesse. Néanmoins, les mots comme les souvenirs avaient un certain pouvoir. D'autant plus fort qu'Anaba était accablée par la perspective de devoir tout recommencer avec un autre homme. Apprendre à se connaître, à se faire confiance, à bâtir des projets... Après avoir envisagé très sérieusement, honnêtement et joyeusement de s'expatrier pour fonder sa famille, elle devait aujourd'hui se limiter à des rencontres tâtonnantes, des premiers pas incertains. Puisqu'elle avait décidé d'accepter les invitations, elle s'ennuyait dans des tête-à-tête avec des quasi-inconnus qu'elle n'imaginait pas une seconde pouvoir remplacer Lawrence. L'avant-veille, elle s'était retrouvée à boire le « dernier verre » dans la maison d'un homme qui ne lui plaisait que vaguement, puis à le suivre dans son lit. Il ne s'était pas passé grand-chose parce qu'elle avait fondu en larmes dès qu'il avait commencé à la caresser. Courtois, le monsieur avait compris qu'il ne servait à rien de poursuivre, et après s'être rhabillés ils avaient fini le verre dans le séjour, en panne de conversation.

Assise en tailleur sur son lit, elle éparpilla les feuillets de la lettre autour d'elle. Moderne, Lawrence n'appréciait que les courriels ou les SMS, il avait dû peiner pour rédiger à la main un si long courrier. Elle l'imaginait tournant comme un lion en cage dans son duplex, passant d'un étage à l'autre, le front marqué d'un pli soucieux, sachant très bien qu'Anaba ne pouvait pas l'absoudre.

Était-ce tout à fait impossible ? Si elle mettait de côté son chagrin et son amour-propre, désirait-elle vraiment l'oublier à jamais ? Sans sa visite si inattendue et sa lettre aux accents déchirants, elle ne se serait même pas posé la question. À présent, elle doutait. N'y avait-il pas une grande vertu dans le pardon ? Mais aussi une grande facilité. Comme des enfants, on efface tout et on recommence la partie ? Non.

Elle eut envie d'aller réveiller Stéphanie, de s'asseoir au pied de son lit et de lui ouvrir son cœur. Que devait-elle faire de la main tendue de Lawrence ? L'ignorer ou y réfléchir ? Mais Stéphanie serait probablement catégorique et lui enjoindrait de ne plus y penser, même pas en rêve. Ce qui était cassé l'était pour toujours.

Empilant les feuillets, elle en fit une liasse. Après une dernière hésitation, elle les déchira. Ce geste symbolique la soulagea, pourtant il n'avait rien de définitif.

*
* *

Michelle promenait sa main aux ongles longs dans le creux des reins de Lawrence. Elle ne savait plus trop quoi penser à son sujet. D'instinct, elle devinait qu'il avait des problèmes avec son job car jamais il n'aurait pu songer à *démissionner* d'un cabinet d'affaires de cette importance. Que lui cachait-il ? Avait-il commis une impardonnable bourde sur un dossier ? Non, pas lui, impossible.

Il semblait assoupi mais il tressaillait quand elle le griffait doucement aux endroits sensibles. C'était un bon amant, parfois un peu trop content de ses prouesses, mais elle ne détestait pas cette arrogance qui faisait partie intégrante de sa personnalité. À plusieurs reprises, cherchant à tester son état d'esprit, elle avait évoqué la possibilité de quitter Ottawa pour venir s'installer à Montréal. Elle y trouverait facilement du travail, elle était bonne dans sa partie. Et surtout, elle en avait assez des trajets en voiture, il fallait compter au moins une heure et demie entre les deux villes par l'autoroute 417.

— Tu dors ? chuchota-t-elle.

— Non.

— Tu rumines tes soucis ?

— Oui.

Ses réponses laconiques trahissaient sa mauvaise humeur. D'une main experte, elle lui massa la nuque, les épaules l'une après l'autre, jusqu'à ce qu'elle le sente se détendre, alors elle descendit plus bas, le caressa entre les cuisses.

— Arrête, marmonna-t-il, le nez toujours dans son oreiller.

— Bon sang, Lawrence, tu n'es pas marrant en ce moment !

Il tourna la tête pour la regarder. Des yeux bleu glacier dénués d'expression, des traits durcis par une colère muette. C'était décidément un très bel homme, séduisant, excitant, et elle était ravie de l'avoir récupéré. Quand il s'était entiché de son Anaba, elle avait cru qu'il suffirait d'un peu de patience pour attendre qu'il s'en lasse, mais à l'annonce de son mariage elle avait beaucoup regretté de ne pas s'être battue davantage. Destiné à une belle carrière, propriétaire d'un duplex de rêve dans le centre de Montréal, doté d'un physique de jeune premier : pourquoi avait-elle laissé échapper un tel oiseau rare ? En se donnant un peu de mal, elle aurait aisément pu vaincre la petite *Indienne*. Par chance, les choses s'étaient arrangées d'elles-mêmes, et aujourd'hui c'était bien Michelle qui se retrouvait dans le lit de Lawrence. Mais il y avait quelque chose de changé.

Elle soupira, retira sa main. S'il devait devenir grincheux, s'il se mettait à préférer la livraison à domicile de pizzas au lieu des bons restaurants, s'il oubliait de lui faire des cadeaux ou de la rembourser quand elle lui avançait de l'argent, il allait perdre de son attrait.

— C'est quoi le *dress code* pour le grand dîner de ton cabinet ?

— Je ne sais pas si j'ai envie d'y aller, grogna-t-il.

— Ne sois pas stupide, tu ne peux pas t'en dispenser. Mais s'il faut robe longue et falbalas, je ferais bien les boutiques avec toi.

— Avec moi ? Pourquoi ? Depuis quand as-tu besoin de mon avis pour t'habiller ?

— J'ai juste envie que tu m'offres une jolie tenue, avec la lingerie assortie...

Si elle avait cru l'émoustiller, elle déchanta aussitôt.

— Non, nous n'irons pas magasiner ensemble, j'ai d'autres préoccupations ! Je vais quitter cette boîte à la con, je ne peux pas foutre mon fric en l'air en ce moment.

— Tu as autre chose en vue pour vouloir partir de cette « boîte à la con » qui est une des meilleures de la ville ? demanda-t-elle froidement.

— Je vais peut-être… me mettre à mon compte.

Elle eut la certitude qu'il mentait. S'installer en free-lance dans le domaine des affaires n'était pas réaliste.

— Il faudra donc que je trouve un local, poursuivit-il, que je l'équipe, bref des dépenses à perte de vue alors que je suis un peu raide.

— Toi ?

— Tu sais ce que ça coûte, tout ça ?

D'un geste circulaire, il montra la chambre autour d'eux. Son duplex devait en effet lui coûter cher en frais de copropriété et en remboursements, mais enfin, il gagnait très bien sa vie, où était le problème ?

— Et il y a eu toute cette histoire de mariage. Une fortune claquée pour rien !

— Au moins, s'enquit-elle avec un sourire cynique, as-tu récupéré la bague ? Si tu es fauché, ça te ferait toujours un peu d'argent de poche !

— Non, voyons…

— Pourquoi non ? De quel droit Anaba la garderait-elle ? Elle ne doit sûrement pas la porter, donc elle ne sert à rien. Et je sais ce que vaut un beau diamant. Tout ce pactole jeté au fond d'un tiroir, avoue que c'est dommage.

Il parut y réfléchir un instant avant de hausser les épaules.

— Si tu veux jouer les grands seigneurs, Lawrence, alors ne te plains pas !

Le moment de câliner était passé, ils ne feraient pas l'amour ce matin.

— Je vais prendre un bain, décida-t-elle.

Elle se leva, sculpturale, le toisa avec morgue et quitta la chambre. Perplexe, il la regarda s'éloigner sans la voir. Il était dans les ennuis jusqu'au cou et n'avait aucune envie de batifoler. Remontant le drap sur lui, il ferma les yeux. Le dimanche s'annonçait bien morne, à quoi bon se dépêcher ?

« Je ne pense pas que vous soyez encore à votre place chez nous. » Ces mots du big boss lui restaient en travers de la gorge. On ne le licenciait pas mais on lui faisait comprendre qu'il était devenu indésirable. S'il ne voulait pas vivre l'enfer, il allait devoir partir de lui-même. Par défi – et parce qu'il n'avait rien à faire –, il avait passé des heures, au bureau, à peaufiner son CV. Il comptait l'envoyer aux meilleurs cabinets de la ville, mais qu'adviendrait-il quand, d'un simple coup de fil, on chercherait à se renseigner auprès de son employeur actuel ?

Côté finances, la situation devenait dramatique aussi. Comme prévu, ses parents n'avaient pas pu le dépanner, son père avait même, pour la toute première fois, protesté vertement. Après qu'ils s'étaient saignés aux quatre veines pour les études brillantissimes de leur fils, comment celui-ci pouvait-il avoir besoin d'argent ? Ne travaillait-il donc pas ? Résigné, Lawrence avait consenti à sa banque une hypothèque sur le duplex. Un piège qui pouvait se refermer à tout instant, il ne l'ignorait pas.

Il s'étira et, les bras en croix, se mit à réfléchir au sujet de cette bague. Demander à Anaba de la lui retourner était inconcevable. D'abord, il attendait d'elle une réponse à sa longue lettre. Existait-il une seule chance pour qu'elle le fasse ? Il mourait d'envie de la revoir et de la prendre dans ses bras. La serrer contre lui, la respirer, la sentir s'abandonner. *Son* Anaba, sa gazelle si facile à émerveiller. Elle, au moins, ne demandait jamais rien, et surtout pas de lui acheter des robes longues et de la lingerie coquine ! D'accord, il s'était ruiné pour cette bague qu'il continuait à payer, mais il s'agissait d'un cadeau, que personne ne l'avait obligé à faire. Enfin, si, les convenances. N'importe quelle femme s'attendait à recevoir une bague en gage d'amour au moment de la demande en mariage et, au fond, il avait traîné pour la lui offrir. Mais quand il s'était lancé, il n'avait pas lésiné ! Il s'était même dit, chez le joaillier, que ça constituerait un placement. Sauf que, maintenant, la bague était en France, sans doute au fond d'un tiroir ainsi que l'affirmait Michelle. Si Anaba n'en profitait pas… Car même revendue d'occasion, la pierre avait beaucoup de valeur. Et si elle s'était chargée elle-même de la bazarder ? Elle ou plutôt sa garce de sœur, qui semblait avoir des comptes à régler avec les hommes.

Il entendit le sèche-cheveux de Michelle qui vrombissait dans la salle de bains. Elle en sortirait d'ici une bonne demi-heure avec un brushing sophistiqué et commencerait à se demander où aller déjeuner. À moins qu'elle ne veuille jouer à la dînette ici. Ses allusions à son éventuelle installation chez lui le glaçaient. Il n'avait rien à faire de Michelle, il voulait Anaba. Sa petite squaw qui laissait mouillés ses cheveux courts en sortant de sa douche.

Ciboire, il devait bien exister un moyen de la reconquérir ! Pourquoi ne répondait-elle pas à sa lettre ? Jamais il ne s'était donné autant de mal que pour obtenir cette réconciliation. Le voyage aux Andelys dans la voiture de location avait été une épopée, et se faire mettre dehors une sacrée humiliation. Avec tout ça, il avait bâclé le dossier français, donnant du grain à moudre à ceux qui voulaient sa peau au cabinet. Il s'était en quelque sorte sabordé lui-même par amour. Voilà, ruiné d'abord, sabordé ensuite. N'était-ce pas suffisant pour fléchir Anaba ?

Peu habitué à ce qu'on lui résiste – surtout pas une femme –, il était capable de s'obstiner jusqu'au délire. Jusqu'à ce qu'elle cède, qu'elle lui revienne. Et peut-être pourrait-il alors reprendre le cours de sa vie où il l'avait laissé le matin du mariage, car à ce moment-là tout allait bien pour lui. C'était d'ailleurs ahurissant de constater à quel point tout s'était détraqué depuis. Anaba était-elle sa chance, sa bonne étoile, son porte-bonheur ? En la laissant tomber lâchement, avait-il gâché bien plus qu'une histoire d'amour mais carrément toute sa destinée ?

L'idée d'Augustin côtoyant Anaba l'effleura de nouveau mais il la repoussa avec rage. Il était impuissant, à des milliers de kilomètres, et n'avait vraiment pas les moyens de s'acheter un ticket d'avion. La distance compliquait tout, rendait le problème insoluble.

Le bruit du sèche-cheveux s'éteignit et il mit son oreiller sur sa tête. Michelle avait sûrement des tas de robes longues dans ses placards, à Ottawa, elle en trouverait une pour ce dîner... à condition qu'ils y aillent ! On ne lui avait pas signifié de s'abstenir, mais sa présence n'était sans doute pas souhaitée. Que faire ? Avait-il encore quelque chose à perdre ? Ne pas s'y rendre pourrait sembler une ultime provocation qui le grillerait définitivement, mais si c'était pour se retrouver isolé tout en bout de table, il passerait pour un minable aux yeux de Michelle.

Bah, avait-il tellement envie de prolonger leur aventure ? Certes, elle était décorative, bonne au lit, et parfois amusante, mais en la gardant pour entretenir son image de séducteur il encourageait des illusions qui la rendraient de plus en plus exigeante.

— Où comptes-tu m'emmener déjeuner ?

Ôtant l'oreiller de son visage, il la découvrit debout au pied du lit, particulièrement sexy dans un petit tailleur à la jupe trop courte.

Souhaitait-il vraiment être un homme seul ?

*
* *

Stéphanie avait terminé son estimation et le moment délicat était arrivé : elle devait donner un chiffre. Elle savait d'expérience que les vendeurs surestimaient toujours leurs biens. Méconnaissance du marché, attachement sentimental à un meuble de famille ou simple vanité, les raisons étaient diverses mais la déception quasi systématique.

— Bien, dit-elle d'un ton engageant, voilà un joli meuble ! Ces commodes Louis XV galbées en arbalètes restent assez prisées, malheureusement la vôtre est un peu abîmée. Le noyer, un bois pourtant solide, a souffert par endroits, voyez, là et là. Rien d'irrécupérable, toutefois…

Elle s'arrêta et fit mine de réfléchir avant de lâcher :

— Je peux vous en offrir cinq cents euros.

Comme prévu, elle eut droit à une grimace désappointée. La dame très âgée à qui elle avait affaire ne semblait pas dans le besoin, à en croire son élégante maison ou la taille de ses bijoux. Mais on ne pouvait jamais savoir, il ne fallait pas se fier aux apparences. Les bijoux pouvaient être en toc et la maison hypothéquée.

— Il ne m'est pas possible de vous proposer davantage, murmura Stéphanie.

Son marché était honnête, elle n'avait pas l'habitude de rouler ses clients. Acheter, restaurer puis exposer nécessitait une mise de fonds, immobilisée pour un temps indéterminé. Sur un meuble comme celui-ci, elle dégagerait une marge d'environ trente ou quarante pour cent, ce qui était légitime.

— Entendu, se décida d'un coup la dame.

Stéphanie devait lui inspirer confiance car elle ponctua son accord d'un sourire.

— Elle est vide, ajouta-t-elle, vous pouvez l'emmener tout de suite. Mon petit-fils va vous aider à la porter.

Le grand jeune homme qui se tenait dans un coin du salon n'avait pas ouvert la bouche durant la transaction. Était-ce pour lui que la commode était vendue ? Pour lui offrir un ordinateur portable ou un téléphone mobile dernier cri ? Stéphanie adorait imaginer la vie des gens chez qui elle entrait pour la première fois. En quelques minutes, elle échafaudait une histoire qui collait au décor et qui, même si elle était fausse, la faisait rêver.

Aidée du jeune homme, elle installa la commode dans son break, retourna payer la dame et prit congé. Elle se trouvait dans un joli petit village résidentiel, à une quinzaine de kilomètres des Andelys, et elle conduisit lentement pour rentrer. Cigarette aux lèvres et vitres baissées, elle se sentait d'excellente humeur. La fin du mois de mai était magnifique, avec une profusion de fleurs sauvages au bord des routes, un ciel à peine pommelé et des oiseaux qui s'en donnaient à cœur joie. Pourtant, malgré toute cette gaieté, Stéphanie avait l'impression d'avoir oublié quelque chose. Ou plutôt de chercher quelque chose, sans savoir quoi. Une sorte de fébrilité l'habitait, stimulante et agaçante.

Elle fouilla dans sa tête pour trouver ce qui lui manquait. Les affaires allaient bien, chaque année son bilan était meilleur. Anaba semblait se plaire dans son atelier au fond du jardin, où elle effectuait un travail remarquable, et elle recommençait à sortir, acceptait des invitations, redevenait coquette. Leur cohabitation ne posait pas le moindre problème, elles étaient ravies l'une de l'autre. Alors, était-ce seulement son âge qui inquiétait Stéphanie ? À quarante-deux ans, elle n'avait pas de souci de santé, sa silhouette restait impeccable, les hommes lui souriaient volontiers. Ses cheveux gris lui donnaient un charme étrange, et elle savait maquiller ses yeux pour en faire ressortir le bleu intense. Mais avait-elle envie de plaire ? En tout cas, depuis quelque temps elle passait de longues minutes à choisir ses tenues le matin. Elle avait changé de parfum, elle évitait les frites et les pâtisseries.

— Tiens donc !

Le constat la fit rire. Mis bout à bout, des détails insignifiants pouvaient être révélateurs. Néanmoins, elle avait beau s'interroger, elle ne voyait pas à qui ou à quoi ces efforts étaient destinés.

— C'est le printemps, voilà tout...

Elle éteignit sa cigarette dans le cendrier, abaissa le pare-soleil. Comme la commode bringuebalait un peu, à l'arrière, elle ralentit encore. Puisque Anaba tenait le magasin, elle pouvait musarder un peu et profiter de cette superbe journée avant de retourner s'enfermer. Pourquoi ne pas faire un détour pour aller voir une amie qui tenait une brocante non loin de là ? Avec un petit pincement au cœur, elle se demanda quel temps il faisait à Vancouver. Un si beau voyage, qu'elle aurait tant aimé entreprendre ! Augustin avait promis de prendre de nombreuses photos, elle espéra qu'il les leur montrerait dès son retour. D'ailleurs, il prenait l'avion demain, il ne tarderait plus à donner des nouvelles.

Ravie par cette perspective, elle mit son clignotant et changea de route.

*
* *

— Et tu ne passes pas par Montréal ? insista Lawrence.

— Non, par Londres, je te l'ai dit.

— Dommage, on aurait pu se voir…

Augustin changea son téléphone de main, cherchant quoi dire. En d'autres temps, il serait *forcément* passé par Montréal. Avec Lawrence, ils auraient eu envie de boire des bières, d'aller manger un sandwich à la viande fumée chez *Schwartz* ou de s'installer à la terrasse du *Boris Bistrot* pour commander une assiette de frites au gras de canard. Durant les séjours d'Augustin ils se retrouvaient quotidiennement, à midi ou le soir, avec des montagnes de choses à se raconter et une joyeuse envie de faire la fête.

— Il faut que je finisse mon livre, je dois rentrer à Paris, se justifia Augustin.

— Mais quand reviendras-tu ?

Il y avait une sorte de détresse, très surprenante, dans la voix de Lawrence.

— Ne me dis pas que je te manque, plaisanta Augustin. Notre dernière rencontre n'a pas été très amicale…

En voyant le nom de Lawrence s'afficher, cinq minutes plus tôt, il avait hésité à prendre la communication, mais après tout il avait du temps à perdre, son père l'ayant déposé à l'aéroport très en avance.

— Les amis ont le droit de se taper dessus, c'est sans importance, décréta Lawrence.

— Crois-tu ?

Malgré ses réticences, Augustin éprouvait une vague nostalgie de cette amitié qui avait duré quinze ans et qui vacillait aujourd'hui. Il ne pouvait même pas parler de Stéphanie à Lawrence car tout ce qui touchait Anaba de près ou de loin semblait le rendre enragé. Un comble.

— On se verra la prochaine fois, vieux. Je viendrai sûrement à la fin de l'été, en principe j'ai deux conférences à faire sur l'écriture et la construction des romans policiers.

— Septembre ? C'est loin…

— Eh bien, offre-toi donc un petit séjour à Paris !

Il se maudit aussitôt de sa maladresse. L'époque où Lawrence venait régulièrement en France était celle du début de son idylle avec Anaba.

— Je n'en ai ni l'envie ni les moyens.

— Tu as des problèmes de fric ? s'étonna Augustin.

— Tu ne peux pas savoir à quel point. J'ai même dû prendre une hypothèque sur mon duplex.

— Pourquoi ça ? Tu touches un super-salaire, non ?

— Plus maintenant. J'aurais voulu te raconter tout ça de vive voix.

— Mais enfin, qu'est-ce qui se passe ?

— La boîte me pousse vers la porte. Le big boss m'a pris en grippe et je n'ai pas traité un dossier lucratif depuis des mois. Comme je vivais déjà très au-dessus de mes moyens quand je gagnais bien ma vie, je te laisse imaginer…

Augustin ne répondit pas tout de suite. Lawrence était trop orgueilleux pour demander de l'aide, mais en espérait-il ? Et comment avait-il pu se fourrer dans une situation pareille ?

— Les gens te tournent le dos à toute vitesse dès que ça va mal pour toi, reprit Lawrence avec amertume. J'ai confié mon CV à un chasseur de têtes mais pour l'instant je n'ai rien en vue. J'aurais vraiment été content d'en parler avec toi, les amis se font rares.

— Je suis désolé, dit machinalement Augustin.

L'était-il ? Une part de lui-même restait attachée à Lawrence, à tous leurs souvenirs de jeunesse, mais depuis quelques années il avait pris du recul. En faisant le bilan de ce qu'ils avaient vécu ensemble, il voyait bien que s'il avait été tout dévoué à Lawrence, la réciproque n'était pas vraie. Que ce soit pour ses cuisantes déceptions sentimentales ou pour son authentique angoisse quand il avait lâché le droit pour l'écriture, il n'avait obtenu de Lawrence que des commentaires cyniques. Des blagues, une tape dans le dos, et Lawrence ramenait la conversation à lui.

— Es-tu prêt à m'écouter ? Tu as peut-être envie de m'envoyer sur les roses ?

— Non, vas-y, soupira Augustin.

— Eh bien, j'avais pensé… Bon, ce n'est pas facile par téléphone. Mais rassure-toi, je ne vais pas te demander de me prêter de l'argent ! Je veux juste te proposer un marché. Tu rachètes mon duplex et, le jour où mes affaires vont mieux, tu t'engages à me le revendre.

— Je n'ai pas les moyens de faire ça, Lawrence.

— Prends un crédit. Toi, tu es raisonnable, tu paieras tes traites. Pendant ce temps-là, j'aurai liquidé mes dettes et je pourrai repartir du bon pied. En ce moment, tu dépenses deux loyers, un pour ton studio à Montréal, un pour ton appartement à Paris, c'est ce qui s'appelle jeter l'argent par les fenêtres. Investis, tu t'en trouveras bien. De toute façon, l'immobilier remonte, tu seras gagnant.

Il savait se montrer très convaincant, Augustin en avait souvent fait l'expérience. Mais on ne pouvait se retrouver que perdant dans une affaire avec Lawrence.

— Si je devais acheter quelque chose, vieux, ce serait en France. Et je te l'ai dit, pour l'instant je n'ai pas la surface financière nécessaire.

— Oh, ne me fais pas rire, Augustin ! Tu as tes parents derrière toi, ce qui n'a jamais été mon cas.

Le ton était rancunier, comme prévu. Lawrence avait toujours fait des blagues acides au sujet des Laramie. À l'époque, leur grande maison au pied du Mont-Royal l'agaçait, ce qu'il nommait leur « pingrerie » envers leur fils aussi. De leur côté, les Kendall n'étaient certes pas riches, mais en revanche ils se saignaient pour leur rejeton.

— Dieu merci, mes parents ne sont pas morts, je n'ai pas encore hérité, dit froidement Augustin. Et tant qu'ils seront vivants, je ne leur demanderai rien.

Une annonce dans les haut-parleurs l'empêcha d'entendre la réponse de Lawrence.

— On appelle pour l'embarquement, il faut que je te laisse. Je te téléphonerai cette semaine, promis !

Il mit fin à la communication avec soulagement. Incapable de déterminer s'il voulait aider Lawrence ou pas, il savait en tout cas que ça ne passerait pas par le rachat de son duplex. Comme ce n'était pas l'embarquement de son vol qui avait été appelé, il avait encore un peu de temps devant lui. Il se trouvait au niveau 3, dans le hall des départs internationaux, et dès qu'il aurait franchi les contrôles de sécurité il aurait accès aux boutiques détaxées. Son idée était de rapporter quelque chose à Stéphanie, mais quoi ? Du parfum était un cadeau trop personnel, en revanche, s'il trouvait un beau cadre numérique il pourrait y installer toutes les photos qu'il avait prises à son intention.

Il devait avoir l'air perdu, car l'un des nombreux bénévoles en veste verte qui sillonnaient l'aéroport pour aider les gens à s'orienter s'approcha de lui. Augustin le rassura d'un signe, amusé à l'idée d'avoir été pris pour un touriste égaré. Depuis qu'il venait voir ses parents à Vancouver, il connaissait bien les lieux et ne risquait pas de s'y perdre. Il fit une dernière halte pour boire un café au bar de l'*Elephant and Castle*, puis il se dirigea vers la douane.

*
* *

Elles avaient accroché à la hâte l'écriteau « fermé » sur la porte du magasin, sauté dans le break et pris la direction de Paris sur les chapeaux de roues. L'annonce, à la radio, de la catastrophe aérienne les avait d'abord plongées dans la stupeur puis, horrifiées, elles s'étaient mises à chercher des nouvelles sur toutes les chaînes de télé. Il s'agissait bien d'un appareil en provenance du Canada et, aujourd'hui, Augustin rentrait de là-bas.

Tous les numéros de téléphone donnés pour obtenir des précisions étaient évidemment saturés d'appels et impossibles à joindre. Pour ce qu'on en savait, l'avion avait brusquement disparu des radars et s'était abîmé quelque part dans l'Atlantique avec cent quatre-vingt-sept personnes à son bord, passagers et équipage.

Sur l'autoroute de l'Ouest, le périphérique et l'autoroute du Nord vers Roissy Charles-de-Gaulle, Stéphanie conduisit à la limite de la prudence. Elle était persuadée de n'obtenir des renseignements valables qu'à l'aéroport où une cellule de crise avait été mise en place, mais elle ne se faisait aucune illusion, si Augustin avait pris cet avion, il était mort. À moins d'un improbable miracle, il n'y avait jamais de survivant dans ce genre de crash.

Les flashs infos se succédaient à la radio sans apporter de nouvelles. On parlait de drame, de catastrophe, de vents contraires ou de défaillance, mais apparemment personne ne savait rien pour l'instant hormis le numéro du vol, et Stéphanie ignorait quel était celui d'Augustin. La veille, il avait envoyé un texto amical et joyeux où il proposait un déjeuner le lundi suivant, jour de fermeture du magasin, car il rapportait « plein de choses ».

Pas une seconde, durant le trajet vers Roissy, Stéphanie ne s'interrogea sur les raisons de cette angoisse qui lui serrait la gorge. Bien sûr, Augustin était devenu un ami, mais elle ne le connaissait que depuis trois mois. Une première rencontre de deux minutes au *Hilton Bonaventure*, la veille du mariage, puis cette abominable matinée devant le palais de justice où il était arrivé seul en faisant une vraie tête d'enterrement. Elle se rappelait avoir martelé de ses poings fermés le pardessus qu'il portait sur sa jaquette devenue inutile. Son accent canadien, ses yeux verts, la cicatrice qui déformait son visage quand il souriait : elle n'avait fait attention à rien mais se souvenait de tout.

Dans le hall des arrivées régnait évidemment une invraisemblable pagaïe. Au milieu du trafic habituel des voyageurs, des gens hagards allaient d'un endroit à l'autre pour essayer d'en savoir davantage, des femmes pleuraient, des annonces contradictoires se multipliaient dans les haut-parleurs. Stéphanie et Anaba se séparèrent afin d'être plus efficaces mais, au bout d'une demi-heure, elles n'avaient pas appris grand-chose. Il s'agissait bien d'un avion en provenance du Canada, toutefois la liste des passagers n'était pas encore communiquée.

— Personne ne nous dira rien, Stéph ! Nous ne sommes pas de sa famille...

— On n'a qu'à se faire passer pour des proches. Ses cousines ou n'importe quoi. Je ne sais pas à quelle heure décollait son avion, où il transitait et quelle est la compagnie. Je ne suis sûre que du jour, ça lui laisse une bonne chance.

Elle frottait et tordait ses mains sans cesse, dans un état de nervosité où Anaba l'avait rarement vue.

— Il est tellement gentil, Augustin, tellement formidable, ce serait si injuste ! Oh, bon sang, pourquoi laissent-ils les gens dans l'ignorance ? Tu imagines pour ceux qui ont des enfants ou des parents làdedans ? Quelle torture ! Et quand je pense que tu as si souvent pris l'avion pour Montréal l'année dernière, ça me fait froid dans le dos...

Saisissant sa sœur par l'épaule, elle la serra contre elle.

— Anaba, chuchota-t-elle, je ne m'en serais jamais remise s'il t'était arrivé quelque chose.

Immobiles au milieu de la foule, elles se sentaient effrayées, tristes, perdues, et aussi un peu égoïstes de se réjouir d'être en vie. Stéphanie bougea la première, entraînant Anaba vers le tableau des arrivées qu'elles avaient déjà consulté dix fois. Pendant que l'une le scrutait, l'autre appela encore une fois le numéro de portable d'Augustin.

— Essayons de penser qu'il n'était pas forcément dans le crash, décréta fermement Anaba. Il ne répond pas mais ça ne veut rien dire. Il peut se trouver dans un autre avion en ce moment même, ou bien il est déjà arrivé et il n'a pas pensé à remettre son téléphone en service. Combien de vols en provenance du Canada sont encore en attente ?

— Il y en a un qui doit arriver de Montréal à dixhuit heures dix.

— Quelle porte ? Allons-y à tout hasard, ensuite on retournera voir si les autorités se décident à communiquer la liste des passagers.

Tout en fendant la foule pour retraverser le hall des arrivées qui grouillait de monde, Anaba proposa d'appeler Lawrence.

— Il connaît les habitudes d'Augustin, c'est son meilleur ami ! Il doit bien savoir quelles compagnies il apprécie, quels horaires il préfère, ça nous fournirait déjà des éléments.

Stéphanie hésita, partagée entre le désir impérieux d'apprendre quelque chose et l'agacement à l'idée que sa sœur puisse solliciter Lawrence.

— Il est midi à Montréal, insista Anaba, je ne le dérangerai pas.

— On s'en fout, de le déranger ! ragea Stéphanie. S'il a entendu la nouvelle, et s'il est toujours le meilleur ami d'Augustin, je suppose qu'il est mort d'inquiétude lui aussi. Attends une seconde, j'essaye une dernière fois…

Elle sélectionna le numéro d'Augustin sans y croire, n'écoutant les sonneries que d'une oreille distraite, et elle fut atterrée d'entendre soudain la voix à l'accent reconnaissable :

— Allô, oui ?

— Augustin ? bredouilla-t-elle, incrédule.

— Oh, Stéphanie, quelle bonne surprise !

Sous le regard stupéfait d'Anaba elle se mit à hurler :

— Où es-tu, bordel de merde ?

— Euh… à Roissy. J'attends mes bagages.

— Où ça ?

— Le vol British Airways qui vient d'arriver de Londres.

— Londres ? Pourquoi Londres ?

— J'ai fait escale là-bas. On avait une correspondance.

— Oh, mon Dieu... Ne bouge pas !

— D'où ? demanda-t-il d'un ton ahuri. Du tapis roulant ?

— Non, sors de là, on t'attendra devant les vitres !

Elle referma son portable, dévisagea Anaba comme si elle n'arrivait pas encore à y croire, puis poussa un cri de joie qui fit se retourner plusieurs personnes.

— Il est vivant, il est ici ! Tu te rends compte ?

Cinq minutes plus tard, elles tombèrent dans les bras d'Augustin qui était loin de s'attendre à un accueil pareil. Parlant ensemble tous les trois, elles lui apprirent la catastrophe aérienne dont il ne savait rien, tandis qu'il cherchait à comprendre la raison de leur présence dans l'aéroport. Sonné par la nouvelle, il mit un certain temps à réaliser.

— L'avion s'est abîmé dans l'océan ? répéta-t-il plusieurs fois.

— Il était parti de Montréal ce matin, et nous étions persuadées que tu transitais là-bas.

— Non, c'est moins cher et moins long de passer par Londres quand on revient de Vancouver. Mais je serais allé à Montréal si j'avais eu besoin de voir mon agent ou si... Enfin, je n'y étais pas.

— Franchement, affirma Stéphanie, tu nous as fait une peur bleue.

Augustin semblait totalement bouleversé, mais il réussit à esquisser un petit sourire.

— Au moins, maintenant, on se tutoie, toi et moi, dit-il à Stéphanie.

— Dans l'affolement..., murmura-t-elle.

— C'est bien mieux comme ça ! Au Canada, on tutoie tout le monde, j'avais du mal à te vouvoyer.

Il jeta un coup d'œil circulaire sur l'agitation qui ne cessait d'augmenter dans le hall des arrivées.

— Est-ce qu'on sait les noms des gens qui se trouvaient à bord ? demanda-t-il d'une voix rauque.

—Jusqu'ici les autorités n'ont rien voulu dire, répondit Anaba. Je suppose qu'ils font des vérifications. Tu penses que tu pourrais connaître quelqu'un qui...

Elle n'acheva pas sa phrase et Augustin secoua la tête.

—J'ai beaucoup de bons copains à Montréal. Je les appellerai un par un en croisant les doigts, mais je ferai ça assez tard, vers une heure du matin, quand il sera sept heures du soir là-bas et que les gens seront rentrés du travail. Je n'ai pas envie d'imaginer le pire en entendant sonner les téléphones dans le vide.

—On va te ramener à Paris, décida Stéphanie.

—Ah, si vous m'évitez le taxi, je vous invite à dîner ! Il y a des petits restaurants très chouettes sur l'île Saint-Louis et je meurs de faim. Je ne devrais pas penser à manger mais ça ne change rien au sort des malheureuses victimes.

—Tu n'es pas obligé de nous inviter parce qu'on te raccompagne, marmonna Stéphanie. C'est sur le chemin, de toute façon.

—Traverser Paris un vendredi soir n'est pas une partie de plaisir, répliqua-t-il. Non, j'y tiens, dînons ensemble, on parlera d'autre chose.

Il sentait Stéphanie soudain moins à l'aise. Autant elle s'était jetée dans ses bras d'une manière qui l'avait stupéfié dix minutes plus tôt, autant elle semblait à présent plus distante, presque gênée d'avoir été trop démonstrative.

226

— Bonne idée, trancha Anaba en prenant Augustin par la main. Moi aussi, j'ai faim, les émotions ça creuse.

Augustin mit son sac de voyage sur l'épaule et tendit son autre main à Stéphanie.

— Allons-y, les filles, dit-il gentiment.

Négligeant la main tendue, Stéphanie partit la première vers la sortie.

8

— Non, vous n'avez rien fait de bon depuis un moment, rien du tout. Je vous ai laissé une dernière chance avec le dossier français, mais vous l'avez traité par-dessus la jambe alors qu'il s'agit d'une grosse affaire. Ici, vous connaissez la règle, les collaborateurs sont performants ou ils s'en vont. Partez de votre plein gré avant que je ne vous flanque à la porte, ce qui serait forcément très préjudiciable au reste de votre carrière.

Mâchoires serrées, Lawrence affrontait la scène qu'il redoutait depuis des semaines. À deux jours du fameux grand dîner du cabinet, le big boss l'avait fait convoquer dès neuf heures du matin. Humiliation suprême, au lieu de le recevoir dans son bureau, il en était sorti pour lui parler dans le couloir. Obligeant Lawrence à le suivre, il s'était mis en marche comme s'il avait des choses plus importantes à faire ailleurs et très peu de temps à consacrer à cette discussion. Pis encore, les portes des bureaux étant fréquemment ouvertes, n'importe qui pouvait entendre les propos peu flatteurs qu'il servait à Lawrence d'un ton agacé.

— Si j'avais cru en vous quand je vous ai engagé, j'ai bien déchanté depuis. Votre début de parcours a été plutôt brillant, je le reconnais volontiers, mais après, pfft, vous vous êtes éteint comme une bougie. Où est votre talent ? Disparu aux oubliettes ! Vous n'avez plus que vos jolis petits costumes sur mesure pour faire illusion, ce qui ne suffit pas, tant s'en faut, dans notre métier. Aujourd'hui, vous occupez la place de quelqu'un qui travaillera beaucoup mieux que vous. J'ai une société à faire tourner et une réputation à tenir, je ne peux pas m'encombrer de collaborateurs médiocres.

Vexé, furieux, Lawrence s'arrêta pour lancer :

— Tout ça ne tient pas debout. Je vous ai fait gagner beaucoup d'argent, mais vous m'avez soudain pris en horreur parce que je ne me suis pas marié. Aberrant !

Son patron se retourna et le toisa des pieds à la tête.

— Votre vie privée ne me concerne pas. Toutefois, puisque vous y faites allusion, en effet vous avez manqué de courage, d'élégance et de sens moral.

— Je sais que vous avez vécu la même mésaventure et que pour cette raison…

— *Mésaventure ?* Appelez donc les choses par leur nom ! Le mot exact est forfaiture. Qu'un homme de loi ne tienne pas ses engagements est aussi une honte. Choisissez le qualificatif que vous préférez.

Le ton montait et Lawrence comprit qu'il ferait mieux de se taire. S'il poursuivait, il allait se faire un ennemi acharné de cet homme. Or, même si celui-ci n'était plus son patron dans l'avenir, il resterait craint, respecté et écouté par toute la profession. En quelques phrases bien senties, il pourrait dissuader n'importe quel confrère d'embaucher Lawrence.

— Bien, je vais réunir mes affaires, parvint-il à articuler.

— Le plus tôt sera le mieux.

Sans autre formule d'adieu, le big boss s'éloigna à grandes enjambées, laissant Lawrence totalement désemparé. Il ne se souvenait pas qu'on lui ait jamais parlé avec un tel mépris. Un an auparavant, il faisait encore partie des chouchous du cabinet. Lorsqu'il s'était rendu au traditionnel dîner de gala, Anaba avait conquis tout le monde, y compris le patron. Très bien placés à table, ils avaient passé une excellente soirée. À ce moment-là Lawrence trouvait normal d'être choyé, d'ailleurs il l'avait toujours été par tout le monde. Quelle sacrée dégringolade sans parachute en quelques mois !

Il fit demi-tour et remonta le couloir jusqu'au bout, les yeux rivés sur la moquette. Il ne voulait pas voir ses confrères qui s'étaient sans doute composé des têtes de circonstance. La dernière chose dont il avait besoin était une fausse compassion, et personne n'aurait le loisir de lui dire : « Mon pauvre vieux, il a été dur avec toi, hein ? »

À la volée, il ouvrit la porte d'un placard où il savait trouver des cartons. Il en prit un et gagna le réduit qui lui servait de bureau depuis peu. Pêle-mêle, il y jeta quelques affaires personnelles dont une jolie pendulette offerte par Anaba, une chemise et une cravate de rechange, des stylos, son agenda. Il laissa ses cartes de visite à l'en-tête du cabinet, hésita mais choisit d'abandonner tous les dossiers sans exception. Son carton sous le bras, il gagna les ascenseurs. Les couloirs semblaient déserts, pour une fois silencieux et non pas bourdonnants d'activité. Les commentaires ou les ricanements n'auraient lieu qu'après son départ, mais alors ils iraient bon train !

En sortant de l'immeuble, il ne put s'empêcher de penser aux images de la crise bancaire où tous ces cadres quittaient de luxueux immeubles de bureaux avec un carton sous le bras, comme lui. Et qui s'étaient retrouvés au chômage, comme lui aujourd'hui. Sauf que le cabinet n'avait pas fait faillite et qu'il était seul responsable de ce qui lui arrivait.

Il choisit de rentrer à pied pour se calmer. Le carton l'encombrait mais il s'en moquait, il avait besoin de respirer. N'était-ce pas la pire journée qu'il ait jamais vécue ? Hormis celle de son mariage raté, bien entendu. Raté par sa faute, là aussi.

À peine arrivé chez lui, il alla se chercher une bière dans le frigo. Boire à dix heures du matin n'était pas dans ses habitudes mais tant pis, prendre un café ne ferait que le transformer en pile électrique. Dans le séjour, le voyant du répondeur clignotait et il écouta ses messages, résigné à subir d'autres mauvaises nouvelles. Le premier émanait de sa mère, qui se faisait du souci pour lui. Tiens donc ! Et le second de Michelle qui voulait savoir s'il était au courant pour la catastrophe aérienne. Il aurait fallu être sourd et aveugle pour l'ignorer, tous les médias ne parlaient que de ça, le pays était quasiment en deuil.

— J'espère qu'Augustin n'était pas dans cet avion, concluait Michelle d'une voix indifférente. Appelle-moi !

Lawrence était bien placé pour savoir que, non, Augustin n'avait pas transité par Montréal. Dommage – pas pour l'accident, évidemment –, mais face à face il l'aurait peut-être convaincu. Encore une nouveauté désagréable, ce refus d'Augustin qui l'avait pourtant toujours aidé par le passé.

Michelle avait laissé un second message à neuf heures et demie, annonçant qu'elle venait à Montréal le jour même.

— On pourrait se retrouver à l'*Altitude* ce soir et boire un cocktail sur leur terrasse. Comme c'est à côté de ton bureau, même si tu sors tard…

Voix sensuelle pour finir, elle avait une idée derrière la tête et tenait à le lui faire savoir. Mais lui, pas du tout. Vraiment pas ! Quand Michelle allait-elle comprendre qu'il n'était pas amoureux d'elle ? Espérait-elle toujours s'installer avec lui pour roucouler dans ce duplex qui serait vendu sous peu ? De toute façon, il n'y avait plus de bureau, plus de travail finissant tard, plus d'argent à dépenser dans les bars de luxe comme l'*Altitude*, juché au dernier étage de la tour Ville-Marie. Dès qu'elle découvrirait la situation exacte de Lawrence, elle prendrait ses jambes à son cou et bon vent.

Le dernier message émanait du chasseur de têtes à qui il avait confié son CV. D'après lui, une possibilité était en train de se profiler. Trop tôt pour en parler mais ça se présentait bien.

En une fraction de seconde, Lawrence se sentit beaucoup mieux. Pourquoi avait-il douté de lui-même ? À cause d'un big boss grincheux qui ne se remettait pas d'avoir été plaqué dix ans plus tôt par une jeune femme sans scrupules ? Son discours de mauvaise foi sur le talent de Lawrence censément tombé aux oubliettes était grotesque. Oui, à Paris et pour la première fois de sa carrière, Lawrence n'avait pas été à la hauteur, mais cette *unique* erreur n'en faisait pas un mauvais avocat. Son passé parlait pour lui, avec ses mentions à chaque examen, les félicitations chaleureuses du jury lors de sa remise de diplôme, et par la suite ses succès professionnels. Bien sûr qu'il allait retrouver du travail, une bonne place dans une grosse boîte où il ferait aisément ses preuves et se remettrait à gagner de l'argent.

Rasséréné, il partit jeter le fond de sa bière dans l'évier. Quand tout serait rentré dans l'ordre, la seule épine – mais de taille ! – qui resterait dans son pied était Anaba. Lors de sa conversation téléphonique avec Augustin il avait été trop occupé à lui demander de l'aide, il n'avait pas eu le temps d'aborder ce sujet.

Anaba... Quand cesserait-il d'y penser ?

« Quand je l'aurai récupérée. Reconquise. Quand elle sera de nouveau à moi. »

Ce jour-là, il reprendrait les choses à l'endroit précis où elles avaient commencé à se détraquer et il récrirait sa propre histoire. Il ne devait plus douter, il était fait pour gagner.

*
* *

Aux anges, Stéphanie tournait autour de sa dernière trouvaille. Depuis toujours elle aimait le style Art déco pour ses lignes simples et ses formes droites inspirées de la peinture cubiste. Le contraire du style « nouille » de l'Art nouveau qu'elle détestait. Elle passa la paume sur le meuble, presque contrariée de devoir le vendre. Mais elle ne pouvait pas le garder, elle faisait avant tout du commerce. Reculant de quelques pas, elle observa en détail la petite table

234

octogonale, supportée non par des pieds mais par un socle. Le plateau en érable, teinté de rouge, de bleu et de gris, était une pure merveille.

Elle faillit aller chercher Anaba, mais celle-ci travaillait dans son atelier à la restauration de la peinture sur bois et mieux valait ne pas la déranger. D'un dernier coup d'œil satisfait, elle s'assura que la table était en bonne place, visible depuis les fenêtres de la rue. Quel prix pouvait-elle en espérer ? Elle retourna s'asseoir devant le secrétaire où elle tenait la comptabilité du magasin, prit une étiquette mais hésita, le stylo en l'air. De toute façon, elle n'avait pas la tête aux chiffres. Depuis quelques jours, elle repensait sans cesse à la manière dont elle s'était comportée à Roissy. D'abord l'angoisse disproportionnée qui l'avait précipitée sur la route, ses cris et ses gesticulations quand elle avait su Augustin en vie, sa façon de l'enlacer en se jetant sur lui. De l'hystérie ! Elle en avait honte à présent et se demandait ce que le pauvre Augustin avait pu en déduire. Pour elle, la conclusion s'imposait, lumineuse après coup, elle était tout bêtement tombée amoureuse. Et sans ce drame, elle aurait continué à occulter la vérité, refusant de voir l'évidence.

Se sentir amoureuse pouvait être agréable, à condition de ne pas sombrer dans le ridicule. Augustin était plus jeune qu'elle, il connaissait sans doute plein de jolies filles prêtes à lui tomber dans les bras, et il serait très embarrassé, voire déçu, si la *sympathique* et *vieille* Stéphanie se pâmait devant lui.

Tant qu'elle l'avait cru attiré par Anaba, elle ne l'avait pas vraiment regardé. Aujourd'hui, elle ne voyait plus que ses yeux verts et son drôle de sourire tout déformé qui lui donnait tant de charme. Comme il s'était montré très discret quant à sa vie privée, elle ne savait pas s'il avait une petite amie mais elle ne comptait pas se mettre sur les rangs. À trente-cinq ans, un homme souhaitait généralement fonder une famille, et à quarante-deux ans Stéphanie y avait renoncé. Les échecs de ses deux mariages lui ayant ôté ses illusions et donné le goût de l'indépendance, elle se satisfaisait de brèves liaisons sans histoires. Tomber amoureuse n'était pas du tout prévu dans son programme, et surtout pas d'un homme de l'âge d'Augustin.

Le carillon la fit sursauter et se tourner d'un bloc vers la porte.

— Bonjour ! Je vous ai fait peur, on dirait ?

— J'étais plongée dans un… euh, catalogue.

Jean-Philippe Garnier, le client qui avait fait restaurer son superbe paravent à cinq panneaux, lui adressa un sourire chaleureux, puis son attention fut attirée par la table octogonale dont il s'approcha.

— Quel bijou Art déco ! Vous avez vraiment de belles choses. Si j'étais riche, j'achèterais la moitié de votre magasin !

— La moitié seulement ?

— C'est déjà très plein chez moi. En fait, je passais voir Anaba. Elle n'est pas là ?

— Elle travaille dans l'atelier.

La déception qui se peignit sur le visage de Jean-Philippe amusa secrètement Stéphanie.

— Je vais la chercher, décida-t-elle.

— Non, ne la dérangez pas, je l'appellerai, j'ai son numéro de portable. Je voudrais lui confier un tableau, je verrai ça avec elle.

Il aurait très bien pu lui téléphoner d'abord, mais sans doute avait-il préféré l'idée d'une rencontre. Stéphanie acquiesça d'un signe de tête et le regarda sortir, puis elle fila retrouver Anaba.

— Ton chevalier servant sort d'ici ! annonça-t-elle en poussant la porte de l'atelier.

— Qui ça ? Jean-Philippe ?

— Bingo. Il n'a pas voulu t'interrompre dans ton travail mais il paraissait frustré.

L'ancien appentis était devenu un endroit agréable. Agrandi, lumineux et bien aéré grâce à une large baie coulissante en double vitrage, il offrait l'aspect d'un véritable atelier d'artiste. Dans un coin, quelques meubles et tableaux étaient entreposés en bon ordre, dans l'autre un évier en grès permettait à Anaba de nettoyer tous ses outils. Un mur entier était garni de solides étagères de métal, et au milieu de la pièce trônait une longue table à tréteaux flanquée d'un tabouret à roulettes.

— Il est gentil, ce type, dit Anaba d'une voix songeuse. Et pas rancunier. La dernière fois, je lui ai fait passer une mauvaise soirée alors qu'il m'avait offert un très bon dîner.

— Tu comptes le revoir... à titre privé ?

— Peut-être. Je ne sais pas encore. En fait, oui.

Elles se mirent à rire, totalement complices.

— C'est parfait. Sors, amuse-toi, profite de ta jeunesse et de ta chance d'être belle comme un cœur.

— Je cherche surtout à me distraire pour ne pas céder à l'envie que j'avais de répondre aux courriers de Lawrence.

Stéphanie la dévisagea, médusée.

— Vraiment ?

— Non, pas *vraiment*, juste un peu. Certains soirs, quand je repense à l'année dernière, je me sens... nostalgique de ce beau rêve. Mais d'autre part je me sens aussi... très bien ici. Je crois que je suis en train de mettre la tête hors de l'eau.

— Alors, aspire une grande goulée d'air et oublie pour de bon ton faux prince charmant.

— Tu ne l'aimais pas.

— J'avais raison, non ?

— On peut dire ça. Dans une des lettres de Lawrence, il y avait une allusion à la bague. Il voulait savoir si je la porte, en souvenir des moments heureux, ou si je l'ai mise en quarantaine.

— Ça ne le regarde pas ! Cette bague n'est qu'une piètre consolation pour ce qu'il a osé te faire, mais elle t'appartient. Qu'il ne s'en soucie plus et... qu'il ne s'avise pas de te la demander.

— Tu exagères, il n'a jamais été mesquin.

— Venant de lui, rien ne m'étonnerait plus.

Anaba déboucha un flacon avec précaution et une forte odeur de térébenthine se répandit aussitôt.

— J'allais oublier de te dire qu'Augustin a téléphoné pendant que tu étais partie crapahuter dans les greniers des alentours. Il nous attend lundi pour déjeuner et il en a profité pour inviter papa, qu'il trouve génial.

— Ah... À cause des livres, sûrement.

— Tu n'as pas l'air emballée.

Le regard scrutateur d'Anaba mit Stéphanie mal à l'aise.

— Je suis sûre que tu l'aimes bien, Augustin, insista sa sœur. Et même, que tu l'aimes beaucoup.

238

— Ne dis pas de bêtises. Je le trouve très gentil mais, pour moi, c'est un gamin.

— À trente-cinq ans, un gamin ?

— Tu me comprends.

— Pas du tout. Vous iriez bien ensemble. Il n'est pas seulement gentil, il est génial.

— Arrête, à la fin ! Pourquoi veux-tu soudain me caser ?

— Te caser, sûrement pas, mais qu'est-ce qui t'empêche de tenter l'aventure ?

— Pas avec un homme plus jeune que moi. Je n'en suis pas là.

— Te voilà bien conventionnelle... Ça ne te ressemble pas.

— Ce n'est pas une question de conventions, c'est du bon sens.

— Mais l'amour s'en fout, du bon sens !

Anaba éclata d'un rire insouciant auquel Stéphanie finit par se joindre.

— Allez, je te laisse travailler, je vais préparer le déjeuner.

Elle s'en alla avant qu'Anaba puisse ajouter autre chose. « Tenter l'aventure » était une idée séduisante, et avec n'importe qui d'autre Stéphanie n'aurait pas hésité un instant. Mais l'attirance qu'elle éprouvait pour Augustin l'effrayait. Il n'était pas le genre d'homme à avoir des liaisons légères, elle l'aurait parié. Chez lui, elle devinait de la profondeur, de la sensibilité, de l'honnêteté et du respect pour l'autre. Des qualités auxquelles elle s'attacherait aussitôt. Or même en admettant qu'il la trouve à son goût, ce qui était peu probable mais pas tout à fait impossible, une relation entre eux serait vouée à l'échec car les années

239

rattraperaient inexorablement Stéphanie. Elle n'était plus une jeune femme, il n'y avait rien à faire. Et puis elle savait que si ses deux mariages avaient capoté, c'était justement parce qu'elle n'avait pas assez réfléchi avant. Se jeter à la tête de quelqu'un en croyant dur comme fer que l'amour va tout résoudre revenait à se voiler la face. Si Augustin avait eu dix ans de plus, tout aurait été simple, mais les choses de la vie sont rarement synchronisées. Enfin et surtout, elle ne se voyait pas repartir dans une grande histoire passionnée, une de celles qui vous brisent le cœur à coup sûr et mettent votre existence sens dessus dessous. L'expérience devait servir à se préserver, ou alors on n'avait rien compris.

Pour se changer les idées, elle décida de se lancer dans une recette. Léotie, qui avait été une belle-mère adorable, faisait très bien la cuisine avec des ingrédients tout simples. Appliquée, elle avait décrit chacune de ses préparations réussies sur des fiches, mais c'était Roland qui les gardait jalousement. De mémoire, Stéphanie pouvait tenter les côtes de porc charcutières avec ce dont elle disposait dans son frigo. En sortant le bocal de cornichons et les tomates, elle se demanda ce qu'Augustin leur servirait lors de son déjeuner de lundi. Ce qui l'amena directement à la question suivante : qu'allait-elle porter ce jour-là ? Même si elle ne voulait pas le séduire, elle avait envie d'être à son avantage. Relevant la manche de son chemisier, elle détailla sa cicatrice avec une grimace. Combien de temps encore avant que cette vilaine marque disparaisse ? En attendant, les manches courtes étaient exclues.

— Pourquoi ? bougonna-t-elle entre ses dents. Qu'est-ce que ça peut faire ?

Augustin n'avait jamais pu cacher la sienne, depuis ses vingt ans il avait affronté le monde avec.

— Je mettrai ma robe bleue, elle me va très bien !

Elle posa si brutalement la poêle sur la cuisinière qu'elle ne remarqua pas la présence d'Anaba qui, depuis l'une des portes-fenêtres de la véranda, l'observait avec des yeux ronds.

*
* *

Le premier juin tombait un lundi et il faisait un temps magnifique sur Paris. Fébrile, Augustin vérifia une dernière fois sa mise de table. Comme il n'avait pas beaucoup de vaisselle, en bon célibataire, il était allé acheter des assiettes et des verres hors de prix le matin même. Au retour, il avait pris sa commande chez le traiteur.

Son appartement, rangé au cordeau pour une fois, n'était pas vraiment conçu pour recevoir, cependant il avait fait au mieux. Les fenêtres ouvertes sur la Seine laissaient entrer des flots de lumière, et ainsi on ne voyait pas que les carreaux auraient eu besoin d'un petit nettoyage. Comme Augustin travaillait au gré de son inspiration, il ne souhaitait pas qu'une femme de ménage vienne le distraire au mauvais moment. En conséquence, il se chargeait lui-même du ménage, qu'il accomplissait en songeant à la prochaine enquête de son commissaire Max Delavigne. Mais depuis qu'il était levé, et tout en s'activant, il n'avait pensé qu'à Stéphanie. Au jugement qu'elle allait porter sur ce décor où il vivait. Au confort des chaises, au menu, au vin qu'il ouvrirait, à quelques beaux objets sur lesquels elle s'attarderait peut-être. Des futilités qui l'empêchaient de se reposer la même question lancinante : avait-il raté sa chance à Roissy ? Quand Stéphanie s'était jetée sur lui avec l'air d'une noyée qui aperçoit une bouée de sauvetage, pourquoi était-il resté les bras ballants comme une andouille ? Parce qu'il n'en revenait pas qu'elle soit dans cet aéroport et qu'il ne comprenait rien à ce qu'elle racontait. Cinq minutes plus tard, elle avait déjà repris ses distances, l'instant magique était passé. Mais enfin, il avait bien vu qu'elle s'était fait un sang d'encre pour lui en le croyant dans cet avion maudit. Uniquement par amitié ? En tout cas, dans la seconde où leurs deux corps s'étaient trouvés l'un contre l'autre, il avait reçu un véritable choc électrique. Cette femme lui faisait un effet d'enfer.

Il entendit du bruit dans l'escalier et sut que ses invités arrivaient. Il se demanda s'il devait aller leur ouvrir ou attendre, jusqu'à ce que le timbre de la sonnette le tire de son indécision. Anaba se présenta la première, brandissant une bouteille de champagne et riant de voir son père et sa sœur tout essoufflés.

— Cinq étages, c'est crevant, pesta Roland. Moi, à cause de mon âge, et Stéphanie parce qu'elle fume... Ah, mais ça valait la peine, Dieu que c'est joli chez vous !

Les pièces en enfilade, les flaques de soleil sur le parquet de chêne et la vue magnifique sur le pont de la Tournelle parurent le séduire.

— Tu es superbe, dit Augustin à Stéphanie.

Il n'avait rien trouvé de plus original à dire et s'en voulut aussitôt de cette platitude. Pourtant, elle était *vraiment* superbe dans une robe bleue fendue sur le côté.

— Le champagne ne sera pas frais, annonça Anaba en lui mettant la bouteille dans les mains.

— De toute façon, tu l'as secoué dans les escaliers, fit remarquer Roland. Il nous sauterait à la figure si on essayait de l'ouvrir maintenant.

— Ne vous inquiétez pas, j'en ai au frigo, je vais le chercher pendant que vous vous installez.

Roland se dirigeait déjà vers les bibliothèques de chêne blond faites sur mesure pour le séjour.

— J'espère que le contenu vaut le contenant, dit-il en penchant la tête pour lire les titres.

Amusé, Augustin fila à la cuisine. La pièce était petite et très encombrée par les plats du traiteur. Il brancha le four et mit le mignon de veau aux morilles à réchauffer. En entrée, il servirait les tartares de saumon sur leurs lits de roquette. Avait-il bien choisi et n'était-ce pas un menu trop sophistiqué ? Personne ne croirait jamais qu'il avait fait ça tout seul.

— Un coup de main ? proposa Anaba. Ton appartement est ravissant, je comprends que tu te plaises ici. Lawrence m'avait dit que tu habitais des chambres de bonne sous les toits et je ne voyais pas ça comme ça.

— À l'époque, les propriétaires des hôtels particuliers logeaient leur personnel au dernier étage. Bien plus tard, quand tout a été séparé en appartements, un petit malin a racheté ces chambres une à une et les a réunies. Le loyer est dément mais je suis amoureux de cet endroit. Quand je manque d'inspiration, je regarde couler la Seine. La nuit, je vois passer des bateaux-mouches tout illuminés, c'est magique !

Il lui confia le plateau chargé de quatre coupes de cristal en se maudissant de n'en avoir acheté que quatre. S'ils en cassaient une, il aurait l'air d'un idiot.

— À propos de Lawrence, ajouta-t-il, il met en vente son duplex.

Comme elle en avait parlé la première, peut-être désirait-elle avoir de ses nouvelles sans oser les demander.

— Le vendre ? Il l'adore !

— Oui, mais je crois qu'il a des ennuis d'argent, de boulot, bref ça ne va pas fort.

— Oh…

Elle médita ses paroles quelques instants avant de lâcher :

— Je ne m'en réjouis pas.

Était-elle seulement altruiste ou éprouvait-elle encore des sentiments pour lui ? Lawrence avait commis une irréparable erreur le matin de leur mariage mais ça n'en faisait pas un monstre pour autant.

Ils retournèrent dans le séjour, où Roland continuait d'examiner les titres des livres tandis que Stéphanie s'était accoudée à l'une des fenêtres.

— Beaucoup d'auteurs contemporains, maugréa Roland. Heureusement, il y a le journal de Jules Renard, Proust… et presque tout Giono. Un de vos favoris ?

— Une révélation de jeunesse jamais oubliée.

— Et là, c'est le rayon canadien ?

— Québécois. C'est une littérature assez jeune, même si nous avons aussi notre poète maudit, Émile Nelligan. Sa *Romance du vin* est totalement baudelairienne ! Après, il y a eu des romans du terroir avec le monde rural, la famille, les accents patriotiques... Aujourd'hui la production s'est diversifiée, et il existe une centaine de bonnes maisons d'édition qui publient six mille titres par an. Les tirages sont un peu limités, évidemment.

— Vous parlez des francophones ?

— Oui, car pour eux, il faut se différencier et résister à l'assimilation.

— Et vous ?

— C'est plus simple, le genre du polar est universel. Paradoxalement, j'ai d'abord eu du succès en France, le Québec a suivi. Et maintenant, j'aspire au marché anglo-saxon, bien entendu !

Il se mit à rire pour signifier qu'il ne voulait pas parler plus longtemps de lui-même ou de ses propres livres. Après avoir servi le champagne, il trinqua en regardant Stéphanie droit dans les yeux.

— À tes amours, belle dame.

Un peu surprise par ce toast, elle lui adressa un sourire contraint.

— Aux tiennes.

— Peut-être qu'on boit à la même chose, alors..., dit-il assez bas pour n'être entendu que d'elle.

Et aussitôt, craignant d'être allé trop loin, il regagna la cuisine. La sauce du mignon de veau était en train de se caraméliser et il coupa le four, horrifié. Au lieu de débiter des niaiseries, il ferait mieux de surveiller son déjeuner. Il récupéra les tartares de saumon dans le frigo et les apporta deux par deux sur la table.

— Voilà, je crois qu'on peut s'asseoir !

Anaba s'installa à côté de lui et Stéphanie en face.

— Papa, lâche ces livres et viens avec nous, suggéra Anaba.

Avec une mimique d'excuse, Roland les rejoignit.

— D'un coup de baguette magique, j'aimerais bien habiter l'île Saint-Louis moi aussi, dit-il en désignant les fenêtres.

— Vous avez une maison dans Paris, c'est encore mieux.

— Vous la connaissez ? s'inquiéta Roland. Je ne me souviens pourtant pas de…

— Non, en effet, vous ne m'avez pas laissé entrer !

Ils rirent tous deux à ce souvenir. En quelques mois, Augustin avait conquis la famille Rivière, mais ce qu'il voulait désormais serait bien plus difficile à obtenir.

Le déjeuner se déroula sans incident, dans une ambiance détendue, et le mignon de veau se révéla mangeable bien qu'un peu desséché. Après le dessert, Augustin refusa qu'on l'aide à débarrasser et proposa à la place une promenade en bas, sur les quais de l'île.

— Je fais presque chaque soir la balade, je ne m'en lasse pas ! Parfois, je me dis que je devrais avoir un chien qui m'offrirait le prétexte de descendre trois fois par jour. Mais avec les séjours au Canada, ce n'est malheureusement pas possible.

Dans le hall de l'immeuble, il ouvrit la porte cochère, s'effaçant pour laisser passer Stéphanie et Roland, mais il retint Anaba un instant.

— Je voudrais dire deux ou trois trucs à ta sœur, chuchota-t-il.

Anaba lui jeta un coup d'œil intrigué avant d'acquiescer en silence, puis elle alla prendre son père par le bras. Comme ils ne tenaient pas à quatre de front, Stéphanie se retrouva à marcher à côté d'Augustin.

— Ton repas était délicieux, s'empressa-t-elle de dire.

— Ce n'est pas moi qui l'ai fait, je pense que vous vous en êtes aperçus tous les trois.

Du coin de l'œil, il vit qu'elle avait mis son sac en bandoulière pour masquer un peu sa cicatrice malgré ses bras nus.

— J'aimerais te demander une faveur, enchaîna-t-il.

— De quel genre ?

— Ah, tu ne me facilites pas la partie ! Disons, du genre… personnel.

— Oui, vas-y, bien sûr. Tu as envie de quelque chose que tu as repéré au magasin et que tu ne peux pas t'offrir ?

Éberlué, il secoua la tête.

— Non ! Enfin, si, on a envie de tout…

— Et j'ai vu chez toi à quel point tu apprécies les meubles et les objets.

— J'en ai peu.

— Mais ils sont très bien choisis. Je ne te pensais pas si esthète.

— J'ai grandi dans un bel environnement. Après ma période de révolte faux design et plastique jaune dans mon premier logement, je suis revenu à des valeurs plus sûres.

À la suite d'Anaba et de Roland, ils descendirent l'escalier qui menait au bord de la Seine. Tout le long de la berge, de grands arbres apportaient une fraîcheur bienvenue. Ils ralentirent le pas et Stéphanie s'arrêta puis s'adossa au mur de pierre pour faire face au fleuve.

— Je me demande combien de temps il faut à une petite branche qui flotte devant tes fenêtres avant d'arriver devant les miennes aux Andelys.

Augustin se mit à rire, charmé par l'idée.

— Ça dépend de la vitesse du courant, mais on devrait tenter l'expérience. Fabriquons un miniradeau, avec un mât et une petite voile visible de loin. Je le mets à l'eau un soir et, à partir du lendemain matin, tu le guettes de ta chambre avec des jumelles. Quand il passe enfin, tu arrêtes le chrono.

Elle tourna la tête vers lui et lui adressa un sourire lumineux qui le fit totalement fondre.

— Attends, murmura-t-il, une araignée se promène sur tes cheveux...

Elle sursauta puis ferma les yeux en grimaçant tandis qu'il chassait l'insecte d'une pichenette.

— Elle est partie. Tu as peur des bibittes ?

— Comment les appelles-tu ? s'esclaffa-t-elle.

— Les bibittes, les petites bêtes qui rampent et qui volent... Écoute, ce que je voulais te demander, c'est si tu accepterais que je t'invite à dîner un de ces soirs, en tête à tête.

Pour le dire, il avait pris son élan, et il attendit la réponse en regardant ses pieds.

— En tête à tête..., répéta-t-elle lentement.

Il respira à fond, releva les yeux sur elle.

— Tu me plais, Stéphanie.

À une vingtaine de mètres, Roland et Anaba s'étaient retournés et les observaient. Augustin leur tourna le dos pour ne plus voir que Stéphanie.

— Il y a un moment que j'y pense. Enfin, que je pense à toi. Je te trouve très belle, et si on pouvait faire un peu mieux connaissance, je suis sûr que... ça me rendrait heureux. Mais ne te sens pas obligée d'accepter, si tu me trouves importun, je comprendrais. Il y a peut-être un garçon qui compte pour toi en ce moment ?

— Pas un *garçon*, Augustin, ce serait un homme, forcément. Tu sais que j'ai quarante-deux ans ?

— Et alors ?

— Alors… Rien. Pour une invitation à dîner, en effet, ça n'a pas d'importance, tu n'es pas en train de me demander en mariage.

— Oh, tu voudrais ? On peut s'arranger.

Il essayait de plaisanter mais le cœur n'y était pas.

— Ne mets pas cette histoire d'âge entre nous, c'est idiot, murmura-t-il.

— Nier l'évidence aussi. Si on commence quelque chose, toi et moi, ça nous arrêtera à un moment ou à un autre.

Elle planta son regard dans celui d'Augustin pour conclure :

— Tu es quelqu'un à qui on doit s'attacher vite.

— Il s'agit d'un compliment ? d'une ouverture ? Allez, Stéphanie, donne-moi une chance.

Comme elle secouait la tête, butée, il fit ce qu'il avait envie de faire depuis cinq minutes, il passa un bras autour de ses épaules et l'attira doucement à lui.

— S'il te plaît, chuchota-t-il à son oreille. Je ne suis pas très adroit, je ne sais pas comment te convaincre. Est-ce que je peux t'embrasser ?

— Non. Tu me plais trop pour que je fasse l'expérience.

— Ah… Est-ce que ton père et ta sœur sont toujours là ?

— Ils ont repris leur marche, ils sont loin.

Soudain, elle souriait, et il en profita pour poser ses lèvres sur les siennes. Ils échangèrent un baiser plutôt chaste, mais restèrent enlacés assez longtemps pour comprendre que ça leur plaisait autant à l'un qu'à l'autre.

— Pour ce dîner, souffla enfin Augustin, tu serais d'accord ?

Au lieu de répondre, elle poussa un long soupir et s'écarta de lui.

*
* *

Lawrence se réveilla en sueur, les cheveux collés sur le front et claquant des dents. Le cauchemar mit du temps à se dissiper tandis qu'il restait prostré, les bras serrés autour des genoux. Dans les brumes de son mauvais rêve, il revoyait le corps d'Anaba flottant sur le Saint-Laurent. Elle portait une robe de mariée couverte de boue et d'algues, elle avait les yeux clos et les lèvres bleues. Une vision d'horreur absolue. Pourquoi rêvait-il encore d'elle, pourquoi l'imaginait-il morte ? Parce qu'il l'avait « tuée » ?

— Anaba...

Ce prénom, *qui revient du combat*, le charmait depuis le premier jour. Petit guerrier aux grands yeux sombres si facilement émerveillés. Comme il avait aimé tous les moments passés avec elle ! L'attendre à l'aéroport de Montréal-Trudeau, un bouquet de fleurs à la main pour la voir sourire dès qu'elle l'apercevrait. La retrouver à Roissy, moulée dans un jean noir qui la faisait paraître encore plus menue. La regarder se réveiller le matin en s'étirant à la manière d'un chat.

Lui prendre la main sur la nappe lors d'un dîner aux chandelles. L'entendre gémir tout bas pendant l'amour, caresser sa peau mate et satinée, chercher la trace de son parfum dans son cou.

Et il avait renoncé à tout ça ! Il avait transformé cette jeune femme débordante d'amour en femme hostile. Il l'avait littéralement piétinée en l'abandonnant devant le palais de justice dans sa robe de mariée.

« Tu n'en sortiras pas grandi ! » l'avait prévenu Augustin. Pendant sa fuite à Ottawa ce matin-là, il s'était non pas libéré mais condamné. D'ailleurs, depuis, il ne connaissait que des ennuis. Les remords, il s'était persuadé qu'il en ferait son affaire, mais les regrets ? Car il regrettait Anaba avec une amertume grandissante, et Michelle ne pouvait évidemment pas la remplacer.

Michelle l'avait écouté et – bien mal – conseillé. Dans le rôle de confidente, de pseudo-amie, elle s'était débrouillée pour le récupérer. Mauvaise affaire pour elle, en somme, car ce qu'elle appréciait chez lui était en train de disparaître. Il n'était plus ce jeune et brillant avocat avide de s'amuser. Il avait perdu sa légèreté en même temps que son emploi au cabinet. Perdu ses revenus, bientôt son duplex, perdu le goût de flanquer l'argent par la fenêtre dans des endroits branchés. Perdu, surtout, l'envie de faire l'amour sans aimer.

Il se leva, secoué de frissons, s'aperçut que son tee-shirt était trempé et fila sous la douche. La veille, tard dans la soirée, il avait reçu un appel agacé de son chasseur de têtes. « Quel genre de chaudron est donc accroché à vos basques, maître Kendall ? Chaque fois que je suis sur le point de vous caser quelque part, on me fait savoir que ce ne sera finalement pas possible. Le refus commence toujours par : "renseignements pris". Ça signifie que votre ex-employeur dit du mal de vous. Dans ces conditions, je ne suis pas sûr d'arriver à quelque chose. »

Ils avaient discuté un moment des possibilités qui s'offraient à Lawrence. Tous les gros cabinets d'affaires de la ville communiquaient entre eux, donc peut-être fallait-il envisager de chercher ailleurs qu'à Montréal. Pourquoi pas Toronto ? Non, Lawrence ne voulait même pas y penser. Retourner tête basse dans la ville où il était né, où vivaient encore ses parents, et qu'il avait absolument voulu quitter, n'était pas concevable pour lui. Vancouver ? Pas davantage. Quitte à abandonner Montréal, autant partir très loin. Le chasseur de têtes lui avait alors suggéré de se tourner vers l'international. New York serait un bon choix. Ou l'Europe. Mais se poserait la question des équivalences de diplôme et du droit d'exercer. Néanmoins, avec son bagage professionnel, Lawrence pouvait très bien postuler dans toutes les carrières du conseil juridique, par exemple auprès des grandes banques où les salaires étaient très attractifs.

Cette conversation avait tellement découragé Lawrence qu'il avait bu trois vodkas coup sur coup. Comment s'étonner, après ça, d'avoir fait des cauchemars ?

En sortant de sa douche, il alla se préparer du café. L'agence immobilière devait débarquer ici à dix heures pour prendre des photos et des mesures. Plutôt que voir son duplex saisi par les créanciers, il s'était résigné à le mettre en vente. Ce qu'il espérait légitimement en tirer lui permettrait de rembourser son emprunt, liquider l'hypothèque et payer toutes ses dettes personnelles. Après ça, il ne resterait pas grand-chose. Peut-être devait-il envisager pour de bon de s'expatrier. Tout recommencer ailleurs, c'était possible à trente-cinq ans, il suffisait de digérer l'échec et de tourner la page. Un échec cuisant, car tout ce qu'il avait bâti depuis son entrée à l'université s'était effondré.

Alors qu'il en était à sa troisième tasse de café et que son mal de tête commençait à disparaître, le téléphone se mit à sonner. Il hésita à décrocher pour ne pas apprendre une mauvaise nouvelle supplémentaire, mais il finit par s'y résigner, avec un geste fataliste.

— Ne me dis pas que je te sors du lit ? s'enquit Augustin. Il est neuf heures chez toi, non ?

— Les chômeurs ont le droit de faire la grasse matinée, vieux ! Et j'ai pris une brosse hier soir.

— Tu as fait la tournée des bars ?

— Non, je me suis saoulé chez moi. Qui ne sera bientôt plus mon chez-moi. J'attends l'agent immobilier.

— C'est pour ça que je t'appelle. Je ne peux pas être ton acheteur, je te l'ai dit, mais si tu ne sais pas où aller quand ce sera vendu, je te prête volontiers mon studio. Le portier de l'immeuble a un jeu de clefs, je l'ai prévenu que tu passerais peut-être les prendre, voire que tu t'installerais là-bas quelque temps. Et si tu as des meubles ou des cartons à stocker, il y a une bonne cave.

— Oh...

— Ton duplex a tout pour plaire, il risque d'être acheté en vingt-quatre heures ! Si tu veux dégager vite pour toucher ton fric, au moins tu auras un point de chute. Ce n'est pas grand mais c'est central.

Malgré lui, Lawrence se sentit touché par cette offre qu'il n'avait pas sollicitée. Ainsi, Augustin pensait à lui ? Il l'avait trouvé fuyant au téléphone, la dernière fois, et s'attendait plus ou moins à finir carrément fâché avec lui un de ces jours.

— Augustin, lâcha-t-il d'une voix pressante, j'ai une question à te poser. Y a-t-il quelque chose entre Anaba et toi ?

— Une vraie question à la con.

— Pourquoi en fais-tu un mystère ? J'ai le droit de savoir !

— Tu n'as plus aucun droit sur Anaba. Tu l'aimes encore ?

Avec l'impression d'avoir un creux à l'estomac, Lawrence prit son temps pour répondre.

— Oui, je l'aime toujours autant, et ça me pourrit la vie.

Le silence d'Augustin fut assez long pour imaginer qu'il avait raccroché ou que la communication avait été coupée. Enfin sa voix s'éleva, chargée d'une intonation un peu moqueuse :

— Et si tu étais seulement jaloux ? Je te connais, Lawrence, tes jouets sont à toi. L'idée qu'un autre puisse les convoiter...

— Tu n'es pas censé m'accabler, tu es mon ami ! En ce moment, crois-moi, je les compte sur les doigts d'une main. Même Michelle va se tirer.

— Michelle ? Tu es retourné avec cette garce ? Mais je rêve ! Pour un homme désespéré, tu n'es pas très crédible.

— Je n'aime pas Michelle, je ne l'ai jamais aimée.

— Tu prends juste du bon temps, c'est ça ?

— Si tu veux. Nous sommes deux adultes consentants, et on s'envoie en l'air. Ce n'est pas un crime.

— Comment peux-tu être sûr qu'elle ne s'attache pas à toi, qu'elle ne fait pas de projets ? Elle a dû être si contente que tu viennes pleurer dans son giron ! Quand tu avais décidé d'épouser Anaba, elle en avait fait une vraie jaunisse. Sous ses airs de femme affranchie elle a toujours rêvé de te mettre le grappin dessus.

— Plus maintenant, en tout cas. Seuls les gagnants la font fantasmer, et me voilà dans le camp des loosers.

Un nouveau silence s'éternisa, puis Augustin constata :

— Ah, tu en es là…

— Je ne te demande pas de pleurer sur mon sort mais seulement de répondre à ma question concernant Anaba.

— Tu devrais la lui poser toi-même, Lawrence. Je ne veux pas parler à sa place ni t'apprendre quoi que ce soit à son sujet.

— Toujours aussi loyal, hein ? Chevaleresque avec les dames ! Pour ce que ça t'a servi…

— Trop aimable.

— Écoute, ne nous disputons pas à tout bout de champ. Pour le studio, c'est vraiment gentil à toi de me le proposer, j'apprécie. Tu ne viens pas à Montréal avant le mois de septembre ?

— Si je fais un saut entre-temps, tu vireras ta blonde et on dormira dans le même lit.

— J'espère avoir trouvé des solutions d'ici là.

— Je te le souhaite. Tu n'as besoin de rien d'autre ?

— Si, mais je ne sais pas si tu auras assez de bonne volonté.

— Accouche.

— Quand tu verras Anaba, puisque tu la vois, dis-lui que je l'aime et que j'attends un signe d'elle.

— N'y compte pas. Autre chose ?

— Oui. Rappelle-moi, ça me fait plaisir de t'entendre.

Lawrence raccrocha à regret et considéra longuement le téléphone. Pour la toute première fois en quinze ans, il prenait la mesure de son amitié avec Augustin. Il n'y avait jamais pensé sérieusement. On est copains, on s'amuse ensemble, on regarde les filles en buvant des bières, on va patiner sur les lacs gelés. À coups de grandes claques dans le dos et de plaisanteries cyniques, on entretient la complicité. On rigole, on se rend des services. Enfin, Augustin lui en avait rendu un certain nombre sans jamais rien lui demander en retour. Disponible, gai, efficace, un ami très *pratique*. Arrangeant, aussi, puisque Augustin ne lui en avait pas voulu pour ce coup de patin malheureux dont il portait toujours la marque. Et pourtant... Non, Lawrence préférait ne pas y penser maintenant. Il devait se dépêcher de s'habiller, l'agent immobilier allait débarquer d'un instant à l'autre. Pourvu que cette vente ait lieu rapidement ! Maintenant qu'il avait un endroit où aller, il était pressé de liquider ses dettes. Il aurait la force de rebondir, il n'avait rien perdu de ses ambitions et son ancien patron n'avait pas réussi à lui couper les ailes. Quand il aurait retrouvé une situation professionnelle intéressante, il se lancerait à la reconquête d'Anaba.

Sifflotant gaiement, il enfila une chemise blanche et un costume bleu marine. Pas de cravate ce matin, tant mieux, il était débarrassé de cette obligation pour l'instant. Un coup d'œil dans le miroir de son dressing le rassura sur son allure, il était toujours élégant, séduisant. Un looser, lui ? Bien sûr que non. Pourquoi avait-il dit ça à Augustin ? Pour l'émouvoir ? Insidieusement, leur relation avait changé. Lawrence sentait bien qu'il n'avait plus le même pouvoir sur son ami. Déjà, quand celui-ci avait choisi d'habiter Paris, il avait pris ses distances. Et depuis l'abominable matin du mariage, Augustin lui échappait totalement, le rapport de forces s'était inversé. De là à imaginer Anaba se consolant avec lui… Impensable. Il se faisait des idées fausses, il était stupidement jaloux, sur ce point Augustin avait vu juste. Mais enfin, un jour ou l'autre, Anaba regarderait autour d'elle. Un homme finirait par lui plaire, et cet homme-là désirerait peut-être des enfants, n'aurait pas peur de devenir père avec le break familial et le chien sur la pelouse.

« Avant que ça se produise… Il faut que j'y arrive avant ! »

Devait-il envisager une reconversion en Europe, comme le chasseur de têtes le prétendait ? Il parlait parfaitement français, y compris le jargon juridique et sans le moindre accent. Il pouvait viser la Suisse, la Belgique, ou Paris.

La sonnette de la porte le tira de ses pensées, mais il savait qu'il venait d'entrevoir une solution.

*
* *

257

Stéphanie n'avait pas voulu aller loin de chez elle et s'était bornée à donner rendez-vous à Augustin au *Mistral,* un petit restaurant de spécialités provençales situé à cent mètres de son magasin, dans la rue menant à l'église Saint-Sauveur. L'endroit était charmant, on y mangeait bien, et si ce dîner tournait mal elle serait vite rentrée.

Après des crudités sur tapenade suivies de filets de rougets au riz sauvage, Stéphanie et Augustin commençaient enfin à se détendre un peu. Si le début du repas avait été un peu laborieux, à présent ils parlaient librement en finissant la bouteille de rosé.

— Mes maris ? Je n'ai rien de spécial à t'en dire, il ne faut pas cracher dans sa soupe. Pour te résumer les épisodes le plus honnêtement possible, le premier voulait que je sois sa chose, il faisait preuve d'une jalousie et d'un autoritarisme que je n'ai pas supportés. Le second m'a déçue, il ne voyait rien d'autre que son nombril et il était très... petit dans sa tête. Peut-être ne suis-je pas faite pour le mariage, ou alors j'ai manqué de discernement. Quand on est jeune, l'amour rend aveugle, par la suite c'est moins excusable.

— Tu es blasée, alors ? demanda-t-il en souriant.

— Je suis un peu revenue de tout ça. La passion, la vie à deux, le dévouement à l'autre, l'illusion qu'on va vieillir ensemble. À ton avis, quels sont les *véritables* sentiments des gens qui fêtent leurs trente ans, quarante ans de mariage ? Des habitudes ? De l'affection ? De l'agacement ?

— Je n'en sais rien. Je n'ai pas énormément d'expérience, mais je suis sûr que l'amour peut durer. À condition d'entretenir le feu. Et aussi d'avoir trouvé la bonne personne.

— Ça, oui. Ne pas choisir le premier qui vous plaît un peu. Prendre son temps et réfléchir.

— Est-ce qu'on va prendre le temps, toi et moi ?

— Augustin…

— Réfléchir, c'est aussi ne pas dire non tout de suite.

Elle se mit à rire, désarmée par son insistance.

— Et toi, pourquoi n'es-tu pas marié ? Ne me dis pas que tu n'as jamais été amoureux ?

— Oh si ! Voilà un truc que je connais. Je l'ai été un peu, beaucoup et passionnément. Amour platonique et dévorant à la fac, liaison désastreuse avec une fille très bien mais qui n'était pas pour moi, et gros échec auprès d'une femme qui finalement ne m'aimait pas. Moi aussi, j'ai manqué de discernement. Maintenant, à trente-cinq ans, j'espère en avoir davantage.

Hochant la tête, elle le dévisagea un moment en silence, puis elle tendit la main et effleura sa joue.

— D'où vient ta cicatrice ? demanda-t-elle d'une voix hésitante.

— En patinant. Un accident malheureux. On faisait les idiots avec Lawrence et toute une bande de copains. Mais nous deux, nous étions les plus rapides. Quand on est un bon joueur de hockey, je t'assure qu'on sait aller vite ! J'étais devant, je suis tombé sur une faute de carre, Lawrence n'a pas pu m'éviter.

Comme il n'avait pas l'air embarrassé pour en parler, Stéphanie voulut avoir des précisions.

— Un simple patin peut faire ça ?

— La lame est en acier. Et dans mon cas, le méchant patin a été relayé par un mauvais chirurgien. Après, mon père en a trouvé un bon, mais qui n'a pas pu tout arranger. Lawrence s'en est beaucoup voulu, or il n'y pouvait rien. Sur les lacs, quand on s'amusait, on ne mettait pas de protection, pas de casque. À vingt ans, on n'a pas la notion du danger.

— Tu le regrettes ?

— Non ! J'ai eu une jeunesse formidable et c'était normal de prendre des risques, de faire les fous. Et puis, tu sais…

Il posa sa main sur celle de Stéphanie, cherchant ses mots pour conclure.

— Cette petite marque sur ma joue m'a complexé au début, c'est vrai. Pendant des mois, elle était moche à voir, elle faisait peur aux gens. Pour sourire, je faisais une grimace horrible. Mais elle a éloigné de moi des filles qui n'en valaient pas la peine. Il y avait celles qui fuyaient carrément, celles qui regardaient ailleurs, celles qui voulaient à toute force me consoler. Bon, elles ne me couraient pas après par douzaines !

— Rien que pour tes yeux, elles auraient pu. Ils sont vert lagon, comme dirait Anaba.

— Anaba dit ça ? C'est gentil.

— Est-ce que l'écriture a été un refuge pour toi ? Une manière de te cacher ?

— Non, pas du tout. J'avais envie d'écrire des histoires depuis toujours. Et en commençant par la télé, je n'aurais eu aucune chance de pouvoir me cacher car nous étions très nombreux à travailler sur les mêmes projets. Aux États-Unis, les scénaristes se mettent toujours à plusieurs pour pondre une série.

— Tu as vécu là-bas un moment ?

— Deux ans à Los Angeles, mais je n'aimais pas cette ambiance. Et toi, Stéphanie, tu as voyagé ?

— Très peu. Je n'en avais pas les moyens et presque jamais l'occasion. J'étais occupée à me chercher, ça m'a pris du temps ! J'ai expérimenté différents aspects du commerce parce que j'aimais la vente, le contact avec le public. Après mon second divorce, j'ai eu envie d'avoir une affaire rien qu'à moi, mais je ne pouvais pas la monter à Paris où tout est trop cher. En m'installant ici j'ai pris un pari risqué, et j'ai tiré le diable par la queue les deux premières années. Mais j'étais contente d'être à mon compte, et aussi d'être quasiment à la campagne. J'aime prendre ma voiture à l'aube pour aller traquer l'objet rare sur une foire à tout dans un village perdu. J'adore rencontrer des gens, entrer chez eux pour estimer un meuble ou fouiller le grenier. Je m'amuse, je me suis fait des amis, j'ai une bonne vie.

— La présence d'Anaba ne t'a pas perturbée ?

— Non, dit-elle en riant, je ne suis pas sauvage à ce point, je peux cohabiter ! Et puis, Anaba, c'est ma petite sœur, j'ai toujours eu un faible pour elle. Dès qu'elle est née, je m'en suis sentie responsable, comme si j'avais anticipé la disparition de sa mère.

— Léotie, l'Indienne ?

— Une femme formidable. Pour moi, une belle-mère en or, et pour mon père, l'épouse idéale. Il faisait bon vivre à côté d'elle. Et bien sûr elle était folle de son Anaba, mais elle m'a traitée de la même façon, comme si j'étais sa fille aînée. Pourtant, arriver dans un foyer où il y a une adolescente n'est pas simple.

— Et ta propre mère ?

— Douce, effacée. Je n'en ai pas énormément de souvenirs, elle était déjà malade quand j'étais enfant. Un cancer l'a emportée alors que j'avais dix ans. Pauvre papa ! Il est resté seul avec moi, tendre et maladroit. On habitait un petit appartement, je m'ennuyais un peu, et puis tout est arrivé d'un coup : il a rencontré Léotie, il a acheté sa maison biscornue, Anaba est née. J'ai vécu tout ça avec plaisir et excitation, je n'avais plus le temps de m'ennuyer. Bien plus tard, alors que j'étais déjà partie vivre ma vie, quand Léotie a été écrasée par ce camion, j'ai trouvé ça si injuste, si cruel ! Papa s'est de nouveau retrouvé seul avec une adolescente, cherchant à faire de son mieux. Moi, j'ai essayé d'être présente plus souvent, d'entourer Anaba de toute mon affection. Alors vivre avec elle aujourd'hui ne me pose aucun problème, au contraire. Je l'ai ramenée de Montréal dans un état de désespoir profond. Une claque comme celle qu'elle a prise ce jour-là, ça te fait sonner longtemps les oreilles. Mais elle va s'en remettre, elle a recommencé à sortir.

— Ah bon ?

Il semblait surpris et n'hésita qu'une seconde avant d'enchaîner :

— Tu crois qu'elle arrivera à oublier Lawrence ?

— J'espère bien !

— De son côté, il s'en mord les doigts tous les jours.

— Normal.

— Je veux dire qu'il n'a pas cessé de l'aimer.

Elle ne répondit pas tout de suite, essayant d'être impartiale malgré son aversion pour Lawrence.

— Peut-être, mais... Supposons qu'ils se réconcilient un jour. Hypothèse d'école, je ne le souhaite pas, mais supposons. Comment faire confiance à un type qui est capable de te planter parce qu'il a la trouille ? qui est capable de te marcher dessus pour fuir plus vite ?

Augustin resta silencieux quelques instants puis murmura :

— Je n'ai pas envie de prendre sa défense. Pourtant, je vais quand même te dire que tout le monde a droit à l'erreur. Il a pété un câble le matin de son mariage, d'accord, et c'est un moment d'égarement que tu juges impardonnable. Mais le pardon est une bonne chose, qui te réconcilie avec les autres et avec toi-même.

— Très bien, Anaba peut bien lui pardonner, mais sans retourner avec lui pour autant.

— Et si, malgré tout, Lawrence était l'homme de sa vie ?

— Tu te fais l'avocat du diable, là ?

— Il n'est pas le diable. En fait, je cherche à t'avertir que… qu'Anaba ne me paraît pas détachée de lui. Sa façon d'en parler et de poser des questions sur lui sans en avoir l'air la trahit. Quant à lui, je ne te raconte pas, il ne pense qu'à elle.

— Oh, merde…

Il éclata d'un rire gai, spontané, et reprit la main de Stéphanie dans la sienne.

— Ne t'occupe pas d'eux. C'est avec moi que tu passes la soirée. Veux-tu que je recommande du vin ?

Elle jeta un coup d'œil sur la salle du restaurant qui était déserte à présent.

— Nous sommes les derniers clients, on va les laisser se coucher.

Ils se levèrent et Augustin régla l'addition avant de demander :

— Une petite promenade au bord de l'eau ?

Elle acquiesça, soudain nerveuse. L'instant délicat n'allait pas tarder à arriver. Proposer la formule explicite du « dernier verre » à Augustin la tentait. Leur longue conversation l'avait confortée dans l'idée que cet homme était quelqu'un de bien. Et chaque fois qu'elle l'avait regardé ce soir, elle avait pu constater qu'il lui plaisait énormément. Devait-elle céder à son attirance, comme la femme libre qu'elle était, ou au contraire arrêter là l'histoire avant qu'elle ne prenne trop d'importance ? Si elle se mettait à l'aimer, tout en sachant qu'il n'y avait pas d'avenir possible entre eux, elle se condamnerait à souffrir.

Alors qu'ils marchaient main dans la main le long de la Seine, Augustin s'arrêta net et l'attira à lui. La manière dont il l'embrassa, à la hussarde, était totalement inattendue. Plaqués l'un contre l'autre, ils prolongèrent ce baiser avide avec un plaisir partagé. Quand il la lâcha enfin, ils étaient à bout de souffle tous les deux.

— Je t'emmène à l'hôtel ? demanda-t-il d'une voix haletante.

— Pourquoi l'hôtel ? Ma chambre est à deux pas d'ici !

À présent, elle se sentait follement gaie, pleine de désir, prête à tout, et tant pis pour les conséquences.

— Mais, Anaba…

— Eh bien ? Elle n'a pas douze ans, elle n'est pas bonne sœur ! Je ne vois pas une seule raison de cacher que je te ramène à la maison.

La nuit était tombée depuis longtemps et il faisait sombre au bord de l'eau, cependant Stéphanie distingua le drôle de sourire d'Augustin, devenu pour elle irrésistible.

*
* *

264

À peu près à la même heure, Anaba se trouvait dans le lit de Jean-Philippe Garnier. Cette fois, elle n'avait pas pleuré, elle s'était obligée à jouer le jeu. Mais faire l'amour avec un autre homme que Lawrence n'était pas exaltant, ni satisfaisant, et comme elle n'était pas parvenue au plaisir, elle l'avait simulé. Jean-Philippe ne s'en était apparemment pas rendu compte, ou bien il avait préféré se taire.

Par la fenêtre grande ouverte, l'air très doux de la nuit entrait librement. Anaba repoussa le drap avec un soupir puis gagna la salle de bains où elle prit une douche. À son intention, sans doute, Jean-Philippe avait posé des serviettes de bain bien pliées sur un tabouret, ce qui la toucha. Pour être aussi prévenant, pensait-il entamer une grande aventure avec elle ? Elle ne laisserait pas l'ambiguïté s'installer entre eux, néanmoins, pour l'instant, elle ne savait pas exactement ce qu'elle voulait. Avoir un amant était le passage obligé pour oublier Lawrence. Pour le sortir de son cœur, de son corps.

Elle revint dans la chambre au moment où Jean-Philippe y entrait par l'autre porte, un plateau à la main.

— Voilà un en-cas pour les petites faims !

Les tranches de pain grillé, le pot de rillettes de canard et les deux verres de vin blanc parurent une excellente idée à Anaba. Décidément, cet homme faisait son possible pour qu'elle se sente bien.

— Je passe une soirée fantastique, dit-il en lui tendant son verre. Tu es la plus jolie femme que je connaisse…

Un compliment qui n'appelait aucune réponse. Elle se contenta de sourire tout en essayant de se rappeler ce qu'avait dit Lawrence le premier soir. Éblouie, comblée, déjà très amoureuse, elle s'était endormie contre lui avec le sentiment d'avoir enfin trouvé celui qui allait la rendre heureuse. La suite avait été un enchantement. Des rendez-vous romantiques, des moments exceptionnels qui finissaient toujours trop vite, des nuits à s'aimer jusqu'à l'aube. Lawrence ne supportait pas d'être loin d'elle, il venait souvent à Paris ou bien elle le rejoignait à Montréal. Cinq mille cinq cents kilomètres les séparaient, ça ne pouvait pas durer, il lui avait proposé le mariage.

— … mais j'ai vraiment un tableau à te confier, ce n'était pas un prétexte.

Reprenant contact avec la réalité, elle regarda Jean-Philippe.

— Bien sûr. Un tableau.

— Tu ne m'écoutais pas ?

— Désolée.

— Tu pensais à lui ?

Elle lui avait raconté brièvement cet échec cuisant dont elle se remettait si mal. Compatissant et discret, il n'en avait pas reparlé.

— Écoute, Anaba, je peux comprendre. C'est très récent, j'imagine que c'est encore douloureux.

En fait, il ne comprenait sans doute rien du tout, mais sa gentillesse était désarmante.

— Je préfère éviter le sujet, avoua-t-elle. Redonne-moi un de ces toasts, veux-tu ? Et ton tableau, quelle époque ? Une huile ?

— Non, un pastel.

— Ah, c'est plus délicat…

— Signé Vuillard.

— Ouah ! Il a souffert ?

266

— Il a longtemps séjourné dans une cave.

— Bon, ces jours-ci je peaufine la restauration d'une peinture sur bois, mais je pourrai m'occuper de ton pastel tout de suite après.

Elle termina son verre de vin blanc tandis qu'il la couvait d'un regard déjà amoureux.

— Tu voudras dormir ici ? Je peux te raccompagner si tu préfères, mais au cas où tu voudrais rester, tu es la bienvenue. Vraiment.

Ce serait l'épreuve suprême. S'endormir et se réveiller près d'un homme qui n'était pas Lawrence.

— Eh bien, dit-elle résolument, il est un peu tard pour rentrer chez Stéphanie.

Il baissa la tête, mais pas assez vite pour dissimuler son expression ravie.

9

— Tu aurais pu m'en parler, je trouve ça scandaleux !

Folle de rage, Michelle allait et venait au milieu des valises. Le studio d'Augustin, déjà très encombré de livres, semblait plein à craquer.

— Mes acheteurs voulaient emménager tout de suite et je n'avais aucune envie de m'attarder. Ils y ont mis le prix, j'ai été d'accord.

— Et tu vas vivre *ici* ? Combien de temps ?

Elle regarda autour d'elle, consternée. Pourtant, même en désordre, l'endroit avait beaucoup de charme. La cuisine, indépendante et pourvue d'une fenêtre, était assez vaste pour contenir une table et quatre chaises. Dans la pièce principale, le lit était couvert de gros coussins et servait de canapé. Encastré dans un mur, au milieu des étagères, se trouvait un grand écran plat, et au sol s'étalait un superbe tapis de Kairouan très coloré.

— Augustin a du goût, constata Lawrence, il y a une bonne atmosphère ici.

Situé boulevard de Maisonneuve, à deux pas de la place des Arts, le studio avait tout pour plaire à un célibataire.

— Enfin, Lawrence, reprends-toi ! Tu n'es pas habitué à vivre à l'étroit, tu vas étouffer. Tu fais pénitence ou quoi ? Tu n'étais pas obligé de vendre en catastrophe, tu aurais pu trouver un arrangement avec ta banque ou demander de l'aide à tes parents.

Haussant les épaules, il se dispensa de répondre. À quoi bon lui expliquer que sa banque l'avait pris à la gorge et que ses parents n'avaient pas d'argent à lui prêter ? Finalement, seul Augustin l'avait aidé, au moins il avait un toit au-dessus de la tête.

— Tu vas retrouver une situation rien qu'en claquant des doigts, prédit-elle. Je ne vois pas où était le problème.

Il la dévisagea, un peu étonné qu'elle n'ait rien deviné, rien compris.

— Bon, je dois défaire mes valises et passer plusieurs coups de fil.

Brusquement redressée de toute sa taille, elle mit les poings sur ses hanches et le foudroya du regard.

— Ce qui signifie ? Tu veux que je m'en aille ?

— Puisque tu considères qu'il n'y a pas la place pour deux..., dit-il avec un petit ricanement.

— Fais attention, Lawrence, *très* attention. Tu n'es pas drôle du tout en ce moment, je vais finir par me lasser.

— Oh, bon sang, lâche-moi ! explosa-t-il. Avec toi, tout est question de fric et de paraître, or je ne joue plus dans ce registre-là aujourd'hui. Tu n'avais pas remarqué ? Et je ne ferai pas attention à toi parce que j'ai d'autres priorités.

Il vit qu'elle pâlissait, touchée par ses paroles. Elle avait l'habitude que les hommes soient à ses pieds et supportait apparemment mal d'être traitée avec autant de désinvolture.

— Tu es plutôt… énervé, on dirait. Le déménagement a dû te perturber, c'est normal. Mais je n'aime pas beaucoup qu'on me parle sur ce ton.

Elle l'avait énoncé d'un air taquin, pour dédramatiser la scène. À l'inverse de ce qu'il avait pu croire, elle ne semblait pas prête à sauter sur n'importe quel prétexte pour le quitter, donc il allait devoir prendre l'initiative de la rupture. Sacrée corvée.

— Michelle, je crois que nous n'habitons plus sur la même planète, toi et moi. Je ne peux rien t'offrir de ce que tu attends. Je suis au fond du gouffre et tu penses qu'il s'agit juste d'un petit désagrément passager, que dans huit jours tout sera comme avant. Eh bien, non ! Je ne vais pas retrouver de situation à Montréal parce que ce n'est pas là que je cherche.

Au dernier moment, par orgueil, il n'avait pas pu se résoudre à lui avouer qu'il était grillé dans la profession.

— Pas là ? répéta-t-elle, incrédule. Et où, alors ?

— En Europe. En Suisse ou en France.

La nouvelle parut l'assommer et elle mit quelques instants à réagir.

— Tiens donc ! En France, comme par hasard. Pour rejoindre Augustin ? Mais non, tu t'en fous pas mal, d'Augustin ! C'est Anaba qui t'obsède, hein ? Si tu ne peux pas respirer sans elle, il ne fallait pas la plaquer. Ah, Anaba, cette petite chose qui se donnait des allures de fifille fragile en ouvrant de grands yeux façon : « J'ai vu le père Noël ! » Et dire que ça fait marcher les bonshommes…

— Je préfère les petits modèles aux nageuses de combat, répliqua-t-il méchamment.

En s'en prenant à Anaba, elle l'avait mis en colère à son tour et il se sentait prêt à lui dire ses quatre vérités. Certes, elle était belle avec ses longs cheveux blonds et son regard de glace, mais il la trouvait trop grande, trop carrée d'épaules. S'il avait parfois été flatté que les hommes se retournent sur son passage, il la jugeait aujourd'hui trop voyante, trop maquillée, trop apprêtée, et il n'éprouvait plus aucune vanité d'être à son bras. Elle l'assommait avec ses exigences, son ambition féroce, sa conversation futile.

— Tu deviens mauvais dès qu'il est question d'Anaba, murmura-t-elle.

Son menton tremblait, elle avait perdu son habituelle arrogance, néanmoins elle poursuivit à voix basse :

— Si tu l'aimes encore, tu souffriras pour rien car tu l'as perdue. Aucune femme digne de ce nom ne pourrait pardonner ce que tu as fait. Elle ne te reviendra jamais.

— Qu'est-ce que tu en sais ?

— Il faudrait être idiote ou aimer se faire piétiner ! Tu ne voulais plus te marier avec elle, souviens-toi, ça te flanquait une trouille bleue.

— Plus maintenant. Si c'était à refaire, j'éviterais la connerie, crois-moi.

— Mais qu'est-ce qu'elle a de plus que les autres, à la fin ? Qu'est-ce qui te subjugue ? Qu'elle soit une petite Parisienne entichée du Canada ? Une mijaurée prête à s'évanouir devant un beau paysage ? Tu l'épatais, elle se pâmait et tu adorais ça ! Moi, je ne t'admire pas assez, je me sens sur un pied d'égalité avec toi, je ne suis pas ta groupie comme cette pauvre fille ! Mais moi, je t'aurais tiré vers le haut, on aurait pu faire de grandes choses ensemble.

— Je ne tiens pas à ce qu'on reste ensemble, Michelle. Voilà, il l'avait dit, il se sentit soulagé.

— Tu veux qu'on arrête là ? demanda-t-elle d'une voix blanche. Je t'aime, Lawrence, je t'aime pour de vrai.

Elle fondit en larmes et fut obligée de s'appuyer d'une main à une étagère. Apparemment, elle ne faisait pas de cinéma, elle était vraiment bouleversée. Augustin avait prédit qu'elle s'attacherait à lui malgré son allure de femme affranchie, alors que Lawrence l'imaginait incapable d'aimer.

— Nous ne nous étions rien promis, se justifia-t-il. Rappelle-toi, nous avions décidé de nous amuser sans nous engager.

— Je ne voulais pas te faire peur ! Un trouillard comme toi, ça se ménage, non ?

Redevenant agressive, elle marcha sur lui.

— Ton prétendu meilleur ami vit à Paris, Anaba est retournée à Paris, alors tu files à Paris en me plantant là. Tu as quitté un poste en or et tu vas quitter une femme en or, même si c'est prétentieux de le dire. Tu es en train de tout foutre en l'air pour un mirage. Tu te casseras les dents en France parce que personne ne t'attend là-bas, et surtout pas ta pseudo-squaw qui n'en a plus rien à foutre de toi. Quant à Augustin, depuis le temps que tu lui fais des vacheries, il a dû se trouver d'autres copains.

— « Prétendu », « pseudo », il n'y aurait donc que toi de sincère, toi de valable ? Ne me fais pas rire ! La dernière fois, Michelle, nous nous étions quittés en bons termes. Je t'ai dit que j'étais tombé amoureux et tu l'as accepté comme si ça ne te faisait rien. Qu'est-ce que je devais en déduire ?

— J'avais fait contre mauvaise fortune bon cœur.
J'ai *toujours* eu des sentiments pour toi. Quand tu es
revenu vers moi, j'ai cru que tu avais renoncé à épouser cette fille parce que, au dernier moment, tu t'étais
rendu compte que…

Elle n'acheva pas, secoua la tête et se mordit les
lèvres. Lawrence regarda ailleurs, attendant que
l'orage passe. La colère ou les larmes le laissaient
indifférent, il avait hâte qu'elle s'en aille. Une fois
seul, il pourrait mettre de l'ordre dans ses pensées et
commencer à s'organiser.

— Lawrence, si je franchis la porte, tu ne me rever-
ras jamais. Tu comprends ?

— Oui.

Mais elle n'arrivait pas à lâcher prise, à partir.

— Quand tu regretteras, il sera trop tard. Tu
regrettes toujours, après ! Tous les deux, on se
connaît par cœur, on s'estime, on s'entend bien au lit.
Nous avons le même âge et la même ambition sociale.
Je sais que tu me désires et que je te fais rire, alors…

— Alors ça ne suffit pas ! J'ai connu autre chose
avec Anaba et, quoi que tu en penses, j'ai besoin
d'aimer pour être heureux. Une liste de critères positifs ne me fait pas battre le cœur, je n'y peux rien. Tu
es sûrement une femme formidable, mais tu n'es pas
la femme que je veux. J'aurais peut-être dû te le faire
comprendre avant, désolé.

— Très bien, fous ta vie en l'air, ça ne me concerne
plus.

Cette fois, elle fit quelques pas, ramassa son sac.
Parvenue à la porte, elle se retourna, le considéra d'un
regard dur.

— Tu es un petit mec, Lawrence, un tout petit mec qui n'a pas de tripes. Je me suis trompée sur ton compte parce que tu envoies de la poudre aux yeux. Tu as juste une belle gueule, mais tu es un sacré lâche. Tu peux bien t'enfuir au bout du monde, tu resteras avec toi-même et ce ne sera pas une partie de plaisir !

La porte claqua violemment, puis ce fut enfin le silence. Il laissa échapper un long soupir exaspéré avant d'aller ouvrir une des valises. D'abord suspendre ses costumes et ses chemises, quitte à tasser un peu les vêtements d'Augustin. Michelle avait déversé son venin sans vraiment l'atteindre. Il n'avait connu qu'une seule matinée de lâcheté dans toute son existence, et il continuait de la payer au prix fort. Pour le reste, il se savait courageux. Il pouvait être injuste, cynique, arriviste, égoïste, mais il ne manquait pas de tripes, certainement pas. D'ailleurs, il était sur le point de plonger dans l'inconnu et de remettre toute son existence en jeu sans la moindre appréhension.

Après avoir rangé ses affaires, il installa son ordinateur portable sur la table basse et s'assit à même le tapis. Avant tout, il devait rappeler son chasseur de têtes qui lui avait trouvé deux options, une à Genève et une à Paris. Pour la première, il s'agissait d'une grosse compagnie d'assurances, pour la seconde d'un important groupe bancaire. Les contacts étaient pris, les premiers courriels échangés. Apparemment, son ancien boss ne l'avait pas démoli cette fois. Son anathème semblait s'arrêter aux frontières du Canada, il ne poursuivrait pas Lawrence de sa vindicte au-delà.

Sans Anaba, la tentation des États-Unis aurait été la plus forte, mais la question ne se posait même pas, Lawrence voulait la France par-dessus tout. S'il parvenait à se faire embaucher par ce groupe, il serait à pied d'œuvre pour renouer petit à petit le fil d'une histoire avec Anaba. Et venir s'établir à Paris uniquement pour être plus près d'elle constituerait une véritable preuve d'amour. Y résisterait-elle ? Il ignorait son état d'esprit actuel mais il avait bien vu, le soir de son expédition aux Andelys, qu'elle n'était pas encore détachée de lui. S'il ne s'était rien passé entre-temps...

Il prit son téléphone, sélectionna un numéro. Pour l'instant, il devait consacrer toute son énergie à ses affaires, son salut en dépendait.

*
* *

— Voilà, dit Anaba en retournant vers Stéphanie la peinture sur bois.

Muette de surprise, sa sœur détailla l'œuvre pendant près d'une minute avant de pouvoir lâcher, dans un souffle :

— C'est prodigieux... J'avais acheté pour une bouchée de pain un petit paysage sympa, et tu me sors un visage de Christ sublime !

— Peint longtemps avant par un artiste de talent. Je crois que ça vaudrait la peine de le faire expertiser, maintenant qu'il est restauré.

— Connais-tu un expert vraiment digne de confiance ?

— Je devrais te trouver ça, j'ai encore quelques relations. Tout le monde ne m'a pas oubliée en l'espace d'une année !

Elles échangèrent un sourire complice, puis Stéphanie regarda de nouveau la peinture.

— Tu as accompli un travail incroyable, Anaba.

— Il m'a fallu beaucoup de minutie et de patience. Mais celui qui a barbouillé par-dessus voulait seulement cacher le Christ, pas l'abîmer, et il l'a fait habilement. Je ne peux pas préjuger la valeur exacte de cette peinture car elle n'est pas signée. Il faudra d'abord arriver à la dater, ensuite, le mieux serait de la présenter dans une salle des ventes plutôt qu'ici. Quoi qu'il arrive, tu feras un sacré bénéfice.

— Pas moi, nous ! Tu es partie prenante dans l'affaire. Sans toi, Jésus restait sous sa forêt et je n'en aurais pas tiré grand-chose.

— Ce genre de surprise est un des bonheurs de mon métier, déclara Anaba en considérant à son tour la peinture d'un œil attendri.

Puis elle reporta son attention sur sa sœur.

— Combien de temps vais-je devoir mariner avant que tu me racontes ta soirée avec Augustin ?

— Toi, d'abord.

— J'ai passé un moment agréable. Rien de transcendant, mais Jean-Philippe est un très gentil garçon.

— Gentil ? Pas davantage ?

— Attentionné et cultivé.

— Et puis ? Allez, quoi !

— Pas maladroit du tout. Mais pour moi, le cœur n'y était pas. J'ai essayé de ne pas le lui montrer, je ne sais pas s'il a été dupe. Voilà, maintenant à ton tour.

— Eh bien…

Les yeux dans le vague, Stéphanie eut une expression attendrie qui s'éternisa.

— Je meurs d'impatience ! protesta Anaba.

— Si tu veux tout savoir, en ce qui me concerne le cœur y était déjà ! Augustin est fantastique à tous points de vue. Je me damnerais pour qu'il ait dix ans de plus.

— Ça n'a pas d'importance.

— À condition d'avoir une aventure en passant. Pour une soirée ou même pour un été, ces sept années ne comptent pas, mais pour une histoire au long cours… Je suis amoureuse de lui, et si jamais nous restons ensemble un moment je deviendrai vite *très* amoureuse. Je le trouve émouvant, intéressant, totalement craquant. C'est quelqu'un qui sait écouter, qui pose les bonnes questions, et qui accepte aussi de se livrer. Il n'est ni macho ni vaniteux, il a de l'humour, de la sensibilité, et le sens des valeurs. Son petit accent et ses expressions m'amusent, sa cicatrice lui donne un charme supplémentaire, au lit il est à la fois très doux et très mec. Tu vois où j'en suis ? Tout me plaît chez lui, je suis béate, je n'ai plus aucun discernement.

Anaba éclata de rire et se précipita sur sa sœur.

— Je ne t'avais jamais vue comme ça ! Même avec tes maris tu n'avais pas cet enthousiasme-là, crois-moi. Quand tu parles d'Augustin, tu es transfigurée. Pourquoi veux-tu gâcher ta chance avec cette ridicule histoire de différence d'âge ? Entre vous deux il est bien trop tôt pour parler mariage ou enfants, alors ne te réfugie pas derrière ce prétexte. Vivez votre *aventure*, voyez où elle vous conduit !

— Droit dans le mur. Tu viens de le dire, j'en suis déjà toquée. Même si ça marche bien entre nous, un jour il faudra que je le laisse partir pour qu'il puisse fonder sa famille. Tu parles d'une perspective !

— Il veut une famille ? Des tas de petits Augustin-Augustine ? Tu n'en sais rien. Lui non plus, sans doute. On ne fait pas un planning de sa vie, ce serait impossible à tenir. Allez, quoi, Stéph, un peu de courage ! Tu cherchais encore l'homme idéal, tel âge, tel profil ?

— Je ne cherchais plus d'homme du tout, j'ai eu ma dose. Augustin, c'est un hasard, un...

— Cadeau. Ça s'appelle comme ça. Et même si tout s'arrête un jour, prends ce bonheur au passage. On ne regrette jamais d'avoir été heureux. Si je devais revenir en arrière et tout recommencer avec Lawrence, même en sachant comment ça finit, je le ferais !

— Sauf que toi, tu es jeune et sans beaucoup d'expérience. Moi, je n'ai plus envie d'avoir mal.

Le ton léger du début de leur échange avait disparu. Leurs regards se croisèrent, puis Stéphanie haussa les épaules.

— Bon, qui vivra verra. Je ne sais pas ce que je vais faire, mais je ne pense pas refuser un nouveau rendez-vous avec Augustin, ce serait trop...

— Frustrant ?

— Honnêtement, oui.

Le portable d'Anaba se mit à sonner et, lorsqu'elle jeta un coup d'œil à l'écran, elle parut hésiter. Finalement, elle prit la communication mais sortit du magasin. Stéphanie la vit aller et venir sur le trottoir, sourcils froncés et téléphone collé à l'oreille. Ce n'était sûrement pas Jean-Philippe qui suscitait une expression aussi concentrée, aussi grave. Lawrence ? Quand cesserait-il de la harceler, entre ses lettres et ses appels ? Espérait-il vraiment qu'elle lui donne une seconde chance ?

Stéphanie se détourna et ses yeux se posèrent de nouveau sur la peinture restaurée par Anaba. Un sacré travail, qui démontrait tout le talent de sa sœur. Au

Canada, si son mariage avait eu lieu, aurait-elle eu l'occasion d'exercer son métier ? Probablement pas, et sa formation aux Beaux-Arts aurait été inutile, puis perdue. Mais n'était-ce pas le lot de nombreuses femmes que de ne jamais se servir de leurs études ? Avoir des enfants et les élever était aussi une vocation. Lors de son premier mariage, Stéphanie avait cessé toute contraception, pourtant elle n'était pas tombée enceinte. La deuxième fois, elle n'avait même pas essayé.

Anaba rentra, son téléphone à la main et le visage défait.

— C'était Lawrence, annonça-t-elle. Il a eu pas mal de soucis ces derniers temps mais il sera à Paris la semaine prochaine pour affaires, et il aimerait qu'on déjeune ensemble. Je ne sais pas si j'ai envie de le rencontrer.

Stéphanie s'abstint de la moindre réflexion. À voir la tête de sa sœur, mieux valait se taire.

— Qu'est-ce que tu ferais à ma place ? insista Anaba.

— Je n'y suis pas, ma chérie. Prends le temps de réfléchir et fais selon ton cœur, mais préserve-toi.

Elle se félicita intérieurement d'être restée mesurée. Critiquer Lawrence ou rappeler ce qu'il avait fait ne servait à rien, Anaba savait tout cela.

— Je me sens très perturbée et je me dis que je suis idiote de ne pas lui raccrocher au nez. Mais il avait l'air si désemparé que ça m'a fait de la peine. Tu vois, il me touche encore, c'est effrayant. De là à me jeter dans la gueule du loup...

L'air songeur, elle traversa le magasin, caressant distraitement au passage un fragile verre de Bohême.

— Je vais me remettre au travail, murmura-t-elle avant de disparaître.

Elle avait oublié de reprendre la peinture sur bois. Stéphanie l'emballa avec soin dans du papier kraft, puis dans du papier bulle, et décida de la monter dans sa chambre, où elle serait à l'abri, en attendant d'avoir trouvé un expert.

— Il faut bien qu'une de nous deux garde la tête sur les épaules, marmonna-t-elle, très contrariée.

*
* *

Augustin n'avait fait que tourner en rond. Dix fois il s'était assis devant son ordinateur, mais il n'arrivait décidément pas à s'intéresser au pauvre Max Delavigne, qui se trouvait pourtant en fort mauvaise posture face à trois gangsters bien armés.

Dans la tête d'Augustin, il n'y avait que Stéphanie. Des tas de pensées contradictoires l'assaillaient, le rendant tour à tour exalté ou découragé. Comment poursuivre ce début d'histoire ? Il ne voulait pas l'effrayer, mais il était déjà si amoureux d'elle ! Tout ce qu'elle pouvait raconter sur leur différence d'âge lui semblait absurde. Pourtant, il faudrait bien qu'il donne des réponses cohérentes aux questions qu'elle soulevait.

Sept ans, un écart dérisoire, mais qui allait poser problème. Entre autres, de quelle façon sa mère réagirait-elle lorsqu'elle ferait la connaissance de Stéphanie et comprendrait qu'elle n'aurait probablement pas de petits-enfants à espérer ? Sa déception se verrait et Stéphanie y serait forcément sensible.

Appuyé à l'embrasure d'une fenêtre, il ferma les yeux. Imaginer une rencontre avec ses parents, à Vancouver, le laissait perplexe. Cependant, malgré tout l'amour et le respect qu'il éprouvait pour eux, il était libre de conduire son existence comme il le désirait. Et Stéphanie représentait la femme dont il avait rêvé. Belle, indépendante, accomplie et sereine. Elle avait aussi beaucoup de tendresse à donner, elle le prouvait depuis longtemps avec Anaba et avec Roland, elle le montrait aussi en faisant l'amour. Elle s'était donnée à Augustin sans réserve ni pudeur, manifestant avec une gaieté voluptueuse son appétit de la vie. La femme idéale pour lui, et au diable ces sept malheureuses années d'écart !

Il retourna s'asseoir devant son ordinateur, essaya de se concentrer, mais au lieu de sortir Max du guet-apens où il était tombé, il se remit à rêvasser. Comment présenter et proposer un prochain rendez-vous ? Où pouvait-il emmener Stéphanie pour lui faire passer une bonne soirée ?

Son téléphone portable vibra et commença à se déplacer tout seul sur le bureau à la manière d'un crabe.

— Foutus objets ! ronchonna-t-il avant de répondre.

C'était Gilbert, son agent au Canada, qui ne lui laissa même pas le temps de dire bonjour.

— Tu l'as, mon coco, tu l'as !

— Quoi donc, Gilbert ?

— Le prix Saint-Pacôme du roman policier ! Il sera remis au début de l'automne, avec un chèque de trois mille dollars. Tu es content ? D'autre part, cerise sur le gâteau, j'entends des bruits qui filtrent depuis le ministère de la Culture et des Communications où il est beaucoup question de toi. Le jury s'est réuni au printemps et tu es souvent cité. Si tu obtenais le prix Athanase-David, c'est dix fois plus, tu aurais trente mille dollars ! C'est aussi la plus haute distinction du gouvernement du Québec en littérature.

— Pourquoi moi, grands dieux ?

— Pour l'ensemble de ton œuvre, répondit Gilbert avec emphase.

— Je t'assure qu'il y a de quoi rire.

— Mais non, voyons ! En tout cas moi, grâce à toutes ces bonnes nouvelles, me voilà en négociation avec un éditeur de New York. Je crois qu'on va y arriver, Augustin, on va entrer sur le marché anglo-saxon. Et si ça marche, tu pourras m'inviter à manger une sole au homard chez *La Mère Michel* !

— On conserve notre traductrice ? Fais-en une condition du contrat.

— Ostie, je n'y crois pas ! Tu ne trouves rien d'autre à dire ?

— La traduction, Gilbert, ça change tout.

— Traduis-le toi-même au lieu de m'emmerder.

— Je ne sais pas encore de quel livre il s'agit, tu as oublié de me l'annoncer.

— *Au bout du quai*. C'est ton meilleur, autant commencer par celui-là.

— Le meilleur, ce sera celui que je suis en train d'écrire. Figure-toi que Max tombe amoureux, et pour une fois il a la main heureuse, tout va bien pour lui.

— Tu es cinglé ou quoi ? Tu peux canceler ça tout de suite, le commissaire Delavigne est obligatoirement malheureux en amour !

— C'est moi l'auteur, Gilbert.

— D'accord, d'accord, je vois… Je parie que c'est toi qui es amoureux ? Eh bien reste en dehors, ne mêle pas Max à tes mièvreries ! Je viens de t'apprendre que tu as le Saint-Pacôme et tu ne me dis même pas merci. Je pense que tu as capoté pour de bon.

— Je devrais te remercier, toi ?

— Je suis ton agent, ta nounou, ton coach, ton ange gardien. Tout ce qui t'arrive de bien dans ta carrière professionnelle résulte de mes efforts constants pour te caser partout. Tu *dois* être reconnaissant. Tu devrais même m'élever une statue au lieu de roucouler avec… Comment s'appelle l'heureuse élue ?

— Stéphanie.

— Va pour Stéphanie. Une Parisienne ?

— Née à Paris mais habitant en Normandie.

— Trop folklorique ! Au moins elle est blonde, ta blonde ?

L'expression « blonde » s'appliquant à toutes les petites amies au Québec, Augustin songea aux cheveux gris que Stéphanie portait sans le moindre complexe et il eut une bouffée d'émotion.

— Elle est surtout formidable, tu seras sous le charme quand tu la rencontreras, dit-il gaiement.

— Dans pas longtemps d'ici, si tu l'emmènes avec toi, car il va falloir que tu viennes avant le mois de septembre. Non seulement pour signer les contrats que je m'échine à te décrocher, mais surtout parce que je veux organiser des tas de choses avec la presse. Il est temps qu'on parle de toi un peu partout.

— Laisse-moi finir mon manuscrit d'abord.

— Donne-moi une date.

— Non, on en reparlera.

Agacé par l'indocilité de son auteur, Gilbert coupa la communication, ce qui fit sourire Augustin. Tout de suite après, il se demanda s'il parviendrait à convaincre Stéphanie de l'accompagner à Montréal. Qu'elle puisse voir la ville sous un jour autre que lors de cet affreux mariage raté en plein hiver. Déjà, il mourait d'envie de lui montrer des tas d'endroits, et par association d'idées il comprit ce qu'avait pu ressentir Lawrence en jouant les mentors pour Anaba. Puis, une autre pensée s'imposa aussitôt : son studio était occupé. Horreur ! Il ne pouvait pas mettre Lawrence dehors après lui avoir offert l'hospitalité de bon cœur. Alors quoi ? L'hôtel ? Après tout, ce serait aussi bien : quitte à offrir ce voyage à Stéphanie, autant qu'il soit des plus agréables. Mais n'aurait-elle pas la curiosité de vouloir jeter un coup d'œil au studio d'Augustin ? Il était pourtant hors de question qu'elle rencontre Lawrence.

— Quel casse-tête...

Sauf que Stéphanie n'accepterait peut-être pas de le suivre si loin. Leur aventure ne faisait que commencer, elle était toute neuve. D'un geste décidé, il enregistra puis ferma le fichier « Max ». Le plus urgent était de trouver sur Internet une bonne adresse de restaurant pour proposer une sortie. Ce serait le prétexte de son appel, car il avait envie de l'entendre et de lui dire des douceurs.

*
* *

Lawrence relut trois fois de suite le courriel et leva les bras en signe de victoire. Le voyage était « tous frais payés », à savoir les billets d'avion et deux nuits dans un excellent hôtel parisien. Ses futurs employeurs se comportaient comme des princes, c'était bon signe ! Et aussi le résultat de plusieurs heures passées sur son ordinateur ou au téléphone. Il s'était vraiment donné à fond pour séduire ses interlocuteurs, se montrant aussi brillant qu'il savait l'être en matière de droit.

— Je mérite ce poste, je vais l'avoir !

Le salaire et les avantages étaient conséquents, il faudrait qu'il soit tout à fait convaincant lorsqu'il serait face aux responsables. Et si par bonheur il signait le contrat...

En fait, ce serait un peu un saut dans le vide car il n'avait jamais vécu à l'étranger. De toute façon, il ne pouvait pas espérer un emploi équivalent à Montréal pour l'instant. Pas d'emploi du tout, même ! Alors, s'il devait quitter le Canada pour remettre sa carrière sur des rails, autant que ce soit à Paris. Là-bas, Augustin lui donnerait sûrement un coup de main pour les nombreuses formalités de son installation. Le poste était à pourvoir à partir du 1er septembre, il aurait donc deux mois pour s'organiser.

En attendant, il allait s'envoler comme prévu pour la France le surlendemain. Et Anaba n'avait toujours pas accepté de déjeuner avec lui. Bon sang, il n'avait que quarante-huit heures à passer sur place, comment la persuader ? Pas question, cette fois, de se taper l'expédition jusqu'aux Andelys à bord d'une voiture de location, il n'en aurait pas le temps, et surtout il n'avait pas l'intention de se saborder professionnellement une seconde fois pour ses affaires de cœur. Mais Anaba pouvait, avec une petite heure de train, le

286

retrouver au centre de Paris. Si elle lui offrait cette chance, il la saisirait à pleines mains. Il n'était plus dans l'état d'esprit d'un perdant aujourd'hui, il avait retrouvé toute sa combativité. Devait-il la rappeler, insister, argumenter, faire envoyer des fleurs ? Au téléphone, malgré ses réserves, elle s'était montrée moins hostile, moins définitive. Aux protestations d'amour désespérées de Lawrence, elle n'avait pas opposé de ricanement amer. Et à sa question brûlante au sujet d'Augustin, elle était tombée des nues. Néanmoins, elle avait reconnu qu'elle le voyait souvent. Pourquoi donc ?

Non, il devait laisser de côté cette probabilité. Augustin et Anaba, ça ne collait pas. Augustin n'était pas son *rival*. D'ailleurs, il ne l'avait jamais été, ou si rarement ! À l'université, les filles disaient qu'il possédait des yeux magnifiques et qu'il dégageait un charme fou. Elles lui en avaient trouvé beaucoup moins après l'accident.

Ah, était-il obligé d'y repenser maintenant ? Ces derniers temps, et bien malgré lui, le souvenir de ce coup de patin malheureux revenait le tarabuster. Durant des mois après l'accident, il avait réussi à tenir la question en échec. Puis il avait fini par admettre, dans le secret de sa mémoire, que l'espace d'un court instant il avait eu la *tentation* de ne pas éviter Augustin. Cette infime hésitation avait suffi pour qu'il ne puisse pas s'arrêter. Bien entendu, il avait affirmé le contraire et tout le monde l'avait cru, Augustin le premier. Enfin, pas vraiment tout le monde, car Jean Laramie avait balayé cette version de l'accident d'un redoutable « Pas à moi ! ». Mais à ce moment-là, il était très inquiet pour son fils, et il préférait accuser un coupable plutôt qu'absoudre un simple responsable. Par la suite, considéré comme indésirable, Lawrence n'avait plus jamais été invité dans la somptueuse maison victorienne au pied du Mont-Royal. Ni à Vancouver après le déménagement des Laramie, des années plus tard. Jean avait la rancune tenace, tandis qu'Augustin était resté l'ami de Lawrence. En théorie, son meilleur ami. En pratique aussi, puisqu'ils avaient continué à sortir ensemble, à refaire le monde, à draguer les filles. Pour Augustin, forcément, ça avait marché moins bien côté séduction, alors il s'était mis à prétendre qu'il préférait les grands sentiments aux petits coups d'un soir. Peut-être était-il sincère, au fond, avec son excès de romantisme ? Néanmoins, il avait eu besoin d'échapper aux regards et, négligeant la protection de Lawrence qui veillait à ce que personne ne fasse allusion à la cicatrice, il avait abandonné le droit pour aller s'inscrire dans un atelier d'écriture. Encore une bonne raison de trépigner pour Jean Laramie ! Mais Augustin avait vite mis tout le monde d'accord en quittant carrément le Canada pour les États-Unis. Une décision qui lui avait porté chance et qui permettait à Lawrence de se dire en toute bonne foi que sans ce coup de patin, Augustin n'aurait jamais trouvé sa voie. Alors, décidément, il fallait cesser d'y penser.

Émergeant de sa rêverie, il imprima le courriel. Ensuite il empoigna son téléphone, respira à fond et sélectionna le numéro d'Anaba.

*
* *

Roland observa Stéphanie avec curiosité, puis lâcha dans un sourire :

— Tu as l'air en pleine forme, ma chérie, tu resplendis !

Ils étaient descendus dans la cuisine souterraine de la maison biscornue pour chercher de la fraîcheur. Dehors, la chaleur du mois de juin était accablante. Roland prit deux cannettes de Perrier dans le réfrigérateur puis s'installa de l'autre côté de la petite table de teck rouge.

— Je ne vais pas rester longtemps, l'avertit sa fille, mais au moins j'aurai eu le plaisir de t'embrasser.

Elle avait déposé la peinture sur bois chez l'expert désigné par Anaba, et elle avait déjà hâte de connaître le résultat.

— Ta sœur garde le magasin ?

— Oui, elle n'avait aucune envie de se retrouver dans les encombrements parisiens. On cuit dans mon vieux break sans climatisation ! Et elle a un certain nombre de commandes pour des restaurations. Tu penses bien qu'en province les bruits vont vite. Dans la région tout le monde sait qu'elle travaille très bien. Au début, les premiers clients sont venus par curiosité, mais maintenant elle est en train d'acquérir une véritable réputation.

— Et comment va-t-elle, moralement ?

— Bien…

— Mais encore ?

— Elle est gaie, elle sort, elle a même un petit copain.

— C'est formidable !

— Je n'en suis pas sûre, papa. Je connais Anaba par cœur et, à mon avis, elle n'est pas guérie de Lawrence.

Il faut dire qu'il ne l'aide pas, il la harcèle de coups de téléphone et de lettres.

— Il a un fier toupet ! Ça ne te révolte pas ?

— Si, mais…

— Explique à ta sœur qu'elle se met en danger. Elle est jeune, elle peut se laisser fléchir, céder aux belles paroles, tu dois absolument la raisonner.

— Non, papa. D'abord, Anaba a vingt-huit ans, ce n'est pas une adolescente. Elle sait ce qu'elle fait, et même si elle se trompe nous n'avons pas à décider pour elle. Si elle aime toujours Lawrence, mes discours n'y changeront rien. Au contraire ! À force de le maudire, de l'accuser, de le diaboliser, on incite Anaba à prendre sa défense.

Roland baissa la tête et se mit à jouer avec sa cannette vide. Au bout d'un moment, il demanda d'un ton résigné :

— Crois-tu qu'ils puissent… se réconcilier ?

— Je ne sais pas. Avec le temps, peut-être.

— Ce serait épouvantable. Cet homme n'est pas fiable ! Si ta sœur retourne avec lui, elle vivra dans l'angoisse. Chaque fois qu'il franchira la porte, elle se demandera s'il ne va pas disparaître pour ne jamais revenir. Je ne comprends pas que tu ne sois pas plus catégorique avec elle. Tu es l'aînée, Stéphanie, tu as vécu, partage ton expérience. Et puisque vous vivez ensemble, toutes les deux, profites-en pour lui ouvrir les yeux. C'est ton rôle de…

Il s'interrompit abruptement, releva la tête et braqua son regard sur sa fille.

— Pardon, murmura-t-il. Ma pauvre chérie, je te parle tout le temps d'Anaba, et jamais de toi. J'imagine que tu n'as pas *que* ta sœur dans la tête en ce moment.

— Exact.

— Je suis désolé. Et incorrigible. J'ai toujours été comme ça, hein ?

— Elle était la petite dernière, la fille de Léotie, tu l'as un peu couvée. Mais tu devais le faire, elle n'avait plus de mère.

— Toi non plus !

— J'ai eu une belle-mère parfaite. Sincèrement. Une présence féminine très tendre jusqu'à ce que je quitte la maison. Alors qu'Anaba est restée seule avec toi. Vous étiez deux naufragés, deux compagnons de misère. Et puis, elle ressemble tellement à Léotie…

Il semblait tout déconfit, comme s'il n'avait pas eu conscience de sa préférence jusque-là.

— Je t'aime, Stéphanie. Je t'aime et j'admire la façon dont tu mènes ta vie.

— Oh, j'ai fait beaucoup d'erreurs !

— Assumées. Tu sais toujours repartir du bon pied.

— Eh bien, vois-tu, en ce moment je suis dans une impasse.

— Tu vas trouver la sortie, je te fais confiance. Tu veux m'en parler ?

Ni l'un ni l'autre n'avait l'habitude des confidences. Comme elle venait de le rappeler, Stéphanie avait reçu beaucoup d'affection de Léotie à qui elle racontait volontiers ses petits secrets d'adolescente, et ce n'était pas vers son père qu'elle se tournait pour ses peines de cœur.

— J'ai une aventure avec Augustin, avoua-t-elle du bout des lèvres.

— En voilà une bonne nouvelle ! Ce garçon me plaît, et pas uniquement parce qu'il aime les livres.

— Il a tout pour plaire, je suis bien d'accord. La spontanéité, la sincérité, l'honnêteté…

— Alors, où est le problème ?

— Son âge, papa. Il est trop jeune pour moi, je suis trop vieille pour lui.

Roland médita la révélation de sa fille avant d'ébaucher un sourire.

— Considérez-vous qu'il s'agisse d'un obstacle infranchissable ?

— Moi, oui. Tu imagines l'avenir ? Quelques années de bonheur, et puis il s'en ira épouser une femme capable de lui donner des enfants. Ou bien nous nous aimerons pour de bon et nous resterons comme deux fruits secs.

— Contrairement à ce que tu crois, tout le monde ne rêve pas d'enfants. C'est même ce qui a fait fuir Lawrence !

— Il ne devait pas se sentir prêt, mais un jour ou l'autre il le sera. Augustin aussi, quoi qu'il en pense aujourd'hui.

— Vous pourrez en adopter. Faire le bonheur d'un petit voué à la misère et au manque d'amour est une belle action. Écoute-moi, Stéphanie, il y a *toujours* une solution quelque part. Quand on a la chance d'avoir trouvé l'âme sœur, la bonne personne, on surmonte toutes les difficultés. Le jour où j'ai rencontré Léotie, j'ai compris que c'était elle. Nous aurions pu vivre deux cents ans main dans la main sans le moindre nuage, je le savais. Le destin en a décidé autrement mais nous étions faits l'un pour l'autre, faits pour partager un amour durable.

— Vous avez eu Anaba !

— Elle est arrivée, tant mieux, j'en rends grâces à Dieu, pourtant, même sans elle, ça n'aurait strictement rien changé. Ce que je te dis là est très intime. Pour un homme, la naissance d'un enfant n'a jamais autant d'importance que l'amour qu'il porte à une femme.

Stéphanie le scruta, un peu étonnée de l'entendre avouer qu'il avait préféré son épouse à ses filles. Mais il était sincère et ne faisait que mettre en mots l'évidence.

— Vois quel genre de route vous prenez, Augustin et toi. Il sera toujours temps de renoncer.

— Ce sera de plus en plus douloureux.

— Tu sais bien que ça fait partie de la vie. Ne pas vouloir aimer par peur de souffrir serait assez... médiocre.

Pas vraiment convaincue mais un peu apaisée, elle se leva et alla jeter les cannettes dans la poubelle. En remontant l'escalier derrière son père, elle constata qu'il peinait sur les marches.

— Tu as mal aux genoux, papa ?

— Genoux, hanches, chevilles... Des rhumatismes dus à l'âge !

— Et qu'en dit ton médecin ?

— Pour ça, il faudrait que j'aille le voir.

— Prends rendez-vous. Il faut que tu te soignes et que tu restes en forme si tu veux continuer à profiter de ta maison. Quatre niveaux, c'est du sport !

— Très bon pour le cœur, paraît-il, mais moins pour les articulations. Remarque, je ne monte pas souvent au second, dans vos anciennes chambres.

— Tu en as fait une annexe de ta bibliothèque.

— J'y ai mis des volumes de moindre importance. D'ailleurs, je vais trier tout ça, faire du vide.

— Ne te fatigue pas.

Elle le suggérait sans y croire, sachant que le plaisir de son père consistait à classer et reclasser ses livres. Au moins, il ne s'ennuyait jamais.

— Veux-tu venir déjeuner aux Andelys lundi prochain ?

— Je préférerais le suivant. Pour celui-ci, j'ai un bridge de prévu avec d'anciens collègues.

Il la raccompagna jusqu'au seuil et l'embrassa plus affectueusement que de coutume.

— Fais attention à toi, Stéphanie. Ne te censure pas, saisis ta chance. Et puis salue Augustin de ma part, il a vraiment toute ma sympathie.

Amusée, elle monta dans sa voiture qu'elle avait laissée au bout de l'impasse. À l'intérieur, l'air était tellement suffocant qu'elle baissa toutes les vitres. Si la circulation n'était pas trop dense, elle arriverait chez elle vers midi. Une seconde, elle caressa l'idée de faire une visite surprise à Augustin, mais elle y renonça. Elle n'était pas en vacances et ne pouvait pas abandonner tout le temps le magasin à sa sœur. Chaque fois qu'un client faisait tinter le carillon, Anaba était obligée de s'interrompre et de quitter l'atelier, c'était sûrement agaçant pour elle.

Une fois sur le périphérique, elle songea à la conversation qu'elle venait d'avoir avec son père. Avait-il essayé de la rassurer, de l'encourager ? Non, il disait toujours ce qu'il pensait sans louvoyer. Il privilégiait donc l'amour, quel que soit le prix à payer. Allait-elle en faire autant ?

« Il se sent vieillir, sa vie est derrière lui. Nous n'avons pas le même angle de vision. »

Roland aurait bientôt soixante-dix ans. Stéphanie réalisa qu'un jour il ne serait plus là, qu'il n'y aurait plus de maison biscornue, au fond d'une impasse, où partager un moment de tendresse.

Ses cheveux volaient dans tous les sens et elle remonta à moitié les vitres en s'engageant sur l'autoroute de l'Ouest. Elle hésitait encore quant à la décision à prendre. Arrêter l'aventure avec Augustin avant qu'il ne soit trop tard ou se jeter à l'eau ? Écouter son père et sa sœur ou suivre son instinct ?

« J'ai une bonne vie, que j'ai mis du temps à construire, je ne veux pas la mettre en péril. Je ne veux pas non plus faire de mal à Augustin qui est un homme bien. Qu'adviendra-t-il si un jour il se sent coincé et n'ose pas se détacher ? »

Son tee-shirt restait collé au dossier du siège par la transpiration. Si la peinture sur bois avait vraiment de la valeur, elle changerait de voiture. Aujourd'hui, elles étaient toutes équipées de climatisation, et son vieux break n'en pouvait plus. Même vis-à-vis des clients, ce serait mieux d'avoir un véhicule en meilleur état pour aller chercher ou livrer un meuble. Elle pourrait y faire apposer une inscription du genre : *Stéphanie Rivière, antiquaire.* De ça elle était certaine, son métier lui plaisait, son existence lui convenait, se lever le matin était un plaisir. Mais Augustin occupait de plus en plus de place dans sa tête et dans son cœur.

Lorsqu'elle quitta l'autoroute à Gaillon, sous un soleil éblouissant, elle n'avait toujours pas réussi à prendre une décision.

À sa descente d'avion, après avoir récupéré sa valise, Lawrence eut la surprise de découvrir qu'Augustin était venu l'attendre. Sur le coup, il eut peur d'une mauvaise nouvelle, peur qu'Augustin ne soit là que pour l'empêcher de voir Anaba. Or il lui avait arraché, à force de cajoleries, la promesse qu'elle viendrait au moins boire un verre avec lui.

— Bienvenue en France, vieux ! Tu es ici pour décrocher un job ?

— Je mets tous mes espoirs là-dedans. J'ai vécu de sales moments depuis quelques semaines et je ne serai pas fâché de faire table rase. Tu avais quelqu'un à voir à Roissy ?

— Personne d'autre que toi.

— C'est mauditement gentil !

L'expression québécoise, utilisée de façon délibérée par Lawrence, fit sourire Augustin qui suggéra :

— On va prendre un taxi et bavarder un peu. À quel hôtel es-tu logé ?

— Le *Pershing Hall*, tout près des Champs-Élysées.

— Très bien, allons-y.

Ils gagnèrent la sortie et prirent place dans la file d'attente des taxis.

— Tu n'as pas eu peur de prendre l'avion ? Depuis la catastrophe…

— Je serais venu à la nage s'il l'avait fallu. Et puis, tu sais ce qu'on dit, quand ce n'est pas ton heure tu ne crains rien.

— Mais si c'est celle du pilote ?

Ils échangèrent un sourire hésitant avant de monter dans la Peugeot qui venait de s'arrêter devant eux. Lawrence continuait à s'interroger sur la présence d'Augustin, néanmoins il ne voulait pas lui poser directement la question.

— Tu as fini ton manuscrit ?

— Tiens, tu t'en souviens ?

— Que tu écris ? Oui. Je connais aussi tous tes titres. Alors ?

— Je suis plutôt distrait ces temps-ci, mais je devrais bientôt terminer.

— Dans les librairies de Montréal, j'ai vu tes bouquins en piles. Ça marche fort pour toi, non ?

— Gilbert s'y emploie. À propos, j'ai décroché le Saint-Pacôme du polar.

— Félicitations !

— Merci, mais ce n'est pas de moi que je voudrais parler.

— Je vois. Anaba, c'est ça ?

— Elle va assez bien, elle a même un nouveau copain.

Lawrence eut l'impression de recevoir un seau d'eau en pleine figure.

— Tu peux préciser ? demanda-t-il d'une voix saccadée.

— Eh bien elle a retrouvé une vie normale, elle sort, elle voit du monde.

— Le copain en question, qui est-ce ?

— Tu ne le connais pas. Et il ne s'agit pas de moi, arrête ton cinéma.

— Ah…

— Je sais que tu veux absolument la voir, que tu n'arrives pas à tourner la page alors que c'est toi qui as fermé le livre d'un coup sec ! Mais tu te rends bien compte qu'en la harcelant, tu l'empêches d'avancer ? Pourquoi t'acharnes-tu sur elle ?

—Parce que je l'aime. J'aurais dû t'écouter, le matin du mariage, ou tu aurais dû m'y traîner par les cheveux ! J'ai fait la pire connerie de mon existence, je m'en mords les doigts tous les jours. En ce moment, j'essaye de recoller les morceaux, de me faire pardonner. Pourquoi te mets-tu en travers de mon chemin ? J'ai cru que tu avais des vues sur elle, je me suis trompé, mais je n'arrive pas à comprendre pourquoi tu la protèges si férocement ni pourquoi tu veux la mettre hors de ma portée.

—Parce que tu lui as déjà fait beaucoup de mal, et parce que nous sommes devenus amis elle et moi.

—Comme c'est touchant ! Tu es le sien, donc tu n'es plus le mien ?

—Je t'ai assez prouvé que je le suis toujours, Lawrence.

Un rappel à l'ordre un peu vexant mais qui fit mouche.

—Tu as raison. En ce moment j'habite chez toi, et ce matin tu es venu jusqu'à Roissy. Désolé, vieux, je suis un peu angoissé par mon rendez-vous avec les banquiers ! Si j'arrive à obtenir le poste que je convoite, ce sera...

Il n'eut pas le temps d'en dire davantage car le taxi venait de s'arrêter devant l'hôtel *Pershing Hall*, rue Pierre-Charron.

Après avoir réglé la course, Lawrence demanda une fiche puis récupéra sa valise.

—Je t'offre un verre ? proposa-t-il à Augustin.

— Non, va prendre une douche et repose-toi du voyage. On essaiera de se voir avant ton départ.

— Je t'appelle dès que j'ai du nouveau.

Il ne pouvait rien promettre au sujet d'Anaba et ne souhaitait pas en reparler. Tandis qu'Augustin s'éloignait en direction de l'avenue George-V, il le suivit des yeux, perplexe. Indéniablement, il avait été content de le découvrir à l'aéroport. Mais était-ce pour le plaisir de retrouver un ami ou parce qu'il allait avoir besoin de lui s'il s'installait en France ? En tout cas le conseil était bon, il avait besoin de se laver, se détendre, avaler quelque chose et se préparer pour son rendez-vous. Empoignant sa valise, il franchit la porte de l'hôtel d'un pas résolu.

10

— Anaba dîne avec Jean-Philippe, alors j'ai pensé qu'on serait aussi bien à la maison qu'au restaurant. Comme je ne suis pas très bonne cuisinière et que je n'aime pas les chichis, je t'ai fait un gratin de macaronis.

— J'adore ! Avec beaucoup de fromage, beaucoup de chapelure et beaucoup de beurre ?

Stéphanie éclata de rire, hochant la tête.

— Plein. Et des allumettes de jambon.

— C'est tigidou.

— Quoi ?

— C'est parfait.

— Je raffole de ces expressions.

— J'en garde plein d'autres en réserve. Mais si tu veux un festival, j'ai une proposition à te faire.

— Honnête ?

— Tu jugeras toi-même.

Augustin prit la bouteille de chablis et le tire-bouchon qu'elle lui tendait.

— Je dois aller passer trois ou quatre jours à Montréal.

— Quand ?

Avec une satisfaction qu'il parvint à dissimuler, il nota l'air déçu de Stéphanie. Si elle n'avait pas envie qu'il s'éloigne, même pour peu de temps, c'était bon signe.

— Le plus tôt serait le mieux. Je dois signer des trucs, discuter avec mon agent, avoir un entretien avec le *Journal de Montréal* et un autre avec le mensuel *L'Actualité.*

— Et tout ça ne peut pas se régler par courrier ou par téléphone ?

— Un peu difficile. Mais surtout, j'ai pensé que… eh bien, si tu acceptais de venir avec moi, ça nous ferait une petite escapade d'amoureux !

— *Petite* escapade, à cinq mille kilomètres d'ici ?

— Je le fais souvent, et toi déjà une fois.

Il la rejoignit, la prit tendrement dans ses bras.

— Dis oui, ma belle, s'il te plaît. Je sais que tu as gardé un mauvais souvenir de Montréal, mais c'est une ville fantastique, elle te plaira forcément.

— Augustin, tu n'es pas sérieux. Les billets coûtent cher et…

— C'est *mon* voyage, je t'invite. Bien sûr, tu ne pourras pas fumer dans l'avion, mais tu n'auras qu'à prendre un cachet pour dormir. À l'arrivée, tu seras éblouie. Tu n'as vu que l'hiver et ton hôtel *Hilton*, mais à présent il fait un temps radieux là-bas, et je te montrerai plein d'endroits extraordinaires. J'aimerais tant que tu aies une autre image de mon pays !

— Je ne peux pas partir.

— Si, tu peux. Tu n'as qu'à demander à Anaba de te remplacer au magasin, et tu as aussi des copines prêtes à donner un coup de main, c'est toi qui me l'as dit. On part un dimanche, on rentre le vendredi. Quatre jours pleins sur place, rien qu'un saut de puce.

— Dans un avion susceptible de s'écraser ?

— Voyons, ça n'arrive pas tous les jours. Lawrence a atterri aujourd'hui sans problème.

— Ah oui, Lawrence… Tu l'as vu ?

— Je suis allé le chercher.

— C'est avec ce genre de boniments qu'il avait conquis Anaba. Lui montrer son pays, lui faire suivre la trace de Léotie, l'éblouir de paysages grandioses !

— Stéphanie, protesta-t-il sur un ton de reproche, je ne te fais aucun « boniment ». J'ai seulement très envie que tu viennes avec moi. Tu as l'impression que l'histoire se répète ? Je ne suis pas Lawrence, et nous n'avons pas encore discuté mariage.

Brusquement radoucie, elle eut un petit rire spontané, comme s'il venait de faire une bonne plaisanterie.

— Pardon, Augustin, mais ton copain m'en a fait voir de toutes les couleurs. J'ai cru qu'il avait cassé Anaba, qu'elle ne se remettrait pas d'un coup pareil et qu'elle n'aurait plus jamais confiance en personne. Bon, oublions ça, mon gratin est prêt.

Il attendit qu'elle ait posé le plat sur la table et qu'elle se soit assise pour s'installer en face d'elle. Les portes de la véranda, grandes ouvertes, avaient laissé entrer deux papillons de nuit qui voletaient près des lampes.

— Je chasse les bibittes ? proposa-t-il en souriant.

— Avec plaisir. Je devrais installer une moustiquaire pour les soirs d'été comme celui-ci. Je sais que je suis idiote d'avoir peur des insectes à mon âge mais…

— Arrête de parler de ton âge, ou bien je vais falsifier mes papiers d'identité !

Elle le servit pendant qu'il faisait sortir les papillons à grands coups de torchon puis refermait les portes.

— Ta maison est un petit bijou, apprécia-t-il, en particulier cette cuisine.

— Après avoir décidé de consacrer tout le rez-de-chaussée au magasin, il ne me restait plus que cette pièce, alors j'ai eu l'idée de la véranda pour gagner de l'espace, de la lumière, et la vue sur le jardin. À Noël dernier, il y avait de la neige, j'avais fait un feu d'enfer dans la cheminée, c'était féerique d'être à la fois dehors et dedans, bien au chaud.

— Tu étais seule pour Noël ? demanda-t-il d'un air consterné.

— Non ! Avec tous mes amis célibataires ou divorcés. Et toi ?

— Chez mes parents, à Vancouver.

Il avait terminé son assiette et il redemanda un peu de gratin.

— Tu manges trop vite, s'amusa Stéphanie.

— Tu sais pourquoi ? Je suis pressé d'aller dans l'endroit que je préfère au monde, à savoir ta chambre.

— Une réflexion qui manque furieusement de romantisme.

— Oh, je peux l'être ! Gamin, je savais jouer de la mandoline, je pourrais essayer de te donner l'aubade si tu me procures l'instrument.

— Pourquoi de la mandoline ?

— Parce que mon père voulait que j'apprenne le piano. J'étais déjà contrariant avec lui.

Posant son couvert, il se leva et contourna la table.

— Je vais me mettre à genoux pour te demander de m'accompagner à Montréal.

Il joignit le geste à la parole et, un genou à terre, lui prit les mains.

— Je suis amoureux de toi comme un fou, Stéphanie. Il y a sûrement de meilleures façons de le dire, mais je crains que mes prédécesseurs n'aient usé tout le vocabulaire et que tu me trouves bien banal.

— Non… Ce mot-là ne s'applique pas à toi.

Penchée vers lui pour l'embrasser, elle sursauta en entendant claquer la porte.

— Oh, je vous dérange, je suis désolée ! s'exclama Anaba.

Augustin ne chercha même pas à se relever et expliqua, avec un sourire béat :

— Je fais une déclaration d'amour à ta sœur.

— Il veut m'emmener à Montréal pour cinq jours, précisa Stéphanie.

— Vas-y ! C'est si beau…

Sa réaction spontanée toucha Stéphanie et la rassura. Anaba ne prenait pas ombrage du fait que sa sœur puisse suivre le même chemin qu'elle. Elle aurait pu considérer que tout ce qui touchait au Canada était sa propre histoire, mais apparemment, ça ne l'effleurait pas.

— As-tu passé une bonne soirée ? voulut savoir Stéphanie.

— Pas terrible. Jean-Philippe est gentil, compréhensif, mais il n'apprécie pas que j'aille boire un verre avec Lawrence demain. Je le lui ai dit par honnêteté, et le dîner a été gâché.

— Normal que tu lui coupes l'appétit, railla Stéphanie, si tu lui agites sous le nez le fantôme de ton ex, l'homme qui t'a brisé le cœur et qui menace de faire son come-back !

Les deux sœurs échangèrent un regard circonspect. Anaba connaissait les réticences de Stéphanie et devait se sentir mal à l'aise.

— J'ai néanmoins accepté de restaurer pour lui un pastel de Vuillard. Je vais le déposer dans l'atelier et je monte me coucher.

Elle s'éclipsa vers le jardin, refermant la porte de la véranda derrière elle. Augustin se remit debout, toujours souriant.

— Un Vuillard, mazette ! Avez-vous une alarme à l'atelier ?

— Non, mais la baie est en double vitrage antieffraction, avec une bonne serrure.

Il débarrassa le plat presque vide et revint s'asseoir en face d'elle.

— Anaba paraît un peu retournée, risqua-t-il.

— Elle redoute cette rencontre de demain, mais elle l'a acceptée.

— Et ça t'agace ?

— J'ai peur pour elle. Que veux-tu qu'il en sorte de bon ?

— De bon pour qui ?

— À mon avis, pour personne. Mais je ne cherche pas à avoir raison à tout prix ou à évincer Lawrence. Mon seul désir est qu'Anaba soit heureuse.

— Tu ne feras pas son bonheur malgré elle, ni à sa place.

— D'accord, je me contenterai de la récupérer en morceaux ! Tu vas me dire que j'ai des sentiments trop maternels à son égard, mais contrairement à ce que tu crois, je n'interfère pas dans sa vie, je ne l'ai jamais fait.

Ils se turent car Anaba revenait, la clef de l'atelier à la main.

—J'ai fermé à double tour et j'ai planqué le pastel au milieu de trucs sans grand intérêt. Ah, vous êtes bien mignons, assis sagement tous les deux !

Elle prit le verre de chablis de sa sœur et but une gorgée.

—J'ai lu dans tes pensées et j'en rougis pour toi, plaisanta-t-elle. Allez, je vous laisse, les amoureux.

Les joues gonflées par l'envie de rire, Augustin réussit à attendre qu'elle soit partie.

—J'adore cette fille ! dit-il en s'esclaffant.

De nouveau, il se leva, contourna la table.

— Mais celle que je préfère, de loin, c'est toi.

Debout derrière elle, il l'enlaça puis l'embrassa délicatement dans la nuque.

—Je rêve de toi toutes les nuits, chuchota-t-il à son oreille. Du délicieux mélange de tabac blond et de 5 de Chanel. Tu es mon fantasme absolu.

Il glissa une main dans le décolleté de son chemisier, effleura sa peau nue. Elle se tourna alors pour lui faire face et lui tendit ses lèvres. Elle avait envie de faire l'amour et ce désir lui procurait une joie guerrière, la faisait se sentir extraordinairement vivante. Ôtant elle-même un à un les boutons de son chemisier, elle s'offrit à ses caresses en fermant les yeux de plaisir.

*
* *

Lawrence changea une nouvelle fois de cravate, puis il s'observa d'un œil critique dans la glace. Non, mieux valait pas de cravate du tout. Son costume bleu nuit et sa chemise bleu ciel étaient d'une parfaite élégance. Il en avait eu la confirmation avec le coup d'œil approbateur de son premier interlocuteur, la veille. Ce matin, pour affronter trois représentants du conseil d'administration, il avait préféré son costume gris clair, une chemise blanche et une cravate rubis. Calme, concis, il avait répondu aisément à toutes les questions avant de se lancer dans un laïus mûrement préparé. Et, deux heures après être entré dans l'immense salle de réunion, il avait su que la partie était gagnée. Pour montrer leur satisfaction, les banquiers l'avaient invité à déjeuner, ce qui n'était pas prévu dans le planning d'origine. Grand restaurant, conversation à bâtons rompus en français et en anglais. Lawrence s'était montré sobre en n'acceptant qu'un verre de vin et fin gourmet en émettant des commentaires avertis sur les saveurs des plats. Un parcours sans faute. Au moment de se quitter, le principal responsable avait lâché, avec un sourire très cordial :

— Eh bien, je crois que nous allons travailler ensemble, maître Kendall !

Radieux, Lawrence était rentré à son hôtel à pied, humant l'air chaud des rues de Paris. À présent, restait l'autre partie du programme : Anaba.

Il s'approcha un peu plus de la glace, se scruta en détail. Après une courte sieste, il s'était de nouveau douché, de nouveau rasé. Était-il le même que celui qui avait séduit Anaba un an et demi plus tôt ? Avait-il vieilli, perdu de son assurance ou de son charisme ?

En tout cas, il n'avait jamais autant préparé et redouté un rendez-vous avec une femme ! Qui aurait dû être la sienne…

— Pauvre con, dit-il au miroir.

Mais il se trouvait bien et ne pouvait pas s'empêcher d'être content de lui. D'abord parce qu'il avait un physique séduisant, il le constatait dans la glace, ensuite parce qu'il s'était montré brillant depuis son arrivée à Paris. Il venait de rompre la malédiction qui l'avait poursuivi ces derniers mois et il allait enfin pouvoir démarrer une vie nouvelle. N'y manquait que la reconquête d'Anaba pour boucler la boucle.

Il n'avait plus que dix minutes pour gagner le bar, aussi décida-t-il de descendre tout de suite. Puisqu'elle avait accepté de venir, passant sans doute au-dessus de l'avis de ce pauvre Augustin, son *ami*, surtout, ne pas la faire attendre !

Lorsqu'il pénétra dans le lounge de l'hôtel, un remarquable bar à champagne, il eut la surprise de découvrir qu'Anaba était déjà arrivée. De loin, il l'observa un instant tandis qu'elle était occupée à détailler les rideaux rouges en perles de verre de Murano. Assise de profil, les jambes croisées, elle portait un petit spencer blanc sur un tee-shirt en V noir. Un jean moulant, noir lui aussi, des sandales à hauts talons, aucun bijou ni aucune trace de maquillage mais une coupe de cheveux très réussie. Il la jugea vraiment jolie, plus attirante que Michelle et beaucoup moins voyante. Plus intelligente, aussi, et donc plus difficile à manœuvrer.

Il s'arrêta devant sa table, attendit qu'elle lève les yeux sur lui.

—J'aurais voulu être ici avant toi.

— Tu n'es pas en retard, fit-elle remarquer avec un sourire forcé.

— As-tu commandé quelque chose ?

— Pas encore.

— Regarde au-dessus du bar toutes les bouteilles de champagne et choisis ton préféré.

Pendant qu'elle tournait la tête, il examina ses mains et constata qu'elle ne portait pas sa bague de fiançailles. Se remémorer le jour où il la lui avait offerte au *Beaver Club* le mit mal à l'aise. Son serment d'amour éternel avait vite été rompu, il n'était plus crédible. Mais qu'avait-elle fait du bijou ? Rangé, vendu ?

Elle opta pour un Roederer, lui pour un Ruinart, et il passa la commande.

— Tu es très en beauté.

— Merci.

Ça commençait mal, le ton était trop distant, trop formel.

— Je suis très ému, avoua-t-il en baissant la voix. Depuis ma triste visite aux Andelys, pas un jour ne s'est écoulé sans que je pense à toi.

Elle décroisa ses jambes, évitant de le regarder.

— Pour être honnête, poursuivit-il, les regrets m'étouffent, les remords m'asphyxient. Je me fais des reproches, je ne suis pas en paix. Comment puis-je effacer ce que j'ai fait ? J'ai imaginé tous les scénarios possibles, mais pas un seul ne tient la route. Je sais que tu ne me pardonneras pas d'avoir eu la trouille de t'épouser. Pourtant, je t'aime éperdument, et t'avoir perdue me fait t'aimer davantage.

Par malchance, le serveur choisit cet instant pour apporter leurs coupes. Troublé dans son élan, Lawrence en profita pour sortir son téléphone qu'il posa sur la table.

— J'attends un message très important, expliqua-t-il. Je t'ai dit que j'étais ici pour affaires, or c'est une affaire à laquelle je tiens par-dessus tout, l'affaire de ma vie ! J'ai postulé pour un emploi à Paris. Les entretiens se sont déroulés hier et aujourd'hui, et je les crois positifs. Pour moi, travailler en France était le seul moyen de me rapprocher de toi.

Anaba fronça les sourcils, très attentive, jusqu'à ce qu'il enchaîne :

— J'ignore si tu me laisseras une chance de te faire oublier ce qui est arrivé, mais à des milliers de kilomètres de toi, je n'en avais plus la moindre. Alors j'ai décidé de tenter le tout pour le tout, quitte à chambouler mon existence de fond en comble. Prends-le comme une preuve d'amour, Anaba. Je veux être où tu es et respirer le même air que toi.

Voilà, il était parvenu à présenter les choses sous leur meilleur jour. Maintenant, elle le regardait intensément, ses grands yeux noirs rivés sur lui.

— Tu as fait ça ? articula-t-elle.

— Je pense être embauché. Si c'est le cas, je commencerai le premier septembre, ce qui me laisse l'été pour m'organiser, trouver un logement et tout liquider à Montréal. À propos, j'ai vendu mon duplex.

— Augustin me l'a dit.

— Ah, ce cher Augustin ! Il me reproche de te harceler. Tu lui racontes tout ?

— C'est un type formidable. Je suis vraiment ravie pour Stéphanie.

Abasourdi, il la dévisagea en essayant de comprendre.

— Stéphanie ? répéta-t-il. Ta sœur et Augustin ? Mon Dieu, je n'y crois pas ! Mais... il est plus jeune qu'elle, non ?

— Et alors ?

— Rien.

En fait, des tas de commentaires cinglants lui venaient à l'esprit, qu'il préféra taire. Il n'était pas là pour discuter de la vie amoureuse d'Augustin et de ses choix loufoques, même si la nouvelle le laissait pantois.

— J'ai failli être jaloux de lui, reconnut-il. Je trouvais qu'il en savait beaucoup sur toi et j'enrageais qu'il puisse te voir à sa guise. Mais au moins, il me disait comment tu allais.

— Je vais bien, affirma-t-elle froidement.

Était-ce la réflexion à propos de la différence d'âge entre Augustin et Stéphanie qui lui faisait reprendre ses distances ? Il changea aussitôt de sujet.

— Il paraît que tu as des clients, des commandes ?

— Oui, ça marche. Je suis contente de retravailler.

— Il paraît aussi que... Ah, je ne sais pas de quelle façon le formuler, mais ça me brûle la langue !

— Quoi donc ?

— Ne le prends pas mal. Tu as un petit copain ?

À son tour d'être surprise, à son tour de trouver son cher ami Augustin trop bavard.

— Je sors avec quelqu'un, oui, dit-elle sans baisser les yeux.

— Je hais cette idée.

— Tant pis !

Il se pencha, lui prit une main. Lorsqu'elle voulut la retirer, il la serra doucement mais fermement.

312

— S'il te plaît… Regarde-moi et dis-moi que tu ne m'aimes plus.

Elle était trop franche, trop entière pour mentir, et il misait là-dessus.

— Je n'ai pas pu te rayer d'un trait de plume comme je l'aurais voulu, soupira-t-elle. Les bons souvenirs n'ont pas tous accepté de disparaître.

— Oh, non ! Je les fais défiler un par un avant de m'endormir, et ça ne sert qu'à me donner des insomnies. Tu n'imagines pas le nombre de nuits blanches que je te dois. Mais je ne peux penser qu'à toi et à cette insupportable matinée où j'ai tout gâché. Anaba, y a-t-il encore un petit quelque chose au fond de ton cœur pour moi ? Une minuscule lueur d'espoir me suffirait.

— Lawrence…

Le prénom et rien d'autre, prononcé à la française selon son habitude. Après un silence, elle ajouta :

— Tu vas vraiment vivre à Paris ?

Une perspective qui semblait ouvrir des horizons pour elle.

— Je vivrai là où tu seras. Si tu changeais de pays, je te suivrais.

Elle lui avait abandonné sa main, une première victoire.

— Ce… copain que tu as, il compte ?

— Pas encore.

Deuxième pas sur le long chemin de la reconquête.

— Tu as couché avec lui ?

— Est-ce que je te demande avec qui tu couches ?

— Avec personne ! Je me moque des femmes qui ne sont pas toi. Tu ne comprends donc pas que je me désespère depuis des mois ?

313

Son téléphone se mit à vibrer entre les deux coupes de champagne, et l'icône d'un message apparut sur l'écran. Brusquement ramené à ses préoccupations professionnelles, Lawrence appuya machinalement sur la commande « afficher ». Dans les deux secondes qui suivirent il réalisa, horrifié, qu'il venait de commettre une bourde monumentale. Le message ne provenait pas du tout des banquiers mais de cette folle de Michelle, et sur l'écran s'étalait un texte de cauchemar. Spontanément, et parce que Lawrence avait bien précisé l'importance du message qu'il attendait, Anaba avait baissé les yeux sur le téléphone.

— *Je n'arrive pas à me passer de toi,* lut-elle à haute voix. *Je t'aime, reviens-moi.*

Ces deux phrases étaient comme une condamnation. Lawrence n'eut pas le temps de chercher une parade, une quelconque explication, déjà Anaba était debout. Sans la moindre parole d'adieu, elle se dirigea vers la sortie du bar. Paniqué, Lawrence voulut la suivre mais fut retardé par le serveur qui lui demandait son numéro de chambre. Lorsqu'il déboucha sur le trottoir de la rue Pierre-Charron, il l'aperçut qui marchait vite, comme si elle voulait mettre le plus de distance possible entre eux. Il piqua un sprint pour la rejoindre tout en criant son nom. Elle se retourna, leurs regards se croisèrent, puis elle se précipita sur la chaussée pour traverser.

Lawrence vit la camionnette qui arrivait vite, Anaba qui trébuchait. Il n'eut aucune conscience de ce qu'il faisait, ne décida rien, agissant par réflexe. En deux bonds il fut près d'elle, la ceintura, la tira en arrière et la fit pivoter pour la mettre hors de portée. Le chauffeur klaxonna furieusement dans un grand bruit de freins et le rétroviseur de la camionnette heurta durement l'épaule de Lawrence. Il avait senti l'air brûlant du moteur le frôler au passage.

— Elle est cinglée, la petite dame ! Elle veut mourir ?

Arrêté dix mètres plus loin, le chauffeur vitupérait, la tête à la fenêtre. Des passants qui avaient suivi la scène s'étaient massés le long du trottoir. Le bras tétanisé autour d'Anaba, l'épaule douloureuse, Lawrence respirait vite, son cœur battant à tout rompre. Contre lui, Anaba tremblait des pieds à la tête.

— Ma mère, hoqueta-t-elle, ma mère est morte comme ça…

— Je sais, ma chérie, je sais.

Ils étaient les pieds dans le caniveau, indifférents aux coups de klaxon furieux des voitures bloquées. La camionnette démarra enfin, dégageant la rue.

— Je n'ai pas oublié un seul détail de ta vie, souffla Lawrence. Ta vie est ce qui m'importe.

Elle s'accrochait toujours à lui, encore sous le choc, et pour l'instant ils avaient tous les deux oublié le message de Michelle. Lawrence s'en souvint le premier, avec une bouffée de fureur. Il fit monter Anaba sur le trottoir.

— Cette femme, bredouilla-t-il, ce texto imbécile, je n'y suis pour rien.

Il ne trouvait pas autre chose à dire mais c'était très insuffisant.

— Chapeau pour les réflexes ! lui lança un homme en passant, le pouce levé.

— Ne restons pas là, Anaba. Viens, j'ai des choses à te raconter.

La soulevant pour la faire avancer, il repartit vers l'hôtel.

*\
* *

Augustin avait passé un long moment chez son médecin, qui était aussi un bon copain, posant des questions et prenant des notes. De retour chez lui, il avait pu terminer le chapitre où Max Delavigne, grièvement blessé après une fusillade dans les égouts, gisait à l'hôpital entre la vie et la mort. Fort des détails techniques fournis, il s'était lancé dans des dialogues détaillés qui rendaient la scène très authentique.

Après avoir travaillé d'arrache-pied, et satisfait du résultat, il avait réalisé qu'il était mort de faim, ayant oublié de déjeuner. Dans sa cuisine, il avait confectionné et dévoré un sandwich au jambon de Bayonne plein de cornichons et de moutarde, arrosé d'un verre de muscadet. Maintenant, il était presque dix-neuf heures, donc onze heures du matin à Vancouver, et il pouvait appeler son père. Sa mère serait probablement partie au marché.

Il composa le numéro, n'attendit que deux sonneries avant d'entendre la voix grave de Jean Laramie.

— Tu prends ton café, papa ?

— Oui, le troisième, dans ma chaise longue sous l'érable. Il fait un temps divin ici ! Comment vas-tu, mon garçon ?

— Tellement bien qu'il fallait que je t'en parle.

— Oh, là, là… Et comme par hasard tu téléphones au moment où tu es sûr que ta mère ne décrochera pas ?

— C'est ça.

— Mais tu vas *tellement bien* que je n'ai pas le moindre souci à me faire quant à la suite de cette conversation ? Eh bien, c'est parfait, je t'écoute sereinement.

— Il me semble que vous devez vous rendre à Montréal courant juillet ?

— Tout à fait. J'ai encore deux ou trois petites choses à liquider là-bas, et ta mère est toujours ravie d'y retourner, surtout en été !

— Avez-vous déjà fait vos réservations ?

— Je ne vais pas tarder à m'en occuper. Pour ne rien changer aux habitudes, Charlotte veut descendre au *Renaissance* parce que les fenêtres des chambres donnent sur le parc Mont-Royal. Moi, j'aime bien leur bar, alors pour une fois nous sommes d'accord.

— As-tu une date précise à respecter ?

— Sois plus explicite.

— Je viens aussi à Montréal pour une petite semaine. Si nos séjours pouvaient coïncider, j'aimerais vous présenter...

— Stéphanie ?

— Tu te souviens de son prénom ?

— Pour une fois que tu me confies un secret, tu penses bien que je ne l'ai pas oublié !

— J'espère arriver à la convaincre de m'accompagner. Elle a presque dit oui, et moi, j'ai déjà pris les billets.

— Très bien, donne-moi tes dates.

— Du huit au treize.

— Noté. On devrait pouvoir s'arranger.

Ce qui, dans la bouche de Jean, signifiait que tout serait réglé en détail le jour même.

— Bon, reprit Augustin, maintenant, j'ai autre chose à te dire.

— Pour avoir voulu me parler à moi au lieu d'offrir la bonne nouvelle toute chaude à ta mère, j'imagine en effet qu'il y a *autre chose*.

— Je ne sais pas comment tu imagines Stéphanie, mais elle ne correspondra pas forcément...

— Pourquoi ? Elle a un troisième œil au milieu du front ?

— Non, mais ce n'est pas une jeune fille au sens propre du mot.

— Serait-ce un garçon au prénom trompeur ?

— Sois sérieux, papa. Stéphanie a quarante-deux ans.

— Oh...

Il y eut un silence éloquent, qu'Augustin respecta.

— Mais quel âge a donc sa sœur, Anaba ?

— Vingt-huit. Elles ont quatorze ans d'écart et ne sont que demi-sœurs.

Jean laissa passer un autre silence avant de marmonner :

— Pourquoi ne peux-tu jamais rien faire comme tout le monde ?

— J'agis selon mon cœur. Maintenant, si ça pose problème, mieux vaut éviter la rencontre. Nous nous verrons à une autre occasion et je ne vous en voudrai pas.

— La politique de l'autruche, qui consiste à se mettre la tête dans le sable pour ne pas voir la réalité, m'a toujours exaspéré. Stéphanie a quarante-deux ans, voilà. Quarante-deux, ce n'est pas la doyenne de l'humanité. Et dis-moi, Stéphanie est-elle appelée à rester longtemps dans ta vie ?

— Je ferai tout pour, et plus encore.

— Alors il nous faudra faire avec. Ta mère va s'en évanouir, mais je la ranimerai. Je pense à un verre d'eau plutôt qu'à une claque. Déjà que le verre d'eau est risqué, tu connais son caractère. Bon, je dois tout de même ajouter que tu es un fils très… déconcertant. Je t'assure.

— Tu me l'as souvent reproché.

— Vraiment ? Quelle lucidité !

Jean eut un rire un peu forcé. Il plaisantait mais devait s'inquiéter, et Augustin lui tendit une perche.

— Tu crois que c'est jouable, papa ? Je n'aimerais pas du tout que maman prenne son air pincé pour toiser Stéphanie en lui demandant sa date de naissance.

— Tu sais bien que non. Mais elle sera déçue, tu n'y peux rien. Elle rêve d'être grand-mère depuis longtemps, elle se verrait bien repiquer au truc des biberons et des nuits blanches. Moi, ça ne me manquera pas, elle, oui. Néanmoins, c'est ta mère, elle est dingo de toi et elle finira sûrement par t'absoudre, vu qu'elle l'a toujours fait malgré mes protestations. Écoute, mon grand, je vais lui raconter notre petite conversation, et si ça tourne mal, je te rappellerai. Mais à mon avis, la curiosité va l'emporter. Dans ce cas, je prendrai nos réservations du huit au treize au *Renaissance*. Ça te va ?

— Nickel. Je n'en espérais pas tant. Est-ce que tu es très contrarié ?

— Juste un peu. Néanmoins, venant de toi, plus rien ne m'étonne.

Il se remit à rire, mais plus naturellement cette fois.

— Allez, mon Gus, ne te ruine pas en téléphone, je prends la chose en main et je te tiens au courant.

Attendri par l'emploi de ce diminutif que son père n'utilisait plus depuis longtemps, Augustin l'embrassa et raccrocha. Durant quelques minutes, il resta les yeux dans le vague, essayant de projeter la rencontre de ses parents et de Stéphanie. Il se sentait à la fois anxieux mais exalté, étonné d'éprouver un tel besoin de parler d'elle, de l'emmener avec lui, de la présenter à tout le monde, et de ne plus jamais la quitter. Un soir d'été comme celui-ci, ne pas être avec elle était une torture. Avait-il toujours été aussi excessif en amour ? Non, il se souvenait très bien de chacune des histoires qu'il avait vécues, de ses emballements ou de ses chagrins, mais rien ne ressemblait à ce qu'il vivait aujourd'hui. Un sentiment dense, profond, déjà si solide, et qui lui donnait des ailes !

Il se renversa dans son vieux fauteuil à roulettes, ferma les yeux. Puis il se repassa le film de cette scène où il n'avait rien deviné, rien pressenti. Stéphanie émergeant de la limousine de location et marchant droit sur lui. Sa fureur, ses poings martelant son pardessus, sa voix désespérée qui criait : « Foutus bonshommes de merde ! »

Une sacrée bonne femme... Voilà ce qu'il avait pensé d'elle. Mais comment aurait-il pu prévoir la suite ? Sourire aux lèvres, il décida que, pour une fois, Lawrence lui avait vraiment fait un beau cadeau, même sans le vouloir et sans le savoir.

*
* *

L'excès d'émotions ayant provoqué une crise de larmes, Anaba avait longtemps pleuré, la tête dans les

320

mains, le corps secoué de sanglots convulsifs. Puis elle s'était calmée et enfermée dans la salle de bains. Lawrence en avait profité pour enlever sa chemise afin de jeter un coup d'œil à son épaule. Un large hématome s'y étalait mais il pouvait bouger son bras, il n'avait rien de cassé. Ensuite, il avait fait monter deux cognacs avec un plateau de petits fours. Quand Anaba était revenue dans la chambre, ils s'étaient d'abord regardés en chiens de faïence, puis ils avaient trinqué et bu une gorgée d'alcool.

À présent, ils étaient installés dans le coin salon, assis face à face, et Lawrence venait d'expliquer qui était Michelle et pourquoi elle avait envoyé ce message. Comprenant bien qu'il se trouvait dans la pire des situations, il essayait de s'en tenir à la vérité, au moins pour l'essentiel. Sa fuite lâche à Ottawa, Michelle dans le rôle de la bonne amie prête à conseiller et à consoler, leur liaison reprise cahin-caha jusqu'à ce qu'il rompe définitivement, incapable d'oublier Anaba, enfin sa décision de venir en France pour la retrouver.

— J'ai passé des mois épouvantables. C'est cruel, mais Michelle était un pis-aller, une présence qui m'évitait de devenir fou en pensant à toi. Je n'avais pas le courage de rester seul, pourtant ce n'était pas mieux quand elle était là. Je l'avais déjà quittée pour toi il y a deux ans, et j'ai fait exactement la même chose il y a deux semaines.

— Comment veux-tu que j'arrive à te croire ?

— Parce que c'est la vérité. J'ai été un coureur de jupons dans ma jeunesse, je ne te l'ai jamais caché, mais j'ai changé après t'avoir rencontrée. Je ne suis *plus* un séducteur, ça ne m'intéresse plus. Je n'ai pas cherché à te remplacer, je n'en aurais pas eu la force, mais Michelle était là, elle avait une revanche à prendre, elle jubilait de notre mariage raté, et comme j'étais au trente-sixième dessous elle en a profité. Je représentais sûrement la proie idéale, le mec qui ne sait plus où il en est, qui a tout foiré et qui se désespère... Elle ne m'apportait aucun soulagement et je continuais à dériver. J'ai aussi bousillé mon boulot au cabinet. J'avais sans doute l'envie inconsciente de tout détruire dans ma vie. Lorsque j'ai vendu mon duplex, je n'étais même pas triste ! J'effaçais, j'effaçais des pans entiers de mon existence, mais je ne pouvais pas effacer mon erreur avec toi. Augustin a été sympa, il m'a tendu la main en me prêtant son studio, le temps que je trouve un travail en France. C'est là que j'ai vu Michelle pour la dernière fois. Je suis sûr d'avoir été très clair avec elle, mais elle n'est pas le genre de femme à accepter qu'on la repousse. Elle ne peut même pas concevoir qu'on ne soit pas à ses pieds ! Je ne crois pas une seconde qu'elle soit malheureuse parce que je ne l'aime pas. Elle souffre d'une blessure d'orgueil et je m'en fous. Son texto, tout à l'heure, c'est un coup de revolver dans le dos.

Pendant qu'il parlait, Anaba avait englouti trois ou quatre petits fours. Elle s'essuya les doigts avec une serviette en papier puis regarda sa montre.

— J'ai raté mon train.

— Veux-tu dîner ici ? demanda-t-il d'un ton plein d'espoir. Le restaurant de l'hôtel est dans un patio, face à un stupéfiant jardin vertical.

— Non, ça me ferait rentrer trop tard.

— Tu peux rester dormir. Tu as été secouée tout à l'heure.

— J'ai eu peur, admit-elle. Ce type a failli m'écraser !

— Tu n'as pas regardé en traversant.

— Tu me poursuivais ! Mon Dieu, il aurait pu me rouler dessus et je... Tu sais, après la mort affreuse de maman, j'en ai rêvé pendant des mois. Un cauchemar récurrent, avec le camion qui la percutait, qui la traînait, et son corps disloqué... Je n'avais pas vu l'accident, je l'imaginais, je l'inventais toutes les nuits. Et tout à l'heure, cette camionnette m'a terrifiée. Sans toi, je serais restée paralysée. Mais elle t'a heurté, non ?

— À peine. Je n'ai qu'un bleu, rien d'héroïque.

— Si, dit-elle en le dévisageant. C'était bien de venir me chercher devant les roues. Et puis tu as dit quelque chose comme...

Elle hésita, cherchant les mots exacts, et il murmura à sa place :

— Ta vie est ce qui m'importe.

— J'aurais aimé que ce soit vrai.

— Prends-moi pour le dernier des derniers si tu y tiens, mais je ne te mens pas ! Dans la rue, quand je te tenais contre moi, rien d'autre ne comptait. Plus rien ! L'idée de te perdre me met au bord du gouffre. Et le pire, dans tout ça, le pire...

Il se leva, s'éloigna d'elle. S'adossant à un mur, il mit les mains dans ses poches.

— Le pire est que tu m'aimes encore, Anaba. Je le sens, je le sais. Mais tu ne vas peut-être pas vouloir nous laisser une chance. Je t'ai fait mal, tu as le droit de rendre les coups. Le plus terrible que tu puisses faire, le plus douloureux pour moi, c'est te lever et partir. J'ai un avion demain matin, il m'est impossible de rester. Pour tout t'avouer, je n'en ai pas les moyens en ce moment. Alors on peut ne pas se réconcilier ce soir, mais je serai de retour en septembre et je ne te lâcherai pas.

Elle le regardait, un coude sur la table et le menton dans la main. Le visage un peu défait par sa crise de larmes, mais terriblement jolie.

— Ton éloquence d'avocat est intacte, dit-elle sans sourire.

— Ah, oui, j'en ai bien conscience, je plaide pour moi, pour nous ! Et j'ai au moins un million de mots en réserve. Jusqu'à ce qu'il n'y ait plus de train du tout.

Il la vit esquisser un sourire malgré elle, le premier depuis des heures.

— Allez, dîne avec moi et dors ici. Donne-nous un peu de temps. Il est bien évident que je ne chercherai pas à te toucher. Si tu n'as pas envie de rester à l'hôtel, allons nous promener sur les Champs-Élysées, je n'ai rien vu de Paris depuis mon arrivée.

L'avait-il convaincue ? Ses grands yeux noirs restaient énigmatiques. Au bout de quelques instants, elle demanda :

— Je suppose que tu as coupé ton portable ? Tu devrais tout de même le consulter pour savoir si tes banquiers t'engagent. Ou si une autre femme n'a pas cherché à te joindre...

Là, son sourire était devenu malicieux. Lawrence se sentit soulagé d'un poids immense et se laissa glisser le long du mur, s'asseyant sur la moquette. Il n'avait pas encore gagné, mais au moins, il n'avait pas perdu.

11

— Mon petit Augustin, tu les as mis dans ta poche !

Content de son poulain, Gilbert lui asséna une claque dans le dos. Les interviews et la séance photo avaient eu lieu dans les locaux de l'agence, à la demande d'Augustin, et s'étaient très bien passées.

— Quand tu as exigé de tout grouper sur la même matinée, tu m'as beaucoup contrarié, mais finalement, c'était faisable !

Pour une fois en verve à propos de son métier, Augustin avait pris son temps pour répondre avec autant d'humour que d'enthousiasme à toutes les questions des deux chroniqueurs du *Journal de Montréal* et de *L'Actualité*. Souriant et très en forme malgré la fatigue du voyage, il avait manifestement séduit ses interlocuteurs. Les articles seraient bons, les ventes de ses livres progresseraient.

— As-tu le temps de boire un verre ou carrément le feu aux fesses ? s'enquit Gilbert.

— Va pour une bière, mais allons la boire à une terrasse. J'emporte les contrats, je les lirai à tête reposée. Si je n'ai aucune réserve à émettre, je te les déposerai avant de quitter Montréal.

Ils sortirent de l'immeuble et firent quelques pas rue Saint-Paul. Le temps était radieux, les passants musardaient au soleil et les femmes faisaient du lèche-vitrines, vêtues de robes légères.

— Donc, tu n'es pas chez toi, tu es descendu à l'*Auberge du Vieux-Port* ? voulut savoir Gilbert en s'attablant devant un bar.

— J'ai prêté mon studio à un ami. De toute façon, Stéphanie est bien mieux à l'hôtel. Elle n'est pas venue pour qu'on fasse les courses et la vaisselle.

— Ton choix est romantique à souhait !

— Nous ne sommes pas là pour longtemps, autant que le séjour soit réussi.

— Ah, tu la gâtes davantage que ton agent ! Si je réfléchis bien, tu ne m'auras accordé que trois petites heures.

— C'était suffisant, non ?

— En tout cas, ne t'avise pas de quitter le pays sans avoir signé tes contrats. Je te connais, quand tu es dans cet état-là, tu oublies tout.

— Je n'ai *jamais* été dans cet état-là, Gilbert. Avec Stéphanie, je suis un homme neuf.

— Finis tout de même ton manuscrit avant de perdre totalement les pédales. Et ne jette pas ton argent par la fenêtre.

— Pourquoi ? ironisa Augustin. On risque d'en manquer ?

Il termina sa bière et tendit la main à Gilbert.

— Je te revois avant de partir, promis. Tu auras encore droit à un bon quart d'heure de mon temps !

Pressé de rentrer à l'hôtel, il partit d'un pas alerte. La rue de la Commune était toute proche, il n'aurait pas beaucoup de chemin à faire. Son choix de

326

l'*Auberge du Vieux-Port* avait été mûrement réfléchi afin de ne pas se trouver trop près du Mont-Royal, et donc de l'hôtel de ses parents, mais pas trop loin du centre-ville. Le quartier du Vieux Montréal était tout indiqué, et cette auberge de charme disposait d'une vue imprenable sur le Saint-Laurent. En découvrant leur chambre, Stéphanie avait été immédiatement séduite par les murs de pierres et de briques apparentes, le plancher de bois franc, le grand lit de fer forgé. L'endroit se révélait tout à fait dans ses goûts, Augustin avait visé juste.

Alors qu'il la croyait en train de se reposer après les sept heures d'avion et les interminables contrôles à l'embarquement, il la découvrit faisant les cent pas dehors, le nez en l'air et une cigarette à la main.

— Ça s'est bien passé ? lui lança-t-elle avec un grand sourire.

— Oui, me voilà débarrassé. Veux-tu qu'on se balade un peu sur les quais ? Sauf si tu préfères dîner d'abord.

— Dîner ? Mais…

— Ici, c'est comme ça qu'on appelle le déjeuner, et dès que j'arrive je me remets à le dire ! Bon, on va se promener devant les bassins pour que tu puisses fumer autant que tu veux, ensuite on mange, et après je t'emmène visiter la ville. Quartier latin, quartier chinois, petite Italie… Je me creuse la tête pour savoir par où te faire commencer !

— J'aimerais voir la maison où tu as grandi.

— Alors c'est au plateau Mont-Royal.

Elle portait un jean, des ballerines, un chemisier blanc dont elle avait relevé les manches. Ses yeux étaient vraiment d'un bleu extraordinaire, et Augustin estimait que les petites rides qui les soulignaient ne faisaient que les mettre en valeur. Quant à ses cheveux gris, pour rien au monde il n'aurait voulu qu'elle les teigne, il l'aimait exactement telle qu'elle était.

Ils déambulèrent d'abord sur la promenade du Vieux-Port, observant les bateaux qui partaient en excursion sur le Saint-Laurent ou le canal de Lachine, puis remontèrent jusqu'à la place Jacques-Cartier, qui grouillait de touristes et d'artistes de rues. Augustin acheta un bouquet de fleurs pour Stéphanie, puis voulut qu'un peintre fasse son portrait au fusain.

Lorsqu'ils en eurent assez de marcher, ils s'arrêtèrent au restaurant *Les Remparts* pour déguster un lapin farci aux prunes, qui rappelait beaucoup la recette de Léotie, d'après Stéphanie. Elle rayonnait, posait mille questions, voulait tout voir et tout savoir. Attendri, Augustin comprenait qu'il s'agissait pour elle de son premier très grand voyage, et il était déterminé à ce que chaque heure soit une découverte, une fête. Après le déjeuner, il l'emmena visiter une galerie d'art, puis le château Ramezay et son musée, lui offrit une glace à l'érable avant de la faire embarquer sur un bateau-mouche pour une promenade commentée qui permettait de voir la ville sous un autre angle.

Comme le mois de juillet était celui du festival Juste pour rire ainsi que du festival international de jazz, toutes les rues débordaient d'animation, offrant un peu partout des spectacles ou des concerts gratuits. Pour Augustin, chaque émerveillement de Stéphanie offrait une occasion de lui prendre la main, la taille, le bras, de se pencher sur elle pour respirer son parfum, de lui déposer un baiser léger dans le cou. Aussi amoureux qu'un collégien, il en profitait pour regar-

328

der Montréal d'un œil neuf lui aussi, heureux d'être là et fier de partager sa ville.

Juste avant qu'elle ne s'écroule de fatigue, il la fit monter dans un taxi et l'emmena dîner au *Café de Paris*, dans les jardins du *Ritz-Carlton*. Lorsqu'ils rentrèrent enfin à l'auberge, vers minuit, ils étaient aussi fatigués l'un que l'autre et ils prirent leur douche ensemble. Ce qui, bien entendu, leur ôta toute envie de dormir, mais, ainsi que le précisa Stéphanie avec un sourire absolument affolant : « Nous ne sommes pas venus pour ça ! »

*
* *

Lawrence relut la lettre de sa mère avec un sentiment de culpabilité grandissant. Elle y expliquait avoir vendu des petites choses auxquelles elle ne tenait pas afin de lui envoyer un peu d'argent. Certes, il en avait besoin, néanmoins la somme le mettait mal à l'aise. Elle écrivait « un peu », mais il savait bien que pour elle c'était beaucoup. Et qu'éprouvait-elle devant cette obligation morale de devoir aider son grand fils de trente-trois ans ? De plus, elle avait dû se cacher pour le faire, car le père de Lawrence en avait assez des demandes de leur fils. Un fils qui, malgré ses longues, brillantes et ruineuses études, se retrouvait quasiment au point de départ !

Heureusement, la signature définitive de la vente du duplex approchait, et Lawrence pourrait rembourser sa mère très vite. Il allait même la mettre en tête de ses créanciers ! Prenant la liste qu'il avait soigneusement établie, il refit ses calculs. Après solde de tout compte – l'emprunt, les frais de l'hypothèque, le découvert bancaire et divers crédits à liquider –, il ne lui resterait pas grand-chose, juste de quoi pouvoir assurer son installation en France. Mais ensuite, tout irait mieux. Avec sa nouvelle situation il serait apte à tout reconstruire de A à Z.

Depuis qu'il était rentré de Paris, il ne tenait pas en place. Les quelques meubles sauvés du duplex et stockés dans la cave d'Augustin devaient être vendus eux aussi, et il avait mis en ligne des annonces sur le Web. Ensuite, il lui faudrait trier ses affaires. En jeter, en donner, ne conserver que l'essentiel, ce qui supposait de se séparer de ses deux paires de patins à glace et de ses skis. À moins qu'il ne les tasse dans le placard du studio, à côté de ceux d'Augustin ? Bien que son avenir soit encore confus, il ne se voyait pas ne jamais revenir à Montréal.

Tout ce tri difficile lui faisait mieux comprendre ce qu'avait dû ressentir Anaba lorsqu'elle s'était préparée à quitter définitivement la France pour venir vivre au Canada avec lui. De toute façon, il découvrait des tas de choses ces jours-ci. Sa terreur viscérale en voyant Anaba sur le point de se faire écraser lui avait révélé la profondeur de l'amour qu'il lui portait. Non, il ne voulait pas la reconquérir par orgueil, tout ce qu'il désirait était réparer son erreur afin de pouvoir la tenir de nouveau dans ses bras. Et bien qu'elle ne lui facilite pas la tâche, il y parviendrait. Elle se défendait, bien sûr, elle n'avait plus confiance en lui, et le message de Michelle avait failli la faire fuir définitivement.

Tabernacle ! Ce SMS était arrivé au pire moment ! À croire que cette hystérique l'avait fait exprès, sauf qu'elle ne pouvait pas savoir qu'il était en train de jouer son va-tout avec la femme de sa vie. Le lendemain, en attendant que son avion décolle, il avait rédigé une réponse vraiment désagréable, exigeant qu'elle le laisse en paix désormais, qu'elle l'oublie, qu'elle ne s'adresse plus jamais à lui. Mais il la connaissait bien, et peut-être ferait-il mieux de changer de cellulaire et de numéro, même pour le peu de temps qui lui restait à passer à Montréal. Une fois en France, la question ne se poserait plus, Michelle ne retrouverait pas sa trace.

Dans la lettre de sa mère, il y avait quelques phrases tristes au sujet de son départ, qu'elle qualifiait d'exil. Il avait pourtant présenté les choses comme une merveilleuse opportunité qui allait lui permettre de remettre sa carrière sur des rails, mais il ne pouvait pas espérer que la pauvre femme se réjouisse d'un tel éloignement. Il se promit d'être plus rigoureux qu'il ne l'avait été ces dernières années, et de l'appeler au moins une fois par semaine pour donner des nouvelles.

Il ferma le sac poubelle dans lequel il venait de déchirer nombre de papiers inutiles. Le studio était passablement en désordre, mais peu importait, il avait tant de choses à faire que le ménage était le cadet de ses soucis.

Gagnant la cuisine, il se prépara un café avec la machine ultramoderne d'Augustin, puis s'assit pour prendre le temps de le savourer, ce qui lui laissa le loisir de repenser à cette étrange nuit à l'hôtel *Pershing Hall*. Anaba ayant finalement accepté de dîner avec lui, ils avaient trop mangé, trop bu, trop parlé. Une soirée improbable, incroyable…

Malgré l'alcool ingurgité, il n'avait quasiment pas dormi, alors qu'elle s'était assoupie à peine la tête sur l'oreiller. Fidèle à sa parole – et bien trop avisé pour courir un tel risque –, il ne l'avait pas touchée, même pas approchée, se bornant à observer son sommeil agité. Elle avait gardé son slip, et aussi son tee-shirt noir qui faisait ressortir sa peau mate. Elle semblait si fragile et si vulnérable qu'à certains moments il en avait eu les larmes aux yeux. Lui ! Vraiment, cette femme avait le pouvoir de le transformer, de le faire accéder à des émotions qui n'étaient généralement pas les siennes.

Lorsqu'elle avait enfin ouvert les yeux, il faisait grand jour. Un superbe matin d'été fait pour l'amour. Elle l'avait longtemps regardé, comme si elle se demandait pourquoi il était là, à côté d'elle, dans un lit inconnu. De quoi faire amèrement regretter à Lawrence leurs anciens matins, quand ils s'éveillaient l'un contre l'autre en souriant, bras et jambes emmêlés.

Le bourdonnement de l'interphone l'arracha à ses pensées. Appuyant sur le bouton qui le mettait en communication avec son visiteur, il entendit avec stupeur la voix d'Augustin qui claironnait :

— Salut, vieux ! Si tu es visible, on monte te faire une petite visite, je suis avec quelqu'un que tu connais !

Effaré, Lawrence ne trouva pas une seule bonne raison pour l'en empêcher. Après tout, il était chez lui. Sauf que ça ne ressemblait plus à son studio mais à un véritable capharnaüm. Quant à la personne « connue » qui l'accompagnait, si jamais c'était Stéphanie, la rencontre menaçait d'être délicate. S'efforçant de sourire, il alla ouvrir la porte.

— On ne te dérange pas ? s'enquit Augustin.

Son ton et son sourire étaient si chaleureux que Lawrence secoua la tête.

— Pas du tout. Je triais des tas d'affaires…

Il regarda Stéphanie en se demandant s'il devait lui tendre la main. Prudent, il se contenta d'accentuer son sourire de commande.

— Je mourais d'envie de connaître son studio, dit-elle seulement.

— Il n'est pas à son avantage avec tout ce désordre, mais je prépare mon départ.

Elle jeta un coup d'œil aux étagères pleines de livres, au superbe tapis de Kairouan qui disparaissait sous les cartons.

— Un petit café ? proposa-t-il. Le percolateur d'Augustin est génial !

Coûte que coûte, il devait se réconcilier avec Stéphanie, sachant l'affection qu'Anaba lui vouait. Mais leur dernier échange s'était limité à la gifle qu'elle lui avait assénée, menaçant d'appeler la police.

— J'ai vu ta sœur à Paris il y a quelques jours, commença-t-il.

— Je sais.

— Nous tâtonnons un peu, elle et moi, mais nous ne sommes plus fâchés.

— Vraiment ?

Elle ne semblait pas décidée à lui faciliter la vie, néanmoins il ne se laissa pas décourager.

— Tout ce que j'espère aujourd'hui, c'est qu'elle m'offre une dernière chance. J'ai fait une grosse connerie, je suis prêt à tout pour l'effacer.

Stéphanie le contempla quelques instants en silence puis eut un petit mouvement du menton. Approbation ? Mise au défi ?

— Alors, ce café ? intervint Augustin.

Ils se retrouvèrent tous les trois dans la cuisine, un peu embarrassés.

— Très mignon, ça, dit Stéphanie en désignant la table et les chaises de bistrot.

Debout devant l'évier, Lawrence essayait de cacher la pile de vaisselle sale.

— Qu'est-ce que tu comptes chercher comme genre de logement à Paris ? lui demanda Augustin. Parce que j'ai un copain qui doit partir pour une année en Allemagne et qui va louer son appartement.

— J'espère qu'il loue la femme de ménage avec ! marmonna Stéphanie.

— Il en est propriétaire, il ferait un bail en bonne et due forme. Si ça t'intéresse...

— Tu parles ! À quoi ça ressemble ? Et où est-ce situé ?

— Deux pièces confortables du côté de l'Opéra.

— Cher ?

— Pas donné, mais l'appartement est meublé.

— Tu es vraiment ma providence ! Tu crois que ton copain accepterait, bien que je n'aie pas encore de fiches de paye ?

— Ton contrat devrait suffire. Mais il faudrait que tu te dépêches, ce type n'est pas mon meilleur ami et il n'a pas promis de me le garder au chaud.

— C'est *moi* ton meilleur ami, affirma Lawrence très sérieusement.

Augustin leva les yeux de sa tasse de café et regarda Lawrence bien en face. Durant deux ou trois secondes, il l'étudia avec attention.

— Puisque tu le dis..., lâcha-t-il enfin.

— Je le pense.

334

Augustin eut son drôle de sourire asymétrique.

— Bon, on ne te dérange pas plus longtemps. Maintenant que Stéphanie connaît mon antre, je l'emmène voir des choses plus impressionnantes.

Lawrence les escorta jusqu'à la porte et se risqua à tendre la main à Stéphanie.

— Excellent séjour. Tu as le meilleur des guides !

Elle hésita puis lui serra la main sans enthousiasme. Même avant la catastrophe du mariage raté, ils n'avaient jamais beaucoup sympathisé tous les deux, et il allait devoir fournir des efforts considérables pour trouver grâce à ses yeux.

— Appelle-moi dans la journée si tu te décides pour l'appartement, proposa Augustin.

— Pas la peine d'y réfléchir, je suis preneur.

— Je te tiens au courant.

— Merci, vieux. Du fond du cœur. D'abord ton studio, et puis cet appartement providentiel à Paris, ça fait deux fois que tu me sauves !

— Non, ça fait bien plus en réalité.

Saisi par l'étrangeté de la réponse, Lawrence le suivit du regard. Il le vit rejoindre Stéphanie, la prendre amoureusement par la taille et s'engouffrer avec elle dans l'ascenseur. *Bien plus* ? Que voulait-il dire ? Car même en comptant le jour du mariage, où il avait envoyé Augustin à sa place, ce n'était jamais qu'*une seule* fois de plus. Ou alors… Augustin y ajoutait-il le malheureux coup de patin ? Avait-il, le jour de l'accident, perçu l'hésitation de son ami ? Mais non, il ne pouvait pas penser une chose pareille, il en aurait parlé avant, ou au moins il aurait fait une allusion. En y réfléchissant, Augustin lui avait souvent rendu service, néanmoins il n'était pas du genre à comptabiliser ses bons gestes.

— « Bien plus, en réalité », répéta Lawrence entre ses dents.

La réalité n'était pas flatteuse pour lui, il devait l'admettre. Et la manière dont Augustin l'avait considéré cinq minutes plus tôt, dans la cuisine, prouvait qu'il n'était pas dupe. Si, à une époque, Lawrence avait été son modèle et son grand ami, aujourd'hui il semblait totalement détaché. Alors pourquoi continuait-il à l'aider ? Par altruisme ? En souvenir de leur jeunesse ? Mais les vingt ans d'Augustin avaient été gâchés, et Lawrence en portait la responsabilité.

« Tout ça s'arrangera quand je serai à Paris. On se verra davantage, on resserrera les liens. J'aime bien Augustin... »

Il ne voulait pas le perdre, il avait besoin de lui, besoin d'un ami en France, et besoin d'un allié dans le camp d'Anaba.

*
* *

— Ma petite fille, personne ne peut t'aider. Toi seule connais ton problème en entier, toi seule possèdes la solution.

Roland déplaça la pile de livres sur la table basse pour qu'Anaba puisse y poser le plateau. Toutes les fenêtres de la maison biscornue étaient ouvertes, créant un délicieux courant d'air, et le bruit de la circulation de la rue, au bout de l'impasse, ne leur parvenait qu'assourdi.

— Mais enfin, c'est fou ! s'énerva-t-elle. J'avais juré que je ne le verrais plus jamais de ma vie, que j'oublierais jusqu'à son nom, que…

— Ce ne sont que les serments de la colère, ça ne compte pas. La vérité se cache au fond de ton cœur.

— Même si mon cœur me pousse à faire des conneries ?

— Tss, tss, la vulgarité n'a jamais aidé à réfléchir.

Anaba ébaucha un sourire puis haussa les épaules.

— Je ne sais pas quoi faire, papa.

— Ne fais rien, attends. Où est l'urgence ? Si Lawrence veut vraiment se faire pardonner, il sera patient. Tu as tout ton temps. Pour le moment, tu es bien chez ta sœur, tu recommences à gagner ta vie avec ton travail, tu as repris confiance en toi. Tu peux regarder plus sereinement les choses.

— Quand Lawrence sera à Paris, je ne serai plus sereine du tout.

— Tu as peur qu'il te harcèle ?

— Non. Je me demande si je n'ai pas envie qu'il le fasse !

Roland se mit à rire, et Anaba finit par l'imiter.

— Tu as raison, dit-il, mieux vaut s'en amuser.

Il se pencha en avant et tapota affectueusement la main de sa fille.

— Le bonheur est la seule quête valable. Les chemins à emprunter pour y accéder sont parfois… déroutants.

— Tu n'as jamais beaucoup apprécié Lawrence, n'est-ce pas ?

— À vrai dire, je le trouvais très arrogant. Il avait l'air de penser qu'il réussissait forcément tout ce qu'il entreprenait. Mais depuis qu'il s'est pris les pieds dans le tapis, peut-être a-t-il acquis une once d'humilité ?

— Et si je devais à nouveau, un jour, avec lui...

Elle laissa sa phrase en suspens, comme si elle n'osait pas l'achever.

— Ce qui est bon pour les uns ne l'est pas forcément pour les autres, décréta Roland. Et si Lawrence te semble malgré tout l'homme idéal, nul ne doit s'en mêler.

— Arrête avec tes adages, papa ! Je veux juste ton avis.

— Je n'en ai pas. Si j'en avais un, il serait partial car tu es ma fille et je souhaite le meilleur pour toi. Lawrence est-il le meilleur qui puisse t'arriver ? Il a fait un faux pas et vous avez trébuché. À toi de savoir si tu repars avec lui malgré tout ou si tu changes de partenaire. Et maintenant, je vais te faire une confidence. Quand je suis tombé amoureux, amoureux fou de ta mère, on aurait bien pu me raconter n'importe quoi à son sujet ou me prédire les pires tourments, ça n'aurait rien changé d'un iota. Je l'aimais, voilà tout.

Anaba hocha lentement la tête. Il n'était pas certain de l'avoir aidée mais il avait été sincère. Son opinion à propos de Lawrence ne regardait que lui, Anaba ne gagnerait rien à la connaître. De toute façon, il n'avait eu que des rapports superficiels avec cet homme, et par ailleurs, il n'était pas dans la peau d'une jeune femme de vingt-huit ans.

— Il faut que j'ouvre le magasin cet après-midi, annonça-t-elle. Je vais me dépêcher de rentrer.

Elle était venue à Paris à la demande de l'expert qui détenait la petite peinture sur bois. Apparemment, il s'agissait d'une œuvre de bonne valeur, mais l'expert

338

voulait solliciter l'avis d'un confrère avant d'authentifier le tableau. Il avait félicité Anaba sur la qualité irréprochable de sa restauration ainsi que sur son intuition.

— As-tu une idée de ce que ça peut valoir ? demanda Roland en la raccompagnant jusqu'au vieux break garé au fond de l'impasse.

— Bien assez pour changer cette voiture !

Roland se sentit aussitôt tout heureux. Depuis quelques semaines, il économisait, vendant certains livres et essayant de ne pas en racheter d'autres. Persuadé que ses filles tiraient un peu le diable par la queue, il avait décidé de les aider au lieu de se comporter comme un vieil égoïste. Mais si elles avaient eu un coup de chance – et leur petit tableau semblait l'être autant qu'un tiercé gagnant –, il ne serait plus obligé de se séparer d'exemplaires auxquels il tenait.

— Je croise les doigts pour vous, dit-il à Anaba.

— Tu n'es pourtant pas superstitieux !

— Ce n'est qu'une formule. As-tu des nouvelles de Stéphanie ? Elle m'a appelé hier, et elle avait l'air de… planer.

Une ombre passa sur le visage d'Anaba. Se rappelait-elle l'enchantement de ses premiers séjours à Montréal ?

— Je l'envie, avoua-t-elle, mais je me réjouis pour elle.

— Exactement comme quand on fait découvrir un livre extraordinaire à quelqu'un. On est content pour l'autre, mais on n'aura plus ce plaisir de la première fois.

— Tu ramènes tout à tes satanés bouquins, répliqua-t-elle tendrement, tu es incorrigible.

Il la serra dans ses bras, un peu plus longtemps que d'habitude.

—Continue à prendre soin de toi, ma chérie. Et persuade-toi que tu es ton propre maître.

Jamais il ne lui avait donné autant de conseils, lui qui venait de prétendre vouloir ne se mêler de rien. Il la regarda reculer, manœuvrer au coin de l'impasse et disparaître dans la rue. Bon sang, allait-elle retourner avec Lawrence ? Il ne savait pas trop s'il le redoutait ou s'il le souhaitait. Mais elle l'aimait encore, voilà qui était clair comme de l'eau de roche. En fait, ses *deux* filles étaient amoureuses de deux Canadiens ! Fallait-il y voir la main céleste de Léotie ?

Il retourna fermer sa porte à clef. Le temps était si beau qu'il avait envie de se promener. Au square des Épinettes, il pourrait déambuler à l'ombre des tilleuls argentés, s'asseoir sur son banc favori près du kiosque à musique, et puis rendre une petite visite au hêtre pourpre auquel il recommandait toujours l'âme de Léotie. Au retour, s'il n'était pas trop tard, il s'arrêterait chez son bouquiniste.

*
* *

Jean Laramie ayant réservé d'office, ils s'étaient retrouvés pour dîner au *Passe-Partout*, un restaurant français du centre-ville dont le chef, paradoxalement new-yorkais, proposait sur sa carte des plats typiques comme le petit salé aux lentilles du Puy ou le suprême de flétan aux épinards.

« Le meilleur pain de tout le Québec se fait ici », avait chuchoté Augustin à l'oreille de Stéphanie en entrant dans la salle.

Elle n'avait que très moyennement apprécié l'annonce de cette rencontre « fortuite ». Faire la connaissance des parents d'Augustin la mettait en porte-à-faux, elle n'était ni sa fiancée ni même une charmante jeune fille susceptible de le devenir. Un peu raide, elle avait suivi Augustin jusqu'à la table où les Laramie les attendaient, subissant leur regard durant toute la traversée du restaurant. Jean s'était levé, Charlotte était restée assise, ils avaient échangé des poignées de main et quelques banalités d'usage. Puis, très vite, peut-être pour détendre l'atmosphère, Jean avait commandé du champagne. Sans tomber dans le piège du toast à porter, il avait seulement dit qu'ils étaient heureux de voir leur fils.

Négligeant les plats français, Stéphanie avait opté pour de l'espadon, qu'elle grignotait sans trop participer à la conversation. Augustin faisait tout pour détendre l'atmosphère, mais Charlotte restait coincée et Stéphanie silencieuse. Au moment du dessert, Jean Laramie tenta une attaque de front.

— Vous êtes donc antiquaire, mademoiselle ? Un beau métier, qui doit réserver beaucoup de surprises et de rencontres.

Le mot « mademoiselle » parut incongru à Stéphanie. À partir d'un certain âge, n'appelait-on pas toutes les femmes « madame » ?

— Stéphanie, je vous en prie, dit-elle avec un sourire contraint.

— D'accord, moi c'est Jean.

— Eh bien, Jean, j'aime le commerce, et j'ai la passion des meubles anciens, objets, tableaux. Les dénicher à un prix intéressant, les revendre à un amateur qui en prendra soin, c'est ce qui me plaît. Mon magasin se trouve dans un petit village de Normandie.

— Oh, la Normandie ! s'exclama Charlotte en se déridant un peu. Des vaches, des pommiers ?

— La Seine, un château fort, des maisons anciennes à pans de bois, qu'on croirait sorties du Moyen Âge.

— Et votre mère était d'origine canadienne ? enchaîna Jean.

— Ma belle-mère. Elle m'a élevée car j'ai perdu ma mère assez jeune. Mais en effet, elle parlait souvent de son pays, avec beaucoup de nostalgie. Je crois qu'elle y était très attachée, malheureusement elle n'a pas eu l'occasion d'y revenir. Mon père a la phobie de l'avion, il n'a jamais pu se résoudre à faire le voyage.

Le regard de Charlotte s'était adouci. Elle se risqua à demander :

— N'aurait-elle pas pu venir toute seule pour quelques jours ?

— Elle économisait dans ce but mais elle n'en a pas eu le temps. Elle est morte dans des circonstances assez… dramatiques.

Là, Charlotte se fit carrément amicale et eut une petite moue de compassion. Peut-être qu'à ses yeux, ces deuils successifs expliquaient les cheveux gris de Stéphanie. Les siens étaient blond platine, à l'américaine, et elle devait passer beaucoup de temps chez son coiffeur. Se tournant vers Augustin, elle se fit raconter par le menu tous les endroits où il avait déjà conduit Stéphanie et ceux où il allait l'emmener. Le dîner put ainsi s'achever dans une ambiance plus chaleureuse, et après le dessert, les Laramie furent les premiers à se lever.

— Restez là tranquillement à profiter de la fin de soirée, suggéra Jean. En ce qui nous concerne, nous aimons bien nous coucher tôt, nous avons des habitudes de retraités !

Il prit congé par une solide poignée de main, mais Charlotte se pencha sur Stéphanie pour l'embrasser.

— Très bonne fin de séjour, et si vous venez à Vancouver, vous serez la bienvenue.

Même si ce n'était qu'une formule de politesse, au moins elle l'avait dite. Augustin voulut se lever à son tour mais son père l'arrêta d'un geste.

— Reste assis. Vous êtes nos invités, je m'en occupe.

Puis il tapota l'épaule de son fils un peu maladroitement, tout en murmurant :

— Rien que pour ses yeux…

Stéphanie, qui avait entendu, réprima un sourire.

— Voilà, soupira Augustin dès qu'ils se furent éloignés, à présent tu connais mes parents.

— Tu tenais surtout à ce qu'il me connaissent, non ?

— Oui.

— Et tu savais très bien qu'ils seraient à Montréal en même temps que nous.

— Je le leur avais demandé, avoua-t-il piteusement.

— Pourquoi ? On ne va pas se marier, Augustin, on ne va pas leur donner des petits-enfants. Enfin, pas moi !

L'air déçu d'Augustin était touchant, mais elle ne voulait pas qu'il imagine n'importe quoi car sa déception serait alors bien plus grande.

— On aurait cru le bal des débutantes ! ragea-t-elle. Saluez par-ci, souriez par-là. J'ai passé l'âge de ce genre de présentation.

— Ce n'était pas mon intention. J'avais envie qu'ils te voient, qu'ils sachent que je suis heureux près de toi, qu'ils puissent penser à nous deux ensemble.

— Et qu'ils s'habituent à l'idée qu'ils n'auront pas de descendance ?

— Stéphanie, nous aurons peut-être envie d'adopter un enfant un jour.

— Un *jour* ? Quand j'aurai la cinquantaine ? Je ne veux pas fonder une famille, je te l'ai déjà dit.

— Je me fous pas mal de tout ça. Je te veux, toi, et rien d'autre.

— Aujourd'hui. En ce moment. Mais plus tard ?

— Je m'en fous aussi. Je ne prédis pas l'avenir, je ne lis pas dans le marc de café.

— Tu seras malheureux au bout du compte.

— Sûrement pas. Tu n'es pas *si* vieille et je ne suis pas *si* jeune. Tu fais une montagne d'une souris.

Elle leva les yeux au ciel et se mit à pianoter sur la nappe, exaspérée.

— Oh, et puis zut ! s'emporta-t-il soudain d'une voix contenue. Je savais bien qu'à moins d'un miracle ce ne serait pas une très bonne soirée. Je me suis entêté, désolé. Je veux toujours que les choses s'arrangent, je suis un grand naïf.

— Quel besoin de les « arranger » ? Nous étions très bien, non ? J'adore ce voyage, j'adore être avec toi, que fallait-il de plus ? En ce moment, tes parents doivent se demander pourquoi tu m'as choisie, moi, sinon pour les contrarier. J'entends les commentaires d'ici sur mes rides, mes cheveux...

Elle s'arrêta net en se souvenant que Jean avait murmuré, complice : « Rien que pour ses yeux... »

Mais Charlotte devait pleurer sur les bébés Laramie qu'elle ne verrait jamais.

— On s'en va ? proposa Augustin, le visage fermé.

— Tu veux rentrer à l'hôtel ?

— Non. Je t'emmène d'abord boire un verre au jardin Nelson. Une terrasse magnifique où tu pourras fumer, ça te rendra le sourire. Il y a toujours du jazz à écouter là-bas, et avec le festival, ce sera sûrement un groupe de très bon niveau.

Il faisait un effort louable pour dissimuler sa contrariété. Qu'avait-il espéré ? Pourquoi ne pouvait-il pas se satisfaire de l'instant présent ?

— Augustin, dit-elle en l'empêchant de se lever, tu es fâché ? déçu ? Si nous ne sommes pas sur la même longueur d'onde, autant le savoir maintenant.

— Pas de longueur, pas d'ondes. Je t'aime, Stéphanie. C'est une réalité appelée à durer.

— Mais moi aussi, je t'aime ! Avec toi, tout est différent, tout est bien. Et je ne veux pas retomber dans ces trucs d'amour-toujours qui, justement, ne durent pas.

— Tu viens de le dire, ma chérie, avec moi c'est différent.

— Ah, que tu es têtu !

— Tu ne réussiras pas à m'écrapoutir dans la discussion.

Oubliant leur différend, elle éclata de rire.

— Encore ! exigea-t-elle. Souviens-toi, tu m'avais promis un festival d'expressions.

— Prête l'oreille dans la rue, tu seras servie. Mais si tu en veux un peu tout de suite, je te trouve très kioute, ma pitoune. J'aime te crouser, ça me met les yeux dans la graisse de binnes.

345

— J'adore ! Ça signifie ?

— Que j'aime te conter fleurette, ça me donne le regard amoureux. Et je te trouve très jolie, ma chérie, pitoune est un mot doux.

— Ton accent me ravit aussi. Juste un peu, mais pas trop. De toute façon, tout me plaît chez toi. Tes yeux, ton sourire...

— Il est de travers.

— Un charme de plus, et qui te donne l'air coquin. Bon, on arrête de se disputer et on va écouter du jazz ?

Elle savait qu'il reviendrait à la charge, que l'avenir risquait d'être un sujet d'affrontement permanent. Tout au fond d'elle-même, l'envie de se laisser convaincre commençait à pointer, mais elle se sentait capable de la refouler encore. Pour combien de temps ?

Ils quittèrent le restaurant bras dessus, bras dessous, et en passant la porte Stéphanie murmura à l'oreille d'Augustin :

— La soirée n'était pas mauvaise du tout. Ta mère t'adore et ton père ne sait pas trop comment te prendre, mais ils ont été gentils avec moi. Qui sait si un jour je n'irai pas les voir à Vancouver...

— Moi, je sais, dit-il en resserrant son bras. Nous irons ensemble, « mademoiselle » ! Et ça n'engage à rien, promis juré.

Ils avaient fait chacun la moitié du chemin, ils pouvaient s'estimer réconciliés, en tout cas pour la nuit à venir.

*
* *

Le bourdonnement des réacteurs avait fini par endormir la plupart des passagers. Parmi les rares qui veillaient encore, Lawrence feuilletait des journaux, résigné à ne pas trouver le sommeil. L'argent de sa mère avait servi à payer les billets, un bon investissement puisqu'il devait signer son bail et entreprendre les nombreuses démarches nécessaires à son installation, tant personnelle que professionnelle. Lorsqu'il arriverait définitivement, au début de septembre, tout serait réglé. Il s'agissait donc de son dernier aller-retour, ensuite il habiterait Paris.

Se redressant sur son siège, il tenta d'apercevoir Augustin et Stéphanie, six rangées devant lui. S'il avait pris le même vol qu'eux, c'était dans l'espoir de voir Anaba à Roissy. Il ne pouvait pas lui demander de venir le chercher, mais sans doute serait-elle là pour accueillir sa sœur et la ramener aux Andelys. Consulté par téléphone, Augustin n'avait pas semblé contrarié, il avait même proposé à Lawrence d'organiser un rendez-vous avec ce copain qui louait son appartement.

Dans la salle d'embarquement, Lawrence s'était fait discret, saluant Augustin et Stéphanie de loin tout en faisant signe qu'il ne voulait pas déranger les amoureux. En fait, il ne tenait pas à exaspérer Stéphanie, au contraire, il souhaitait trouver le moyen de l'amadouer, ce qui ne serait pas aisé.

Pour obtenir son billet d'avion sur ce vol précis, il avait dû batailler, mais finalement il l'avait déniché sur un site d'achats de dernière minute qui profitait des désistements. Une vraie chance, qu'il prenait comme un clin d'œil du destin.

Une ombre au-dessus de lui lui fit lever la tête de son journal.

— Je vois que tu ne dors pas non plus, dit Augustin. Je peux m'asseoir là cinq minutes ?

— Mon voisin est parti faire sa nuit sur un autre siège, ma lumière le gênait.

— Alors je te tiens un peu compagnie. Stéphanie a pris un somnifère, je crois que je ne la réveillerai qu'à l'atterrissage.

— Tout a l'air d'aller très bien pour vous deux.

— Très bien est excessif.

— Ah bon ? s'étonna Lawrence, déjà inquiet.

Que son meilleur ami et la sœur d'Anaba soient en couple l'arrangeait trop pour qu'il ne souhaite pas que ça dure.

— Elle est très têtue, soupira Augustin.

— Autant que toi ?

— Tiens, tu l'avais remarqué ?

— Oh, arrête ! Je te connais aussi bien que si j'étais ton frère.

— Dieu me préserve !

— Ne sois pas désagréable, raconte-moi plutôt tes malheurs.

— Stéphanie se trouve trop vieille pour moi.

Lawrence ouvrit la bouche mais rattrapa in extremis ce qu'il allait dire. Pas de « évidemment », pas de « c'est vrai ». Au contraire, il marmonna :

— Sept ans ? Rien d'insurmontable. Elle devrait se teindre en blonde, ça la rajeunirait et ça irait bien avec ses yeux.

— Mais il n'est pas question d'apparence ! Je l'adore telle qu'elle est, elle est très belle de toute façon. Non, le problème se pose pour d'éventuels enfants.

— Quarante-deux ans, c'est encore jouable.

— Elle n'en veut pas.

— Et toi, tu en rêves ?

— Pas pour l'instant.

— L'instant est crucial, vieux. Mariez-vous vite fait et fabriquez-en un à tout hasard.

Augustin se tourna vers lui et le dévisagea, consterné.

— Tu es vraiment assez moche dans ta tête, Lawrence… Pour rien au monde je ne précipiterai quoi que ce soit avec elle. Et on ne « fabrique » pas les gluants au hasard !

— J'essaye de t'arranger, protesta Lawrence.

— Toi ? En la circonstance, je ne vois pas ce que tu pourrais faire, ni ce que tu *veux* faire.

— Bon, ça suffit ! explosa Lawrence en haussant le ton, ce qui lui valut des grognements de mécontentement de quelques passagers.

Surpris, Augustin s'était un peu reculé mais continuait de le fixer.

— J'en ai marre de tes sous-entendus, reprit Lawrence plus bas. Quelque chose cloche entre nous ? Tu veux me dire un truc ? Vas-y ! Quand je te rappelle que je suis ton ami, chaque fois tu me fais comprendre que tu en doutes. Tu ne m'as pas pardonné de t'avoir envoyé à ma place le jour de mon mariage ?

— Non, je ne t'en veux pas puisque j'ai rencontré Stéphanie.

— Alors quoi ? Si ça remonte à ton… accident, j'aimerais autant le savoir !

— Pourquoi en parles-tu ?

349

Lawrence se mordit les lèvres, puis il haussa les épaules, impuissant, et attendit. Le silence se prolongeant, il finit par murmurer :

— Je ne l'ai pas fait exprès. Peut-être que j'aurais pu... Franchement, je l'ignore.

Demi-mensonge, moitié de vérité. Qu'y avait-il d'autre à avouer ?

— C'est du passé, déclara Augustin d'une voix calme. Aujourd'hui, j'ai souvent l'impression que tu te sers de moi comme tu t'es toujours servi des autres, de tout le monde. Je me suis émancipé depuis longtemps, mais tu ne t'en es pas aperçu, ou bien tu ne veux pas l'accepter.

Rendu silencieux par ce verdict, Lawrence jeta un coup d'œil vers le hublot. Comme il n'y avait strictement rien à voir, il poussa un profond soupir.

— Je sais bien que tu as pris tes distances, et je le regrette. Je suis souvent trop sérieux, trop absorbé, mais avec toi, je m'amusais. On a connu de bons moments, non ?

Au lieu de répondre à cette dernière question, posée d'un ton pressant, Augustin laissa tomber :

— Ce sont tes ambitions démesurées qui t'ont absorbé. Anaba était ton salut.

— Elle va le redevenir ! C'est mon but unique, et ce travail à Paris n'est qu'un moyen.

— En ce qui concerne ton travail, avais-tu le choix ?

— New York, par exemple.

— Sauf qu'en ayant choisi la France, tu fais d'une pierre deux coups.

— Je joue une partie très serrée en ce moment. Mais je peux te dire que s'il m'avait fallu choisir un seul pion, j'aurais pris Anaba.

Augustin ébaucha un sourire. Sous la faible lumière du plafonnier, sa cicatrice paraissait sombre et barrait sa joue. Lawrence éprouva brusquement une véritable bouffée de sympathie envers lui.

— J'espère que ça marchera pour toi avec Stéphanie, dit-il très vite. Si tu l'épouses, tu me prendras comme témoin ?

— J'y réfléchirai. Remarque, si elle me disait oui, je ne serais plus en état de réfléchir à quoi que ce soit !

— C'est à ce point-là ?

— Au-delà, au-delà...

Lawrence se mit à rire mais une main surgit entre les dossiers des fauteuils et lui agrippa le bras.

— Hé, vous deux ! Vos histoires m'empêchent de dormir, vu ? Alors, mettez-la en veilleuse !

La main disparut tandis que Lawrence et Augustin échangeaient un regard. Ils avaient la même envie de pouffer, ce qui les ramenait loin en arrière, sur les bancs de la fac, à leurs fous rires de l'époque. Augustin prit le bloc-notes abandonné sur les genoux de Lawrence et sortit un stylo de sa poche de chemise. Après avoir griffonné quelques mots, il lui adressa un clin d'œil et se leva. Lawrence le suivit du regard tandis qu'il remontait l'allée centrale, puis il récupéra le bloc-notes.

Je te laisse en mauvaise compagnie mais on arrive dans moins de deux heures, et d'ici là, tu n'as aucune raison de parler tout seul. Je te retrouve à Charles-de-Gaulle. Ton ami Augustin Laramie.

P.S : je signe en entier pour que tu puisses conserver précieusement l'autographe, ça vaudra de l'or un jour !

L'important, bien sûr, était le mot « ami », qui laissa Lawrence tout songeur.

*
* *

Anaba faisait les cent pas dans le hall des arrivées, remontant sans cesse la bandoulière de son sac. Elle était impatiente de voir Stéphanie, de connaître ses impressions sur Montréal, de lui apprendre que leur peinture sur bois avait de la valeur, de lui dire sa fierté d'avoir réalisé quelques ventes au magasin, en particulier celle d'une affreuse paire de fauteuils dont elles pensaient ne jamais se débarrasser.

Arpenter le hall de Roissy la rendait nerveuse. Combien de fois était-elle arrivée elle-même du Canada, ou venue attendre Lawrence le cœur palpitant de joie ? Tout cela semblait à la fois lointain et proche, vécu dans une autre existence. Pétrie de doutes, de regrets, de frustration, et d'une colère qui n'en finissait pas de s'éteindre, elle ne savait plus où elle en était. Parfois, elle s'imaginait possible de tout recommencer, parfois elle y renonçait d'avance comme à la pire des folies.

Elle s'était levée très tôt pour être ici à huit heures. Stéphanie serait sûrement fatiguée à sa descente d'avion, et pressée d'allumer une cigarette à peine dehors ! Sur la route du retour, elles allaient pouvoir bavarder à loisir, attraper quelques bons fous rires, se faire des confidences.

L'arrivée du vol en provenance de Montréal venait enfin d'être annoncée, mais il faudrait encore patienter le temps que Stéphanie et Augustin récupèrent

352

leurs bagages et passent tous les contrôles. Pour tromper son attente, Anaba décida d'aller boire un café, le troisième depuis qu'elle était ici. Stéphanie avait-elle fait du shopping ? Rapportait-elle du pâté de bison, des tisanes inuit et du thé du Labrador sucré au beurre d'érable ? Augustin avait promis de la conduire au marché Jean-Talon, dans la petite Italie, un paradis des saveurs que Lawrence avait fait découvrir à Anaba un an plus tôt.

Rien qu'une année, et tant de bouleversements ! Malgré tout son amour pour Stéphanie, Anaba eut un pincement au cœur. Quel beau voyage d'amoureux sa sœur venait-elle de faire, dans cette ville où elle avait failli vivre pour toujours...

Elle se dirigea vers la porte annoncée, d'où commençaient à émerger les premiers passagers. Mais ce ne fut ni Stéphanie ni Augustin qu'elle aperçut d'abord. La silhouette de Lawrence lui était si familière qu'elle le reconnut de loin, rien qu'à son allure. Grand et mince, élégant, ses cheveux blonds coupés plus court que d'habitude, il cherchait quelqu'un du regard. Quand leurs yeux se croisèrent, il marqua un temps d'arrêt, se faisant bousculer par des gens pressés. Puis il vint vers elle avec un sourire timide qu'elle ne lui connaissait pas.

— Augustin se fait fouiller par les douaniers, annonça-t-il, ils ont dû lui trouver une tête de coupable.

L'un devant l'autre, ils hésitaient sur la manière de se dire bonjour. Finalement, il posa son sac de voyage, lui mit une main légère sur l'épaule.

— Je peux t'embrasser ? demanda-t-il en l'attirant à lui.

Leur étreinte fut brève, mais suffisante pour qu'Anaba comprenne qu'il y en aurait d'autres. Plus tard, un jour, au bon moment, car elle n'était pas loin du pardon.

— Je vois que vous avez fait connaissance ! lança ironiquement Stéphanie en arrivant à son tour.

Lawrence essaya de prendre l'air amusé mais ne réussit qu'à avoir l'air perdu. Anaba tomba aussitôt dans les bras de sa sœur, puis dans ceux d'Augustin qui finissait de boutonner sa chemise.

— J'ai de la chance, déclara-t-il, personne de mal intentionné n'a glissé dans ma valise deux cents kilos d'héroïne pure ou d'explosifs ! Ils m'ont donc laissé partir.

Du coin de l'œil, il mesura la situation. L'agacement de Stéphanie, l'embarras de Lawrence, l'indécision d'Anaba.

— On va prendre un taxi lui et moi, décida-t-il. Comme ça, vous les filles, vous n'aurez pas à rentrer dans Paris.

Il enferma Stéphanie dans ses bras et la serra trop fort en ajoutant :

— Et on s'appelle et on joue à *Devine qui vient dîner*, d'accord ?

Puis il entraîna Lawrence avec lui vers la sortie, se retournant dix fois pour dire au revoir d'un signe de la main.

Anaba et Stéphanie, côte à côte, restèrent immobiles tandis qu'ils s'éloignaient.

— Tu sais que tu es mûre pour l'asile ? dit Stéphanie avec un sourire débordant d'affection. J'ai rêvé ou je t'ai vue l'embrasser ?

— À peine ! J'étais tellement sidérée qu'il soit là...

354

Les deux hommes venaient de quitter le hall et avaient disparu.

— On descend au parking ? suggéra Anaba. On a mille choses à se raconter, tu vas me parler du Canada.

— Surtout d'un Canadien.

— Ils sont attachants, n'est-ce pas ? Ah, quand on y a goûté...

Les portes de l'ascenseur se refermèrent sur leur double éclat de rire. Après tout, Roland finirait sans doute par aller à la noce sans être obligé de prendre l'avion.

Photocomposition Nord Compo
59650 Villeneuve-d'Ascq

Achevé d'imprimer par N.I.I.A.G.
en février 2011
pour le compte de France Loisirs, Paris

N° d'éditeur : 63028
Dépôt légal : décembre 2010

Imprimé en Italie